改訂版

Language Acquisition Theories
for Teachers of Japanese

日本語教師のための
新しい言語習得概論

小柳かおる＝著
KOYANAGI Kaoru

スリーエーネットワーク

Published by 3A Corporation.
Trusty Kojimachi Bldg., 2F, 4, Kojimachi 3-Chome, Chiyoda-ku, Tokyo 102-0083, Japan

ISBN978-4-88319-883-2 C0081

First published 2004
Revised Edition 2021
Printed in Japan

はじめに

　日本語学習者の数は国内外で増加しニーズも多様化している。そして，教育現場では，そのようなニーズの多様化に対応できる教員が求められている。しかしながら，大学や民間の教師養成講座で教えられることには限界がある。そこで，どう教えたらいいかを考える際に一つの知識源となるのが，言語習得論ではないかと思われる。筆者はアメリカの大学院で勉強を始める以前からすでに日本語教育に関わっており，それまでの教育経験や自分の外国語学習の経験（英語とフランス語）を通して，どうすれば言語が本当に使えるようになるのであろうかという疑問を持ち，こうすればいいのではないかという直観を得るに至った。その直観を理論的に支える拠り所になったのが，アメリカで出会った言語習得という分野であった。

　第二言語習得（SLA）研究は 1970 年前後から海外で盛んになったので，理論やアプローチは海外に学ぶところが大きいが，英語で出版されている入門書や概論書は，英語やスペイン語など欧米語の事例が多い。日本語教育においても言語習得研究に対する関心が高まっている中で，日本語の習得と結びつけて何か書けないかと思ったのが本書の執筆を思い立ったきっかけである。本書は多岐にわたる SLA の研究分野の中で，特に日本語教育に役立ちそうな教室習得の分野を紹介することを目的としている。日本国内には独自の日本語の習得研究もあるが，本書ではそのすべてに言及できていないことをお断りしておく。

　それから，本書では，従来の SLA の概論書と異なり，第一言語としての日本語の習得についても，かなりのページを割いた。子どもの時，日本語をどのように習得したかはおそらく覚えていないと思うが，第一言語習得（FLA）は言語学習の原点である。また，FLA と SLA には共通点も相違点もあるし，両者の間には並行する理論やアプローチが存在する。よって，SLA を勉強する際にも FLA を知っておくことは有意義だと考えた。

　本文中では，専門用語はニュアンスが変わらないよう，また英語の文献にあたる際に混乱しないよう，日本語の横に英語のオリジナルの用語も付け加えてある。用語が日本に入ってきた段階で，研究者が様々な訳語をつけたの

で，一つの英語にいくつかの日本語が存在することがあるが，訳語は著者の判断で選択してある。この本を足がかりに，言語習得研究に興味を持つ方が一人でも多く出て，今後の日本語の習得研究がますます盛んになることを願っている。それから，言語習得の観点から教育現場のあり方を見つめ直すきっかけになればとも思う。また，本書が教えることが好きな方，外国語を学ぶことが好きな方にも興味を持って読んでいただければ幸いである。

　本書は，筆者が大学で行っている日本語習得の講義ノートを基に書き下ろしたものである。授業に参加してくれた学生に感謝の意を表したい。また，編集に際しては，スリーエーネットワークの佐野智子氏に大変お世話になった。心よりお礼を申し上げたい。

2004 年 9 月
小柳かおる

改訂にあたって

　早いもので，初版を出版してから 15 年以上の月日が流れた。おかげさまで，日本語教育関連の科目がある学部，大学院や，民間の日本語教師養成講座でも使っていただいた。また，日本語教育分野のみならず，英語や他言語の教育に関わる方々にも読んでいただくことができた。言語習得研究の分野は目まぐるしく進展しており，この度，改訂版を出版する運びとなった。

　海外では SLA の概論書の中には数年毎に改訂版を出版して，常に内容がアップデートされているものも存在する。筆者も 10 年を過ぎたあたりからアップデートの必要性を感じながら，そのままになっていた。というのも，自分が教えたいような内容が網羅された概論書がなかったため，初版は自分の講義ノートを基に本にしたのだが，それを本にしたら，本の通りに授業をやっていてはつまらないので，新たな工夫の苦しみが生まれたからである。それで，自分ではアップデートしながら言語習得の授業を行っていたものの，改訂版を出すことにためらいがあった。

　しかし，初版の内容が古くなっているという声は，言語習得を教えている先生方からも聞くことが多くなり，また，ありがたいことに，初版の編集をしてくださった佐野智子氏からも改訂版を出さないかというお話をいただいた。折しも改訂版を執筆していたのは，新型コロナウィルスの感染拡大で，大学がオンライン授業になっている最中であった。オンライン授業が単なる講義に終わらないよう工夫を試みる中で，課題を出して学生に能動的に調べさせたり考えさせたりすることができることを実感した。日本語の教科書についてよく言われるが，まさに「教科書を教える」のではなく「教科書で教える」ということである。つまり，改訂版を出しても，授業を工夫して教えることができるという確信が自分の中にもできたのである。

　筆者は，言語習得は日本語教育の基礎科学になり得る研究分野だと思っているが，認知心理学や統計が出てくる教室習得研究の分野は限りなく理系に近い。したがって，言語教育を人文系の領域だと思って言語習得を勉強しようとすると，期待と異なり難しいと思われることもある。しかし，日本語教師にはぜひ知ってほしい習得研究をまとめたので，ぜひ手にとって読んでほ

しいと思っている。SLA 研究の知見を抜きにして現場でこうしたらいいと提案することはできるが，表面的に習得によいとされるテクニックを知るだけでなく，やはり言語習得の本質を深く理解してほしいと思うのである。

　改訂版の執筆に際し，今回もスリーエーネットワークの佐野智子氏に大変お世話になった。また，溝口さやか氏，田中綾子氏も原稿を丁寧に読んでくださり，筆者の至らないところを補ってくださった。本書が初版を読んでいただいた方にも，また新たに言語習得を勉強しようという方にも読んでいただけると幸いである。言語習得の知識が広まり，日本語教育がますます発展していくことを願ってやまない。

2021 年 4 月

小柳かおる

目 次

第1部　第一言語習得(FLA)の研究

第1部
第一言語習得（FLA）の研究

FLA

Introduction

　第一言語習得（First Language Acquisition，以下 FLA）は，文字通り，子どもが第一言語（L1）[1]，つまり母語をどのように学んでいくかということを研究する分野である。では，外国語を教える教師が，なぜ FLA を勉強する必要があるのだろうか。その理由の一つは，FLA のプロセスを知ることで，言語を学ぶとはどういうことかという原点を思い起こすことができるからであろう。過去にも，FLA 研究から得られた知見を応用して，新たな外国語教授法が生まれるということが幾度かあった。また，大人が外国語を勉強する場合，子どもが言語を習得するように容易にはいかないということはよく知られていることであり，その反面，外国語学習者の誤りと FLA の子どもの誤りには共通のものがあることがわかっている。このような FLA と第二言語習得（Second Language Acquisition，以下 SLA）の相違点や共通点を理解することは，効果的な教室指導を考える上で何かヒントをもたらしてくれると考えられる。また，研究面においても，SLA の研究課題は FLA 研究の影響を受けることが多く，SLA を理解する上で，それと並行する FLA の議論を知っておくことは有意義である。以上のような理由から，本書ではまず FLA から始めることにする。

　自分が子どもの時どのようにして日本語を覚えたのかは，残念ながら記憶にないだろう。大人になった今，辞書も文法書もなく，突然ことばのわからない国に一人でポツンと放りだされた状況を想像してみてほしい。おそらく最初は，何を言われているかはもちろん，どこが単語の切れ目か，どれが音の単位かさえわからないだろう。それが，次第に耳が慣れ，ことばが使用されるコンテクストがわかってくると，あるコンテクストに特有の決まり文句が存在することがわかってくるはずだ。そして，はじめはただの音の連続にしか聞こえなかったのが，その言語特有の音が少しずつ区別できるようになり，いくつかの語から成り立っていることもわかるようになるだろう。大人のように意識的に耳を傾けるのではないかもしれないが，乳幼児の頭の中では本能的にこのような言語の分析作業が進んでいるはずである。

ことばを習得するには，まず，言語はどのような音で構成されているのか，単語を形成するためにどのように音をつなげるかという音韻の規則（phonology）を知る必要がある。語を構成する意味の最小単位，つまり形態素の規則（morphology）も知らなくてはならない。また，文を生成するために，単語をどのように並べるかという統語の規則（syntax）を学ばなければならない。語や文の意味をどのように解釈するのかという意味の規則（semantics）も必要だ。さらに，どのように文を並べるのか，どのように会話に参加すればいいのか，というような語用的側面の規則（pragmatics）も知らなくてはならない。ことばを習得するとは，このような規則を学び，使えるようになることである。

　FLA は，様々な学問領域のもとで研究がなされている。応用言語学の中で，心理言語学として扱われることもあるし，社会言語学の一分野として扱われることもある。また，理論言語学の流れの中で，ヒトが生まれながらに持っている文法知識とは何かということが研究の主眼にされることもあり，この分野の研究者達は「習得」ではなくて，「言語獲得」や「母語の獲得」という語を用いる。なぜなら，生まれながらに持っている言語の能力が外界の刺激を受けて働きだしただけで，「習う」ものではないと考えるからである。さらに，発達心理学という心理学の分野では，人間が生まれてから老いていくまでの発達心理を扱っているが，その中の一つの興味対象が子どもの言語発達である。近年は脳科学の発展と共に「赤ちゃん学」も進歩し（小西2003 参照），言語発達に関しても新たな発見や解釈が生まれている。以前は新生児はまっさらな白紙の状態で生まれてくると信じられていた。しかし，研究が進んで，母親の胎内にいる時から，後の認知活動に必要な基本的な感覚をすでに発達させて生まれてくるのだということがわかってきている。たとえば，乳児は，生後 6 か月でも大人でいう 0.1 程度の視力しかないそうだが，それでも生後 12 時間程度で母親の顔がわかるようになるという報告もある。いろいろな人の顔を見ようという行為やおしゃぶりが視神経を刺激し，さらには脳全体を刺激して，様々な認知行動が発達していくという（山口 2003）。大人と顔を合わせようとするのは，会話やコミュニケーションの基本形のようにも思われるが，それが脳の発達をも刺激するとなると理にかなっていると言える。

言語習得の大きなテーマの一つは「Nature vs. Nurture」の論争である。Nature，つまり言語は生まれつき備わった能力か，あるいは Nurture，つまり環境において後天的に学んだ能力か，という問題である。第1部では，日本語を例に FLA の過程を見ていきながら，両者の立場を考えてみたい。

註

1.　本書では，母語（native language）と第一言語（first language: L1）をほぼ同義語として用いている。一般に使用される母国語（mother tongue）は FLA 研究では使用しない。国籍を有する国の公用語と L1 が一致しないケースもあるからである。母語は母親の話す言語だとされている。

第1章 初期のことばの発達

▶本章の概要

　子どもはことばを話すようになる以前から，親とのコミュニケーションを通じて，話す準備を進めている。やがて，音を出せるようになり，一語文，二語文で話す時期を経て，次第に複雑な構文で話せるようになっていく。これは，母語が何であれ共通のプロセスである。このプロセスは，脳や身体の発達と連動している。

　キーワード：喃語，初語，共同注意，一語文，二語文，三語文

1.1　ことば以前

　生後3か月頃までの乳児は，空腹や排泄などの不快感を泣いて知らせたり，うれしい気持ちを表情や声で示したりしようとする。そして，親などの養育者は乳児の表情や音を手がかりにして，何とか乳児とコミュニケーションを図ろうとする。そこに，乳児が何かを要求したり感情を表現しようとすると養育者が反応するというコミュニケーションの原型ができる。その間に，一方では，乳児の頭の中で，周囲から聞こえてくる言語の音の分析は進んでいて，親の声を早くから聞き分けることができるようになる。2か月頃から「アウ，アウ」というような母音的な音を発生するようになり，このような発声は，アーウー喃語と呼ばれる。そして，次第に，まるで大人と会話をしているようなタイミングで，大人の語りかけに「アーウー」と反応するようになる。

　4か月から8か月にかけては，大脳が発達し，認知的な発達が見られる時期である。乳児は周囲にある物や人に興味を示し，手を伸ばしてつかんだり，いじったりするというような行為をする。しかし，空間的認知は難しく，遠くにある物をうまくつかむことはまだできない。この時期になると，養育者を呼ぶための手段として泣くことを覚え，乳児主導でアイ・コンタク

トができるようになる。身体的には，寝返りやお座り，這うなどの運動能力が発達する。乳児は，アーウー喃語期からさらに進んで，6か月頃になると，喃語（babbling）と言われる「マ」「ダ」など，音節のような音が出せるようになる。8か月では，そのような音の反復で「ママ」「ダダ」などが言えるようになる。ことばが表出する前段階である。

表1　子どものことばの発達過程
（大久保 1981；鯨岡 2001；Lenneberg, 1985 に基づく）

	ことばの発達	身体の発達
誕生後	乳児はすべての言語音の音韻的対比の弁別可能（～4か月） アーウー喃語（2か月頃）	泣く，人の声に反応，首がすわる あやすと笑顔を作る 声を出して笑う（4か月頃）
4～8か月頃	喃語(6か月) 「マ」「ダ」 反復喃語(8か月) 「ママ」「ダダ」	大脳の発達 手を伸ばして物をつかむ 寝返り，お座り，這う， つかまり立ち アイ・コンタクトをとる 手さし，指さし(8か月)
9～12か月頃	初語の出現(10か月)	踏みとどまる，つかまり立ち 腹ばいで上手に動く
1歳前後	一語文 終助詞「ネ」「ノ」	立って歩き始める 床の上で一人で座った姿勢をとる
1歳半頃	二語文	つかんだり放したりが自由にできる，子ども用の椅子に座れる
2歳前後	三語文・多語文 「コレ, ナニ?」の質問	走る，立ったり座ったりできる 階段の登り降りができる
2歳半～3歳	複文(従属句，引用句) 格助詞，終助詞，接続助詞 接続詞を使ってお話ができる(3歳)	跳びあがる，つま先立ちをする 手や指を上手に使う，物を上手に扱えるようになる

　8か月を過ぎると，乳児は声で否定の気持ちを表現したり，手さしや指さしで要求，欲求の身ぶりをするようになる。1歳前後の乳児は，養育者と密接なやりとりをしながら，コミュニケーションのコンテクストで意味を共有し，ことばの準備をしているのである。日本語でも他の言語でも1歳頃に一語レベルでことばを話し始めるようになる。話すためには，胸や腹部の回りの筋肉を同時に動かさなくてはならないので，運動神経が発達していること

が必須条件となる。したがって，乳児が立って歩き始めるのと，ことばが出始めるのがほぼ同時期であるのは，偶然の一致ではない。歩行と発話は共通の筋肉の運動に支えられているのである。1歳以降はことばが飛躍的に発達していくのだが，音やことばが正確に出せなくても，身体的，認知的な発達と共に，ことばを話す準備が整っていく。このように，子どものことばの準備段階からその後の発達過程は，どの子どもにも共通で，言語が異なっていても同様の発達段階をたどる。これは，言語の発達が，身体の発達や認知能力の発達と連動しているからだと考えられている（表1参照）。次節から，言語の様々な側面がどのように習得されるのか，もっと詳しく見ていこう。

1.2　音声の発達

1.2.1　音の準備段階

　乳児にとって生まれてから最初の2年は，音や語の分解作業をする期間である。生後数日でも第一言語（L1）と他の言語を聞き分けているとか，早い時期から自分の言語の音のリズムに敏感になっていて，外国語よりはL1のリズムを好む傾向を示すとも言われている。よって，最近では，胎児の時からすでに言語学習が始まっているのではないかと考えられている。生後4か月ぐらいまでは，すべての言語の音韻を弁別できるとされる。この頃は，まだどの言語も話せるようになる潜在能力を秘めているのである。それが，どの言語が話される環境に生まれるかにより出せる音は次第に限定されていく。

　6か月頃になると，L1特有の母音の知覚ができるようになり，9か月頃には言語特有の音の組み合わせがわかってくる。そうなると，外国語の子音を弁別することはもはやできなくなる。この時期には，聞こえてくる音を，自分が習得すべき言語の弁別的な単位に分けるという分析が進行している。たとえば，日本人の子どもに生まれれば，乳児の段階で，英語の /r/ と /l/ の区別はもはや必要でなくなってしまう。韓国語がL1であれば，清音と濁音を区別しなくてもよくなる。

　また，生後6か月を過ぎると，語調に反応できることも報告されている。

 (1) タアタアの物にさわっちゃだめ。
 (2) タアタアの方を見てごらん。
 (3) タアタアがいるよ。   （正高 1993）

　(1)～(3)の三つの親の発話で，「タアタア」とは父親のことであるが，(1)は語気が強いため禁止だと理解し，(2)(3)は柔らかい語調なので，「タアタア」と聞こえると父親を目で探し始め，見つけると微笑んだという（正高 1993）。
　言語の習得は理解先行で進むので，L1 の音の分析がなされ音の単位やリズムが知覚できるようになると，今度は，次第に自分からも音を発するようになる。発音能力の基礎段階は，生後 2，3 か月で現れるアーウー喃語期と，6 か月頃の反復喃語期である。最初は母音のような音のみを発するが，次第に子音と母音を結合した音が出せるようになる。音を出すには顔の筋肉をコントロールできるようになることも必要である。乳児にとって最も易しい子音は唇の先あたりで出す p, b, m などの両唇音である。そして，舌先で出す t, d, n から舌背の k, g, y へと移行する。世界の言語は父親が p, b, t, d の音のどれかで表されることが多く，母親は圧倒的に m の音だという。これらが，赤ちゃんにとって発音しやすい音であることを考えると，これは必然的なことなのかもしれない。以上のように，生後半年の段階で，L1 の音を発する基礎づくりができていると言える。

1.2.2　個々の音の発達過程

　言語の音を正確に出すには，音声器官や腹筋などの筋肉が十分発達していることが前提条件である。しかし，運動神経が未発達の乳幼児は，頭の中で分析できていても正しい音を出すのは困難なため，発音を容易にする様々なストラテジーを用いている。これは他言語を話す乳幼児にも見られることで，たとえば，筋肉の緊張を要する難しい音は易しい音に置き換えられたり，脱落が起きたりする傾向がある。（以下，例は伊藤 1990 より）

 (1) 母音「ウ」「イ」（難）⇨「ア」「エ」「オ」（易）
   母音「イ」⇨「ウ」
     ミエナイ⇨メエナイ   チョッピリ⇨チョップリ
   子音，ラ行音，サ行音（難）⇨他の易しい音へ
     サル⇨チャル   サトウ⇨チャトウ
     ローソク⇨ドーソク

(2) ［i］［r］［s］音の脱落

ア<u>レ</u>⇨ア<u>エ</u>	ラ<u>ッ</u>パ⇨ア<u>ッ</u>パ	<u>サ</u>カナ⇨カナ
<u>ス</u>コシ⇨コシ	リンゴ⇨<u>ウィ</u>ンゴ	
オ<u>イ</u>デ⇨オ<u>オ</u>デ	カ<u>イ</u>タ⇨カ<u>ア</u>タ	

脱落するケースとは反対に，音を作るのを容易にするために，余分な音が付加（epenthesis）されることもある。幼児語に同じ音の繰り返しが多いのは発音しやすいためでもある。

(3) イラナイ⇨イラ<u>ン</u>ナイ　　オボン⇨オ<u>ン</u>ボン
　　血ガデタ⇨血ガ<u>ガ</u>デタ
　　テンテン（頭）　　テテ（手）　　メメ（目）

前後の音に影響されてある音が同化して，同じ音が重複してしまうこともある。

(4) 順行同化：前に来る音に後続音が同化
　　　　　　乗<u>ル</u>ノ⇨<u>ノ</u>ノ　　　　オ<u>ド</u>リ⇨オド<u>ロ</u>
　　　　　　ジュー<u>ス</u>⇨ジュー<u>ジュ</u>
　　逆行同化：後に来る音に前の音が同化
　　　　　　カイ<u>モ</u>ノ⇨カイ<u>ノ</u>ノ
　　　　　　<u>シ</u>ン<u>カン</u>セン（新幹線）⇨<u>カン</u>カンセン

さらに，語中の音の入れ換え（metathesis）も起こる。

(5) コ<u>ドモ</u>⇨コ<u>モド</u>　　　オ<u>ヤマ</u>⇨オ<u>マヤ</u>　　　カ<u>ラダ</u>⇨<u>ダカラ</u>

　乳幼児は神経生理的未熟さから，生理的に最も少ない労力で音を発しようとするので，ことばの発達過程では，上記のような発音が現れる。そして，音声器官や発声に関わる筋肉の発達にともない，次第に大人と同様の音韻体系でことばを発することを身につけていく。

1.2.3.　音から単語へ

　乳幼児が個々の音を習得するには，聞こえてくる音を弁別的な単位に分析していくプロセスが必要である。音響的特徴が似通っている音の中から，自分の母語で使われる音のカテゴリーを作っていかなければならない。このプロセスを「カテゴリー知覚」と言う。周囲の大人が発する明るい「あ」も暗い「あ」も同じ音だと認識して，一つのカテゴリーにする。また，英語でいう /l/ に近い音も /r/ に近い音も，日本語では一つのカテゴリーだと見な

す。個々の音のカテゴリーが知覚できるようになると，さらに，まとまりのある音の連なりの中から，意味のある単語の単位を切りだすという段階に入っていく。

個々の音のカテゴリーである母音や子音に加え，乳幼児は韻律的情報にも注意を向けている。日本語では，音節やモーラ（拍）の単位や高低アクセントが，語構造を分析するヒントになる。単語の音形を正確に抽出できるようになるのは10か月頃だと言われている。時間的にまとまった音の連なりから，単語など意味のある単位を切り出していくことを「分節化（segmentation）」といい，言語習得には欠かせないプロセスだと考えられている。たとえば，「あ，ぶーぶーねえ。」「ぶーぶーであそぼう」「ぶーぶー，だして」という大人の発話を聞いていると，「ぶーね」や「ぶーで」より「ぶーぶー」が生起する確率の方が高いことがわかる。そして，「ぶーぶー」が共起するコンテクストの頻度から，事物や事象の意味とを結びつけていくようになる。そういう意味では，乳幼児はかなり高度な「統計学習」を行っている（Lieven & Tomasello, 2008）と言われている。ある一定の音の連なりが生起する確率や頻度などの統計情報に基づいて，言語のパターンを発見する能力も発達させているのである。

1.3 語彙の習得
1.3.1 初めてのことば

一語文と言われる単語レベルの発話が盛んになるのは1歳頃だとされているが，10か月頃から初語（first words）が現れ始める。これは，上述のように，語の音形を切りだす能力が発達する時期と重なる。少なくとも，この頃は，ことばが出なくても，言われていることは行動で示せるようになっている。小林（1997）には，親が「お風呂よ。」と言うと，子どもがお風呂場に行こうとしたことや，「この眼鏡をタアタアに持って行ってね。」と言うと，子どもが眼鏡を父親に持って行こうとしたことが報告されている。初語には「マンマ」（御飯）「ママ」「パパ」などが多いという。しかし，日本人の大人にはこのような語が多いという思い込みが強く，親が勝手に意味を付与している傾向が強いともされている（小林 1997）。一般的には，幼児が初期に発することばは意味が曖昧であると考えられている。

初期に発せられる語には人，動物，食べ物，乗り物，身体の一部，挨拶などが多いことはどの言語にも共通だが，それらは必ずしも定着するものではなくて，すぐに消えてしまうものもある。10か月から1歳過ぎまでにおよそ30〜50語のことばが現れ，これ以降は，語彙が急速に増加していき，単語を並べて二語文，三語文へと発展し，文らしきものになっていく。

1.3.2　ことばの意味の推測

　ことばには恣意性と慣習性があると言われる。たとえば，「りんご」が赤い果物を指し示す必然性はない。人為的に関連づけられたもの，つまり恣意的なものである。そして，それは，慣習としてある文化や社会の中で使い続けられた結果，用いられるようになったものである。よって，何の必然性もない，言語シンボルである音形とその意味の関係を子どもが発見していくのは容易な作業ではない（岩立＆小椋 2005）。子どもはどうやって，ことばの意味を推測していくのであろうか。

　ことばの音形と意味を正確に結びつけていくために，乳幼児は大人とのやりとりの中で絶えずことばの意味を推測している。特に親子の間では，視線や指さしなどの非言語的手段や，親に何か言われる前後の活動などがヒントになって，ことばの意味を推測しているようである。乳児は早くから他人の視線に敏感で，生後6か月では，他者の視線が変化した時に，自分の視線もそちらの方向に合わせることができ，生後18か月では，乳児の後ろにあるものを大人が見つめると，その方向へ振り返るという（鯨岡2001）。そして，視線で合図したり指でさし示したりして親と子どもが同じものに注意を向ける「共同注意（joint attention）」の行為を通じて，物の名前を覚えたり意味を推測したりしていると考えられている。親と子どもと物という三項関係を作り，その中で同じ物に注意を向けることで，ことばを使うコンテクストが親と子どもの間で共有されるのである。意味の推測には，上位カテゴリーの語か，全体の名前か，その一部の名前かというようなことが含まれる。こうやって，一つ一つの語彙の正しい使い方を習得していくのである（小林2001 参照）。

　子どものことばの使い方の特徴としては，最初は大人の語彙より広い適用範囲で一つの語を使用すること（過拡張的用法）があげられる。たとえば，

「パパ」という語を男の人みんなに使ったり，「ワンワン」をイヌだけではなくて，ウマやネコにも使うというようなケースである。それは，子どもなりに仮説を立てて，規則を作っているからである（小椋 2012）。たとえば，子どもは，新しい単語を聞くと，それは事物全体をさし，事物の一部分をさすのではないと仮定するという。「ワンワン」と聞いても，それがイヌの足をさすとは考えないのである。また，単語が一つの事物のみをさすのではなく，類似の物は同じカテゴリーになると仮定するという。このような語の意味を推論する原理のようなものが，乳幼児の頭の中にはあると考えられている。よって，時には拡張的な使い方をするのである。そこから，徐々に意味の適用範囲を狭め，規則を改訂し，詳細な下位規則を作っていかなくてはならない。

1.4　統語の発達

1.4.1　一語文

　単語レベルでことばが出始めると，次第に適切なコンテクストで適切な1語を言うようになる。1歳頃は，統語の発達から見ると，一語文と呼ばれる段階である。この段階は自己中心的で動作志向の動詞や場面依存の具体名詞の使用が多い。よって，抽象概念を表す形容詞の表出は動詞や名詞に比べて遅くなる。この段階では 100 語程度の語彙が習得されている。柴田（1990）は自分の娘の誕生から 4 年間のことばの発達を詳細に記録しているが，そこから例をあげると，一語文の時期には以下のような発話が見られた。

(1)　対象をことばにした語：パパ，ママ，クック（靴）
　　　　　　　　　　　　　ニャーニャ，ワンワン，ブー（豚，飛行機）
(2)　強烈な刺激となって耳に入った語：
　　　　ナンダ（祖父が何度も大声で叫んだため，おうむ返しに発話）
　　　　アッタ（対象の存在がわかった時に使用）
(3)　動作を表す語：ネンネ，タッチ（立つ），チャイ（捨てる）
(4)　場所・方向に関する語：ココ，アッチ
(5)　感覚に関する語：イタイヨー，コワイヨー，オイチー，イイ

（柴田 1990）

　一語文の段階は，乳幼児の発話は一語でも，それ以上の複雑な文を理解する能力があり，頭の中ではすでに統語の分析が始まっていると考えられる。二語文への移行段階では，二つの語が連続して発せられるのではなくて，一

語一語が独立して，それぞれが下降型イントネーションで発せられ，二つの語の間にも少しポーズがある。たとえば，柴田（1990）では，1歳8か月の子どもが「ネンネ……ブンブ（飲み物）」と言ったことが記録されているが，このコンテクストでは「ネンネするからミルクちょうだい。」という意味らしい。このような非統合的な発話から，2語が機能的に結びつき，文構造になっていくようである。この時期の子どもは，記憶のスパンが短いので，一語文でしか話せないが，長く記憶にとどめておくことができるようになるにつれ，長い文を生成できるようになっていく。

1.4.2　二語文

　構造化された二語文は1歳半頃から表出するようになる。FLA研究の初期の頃は，この二語文の構造は軸文法（pivot grammar）（Braine, 1963）で説明された。乳幼児の文は核となる軸類（pivot class）＋開放類（open class），あるいは開放類＋軸類の組み合わせで作られると考えられた。したがって，「ママ，トッテ」という発話の「トッテ」を軸類とすると，開放類の「ママ」の部分を他の語に置き換えて，「パパ，トッテ」「コレ，トッテ」「ココ，トッテ」などのバリエーションが出てくるとされたのである。しかしながら，これだけでは表面的な文構造の記述にすぎず，文法的な機能はわからないのではないかとの批判を受けた。たとえば，英語で子どもが“Mommy, sock”と言った場合でも，それが『所有者―所有物』（Mommy's socks）の関係なのか，『主語―目的語』（Mommy wears socks.）の関係なのかは曖昧である。また，日本語で「クック，チョウダイ」と言った場合，「くつをちょうだい」なのか「くつを取ってちょうだい」「くつをはかせてちょうだい」なのか，「チョウダイ」の意味ははっきりしない。このように，幼児のことばは文脈依存性が高いので，70年代以降（Bloom, 1970; R. Brown, 1973）は，文構造の分析においては，ことばが使われた文脈に照らして解釈する必要性が認識されるようになった。

　柴田（1990）の娘の観察によると，二語文の段階で頻繁に使用されたのは「コレ」「ココ」であったが，最初は2語目に，それから，1語目につくのと2語目につくのが混在し，通常の語順へと変化していく様が記録されている。

(1) 段階 1：ネンネ，ココ。
    段階 2：ココ，ネンネ。
(2) 段階 1：アッチ。(痛い)
    段階 2：アッチ，ココ。
    段階 3：ココ，イタイ。
(3) 段階 1：トッテ。
    段階 2：トッテ，パパ。
    段階 3：パパ，トッテ。　　　　　　　　　(柴田 1990)

Slobin(1970)や R. Brown(1973)は，英語やその他の言語の二語文を調べて，二語文の機能には共通の構造があることを示しているが，それは，以下のように，日本語にもあてはめることができる（伊藤 1990；大久保 1981）。

A. 位置・命名　　　「オウチ，ココ。」(英語 "There book.""That car.")
B. 要求・願望　　　「アメ，ホチイ。」「モット　チョウダイ。」
　　　　　　　　　　(英語 "More milk.""Give candy.")
C. 否定　　　　　　「フウチェン（風船），ナイ。」
　　　　　　　　　　「カエロ，ナイ（帰らない）。」
　　　　　　　　　　(英語 "No wet.""No hungry.")
D. 事象や事態の記述
　　　　　　　　　　「ブーン（飛行機），イッタモン。」
　　　　　　　　　　「オジチャン，ガッコウ。」「ポンポ，イタイ。」
　　　　　　　　　　(英語 "Bambi go.""Mail come.")
E. 所有の指示　　　「オジチャンノ　バンバン（鉄砲）。」
　　　　　　　　　　(英語 "My shoe.""Mama dress.")
F. 修飾・限定　　　「オオキイ　バシュ　。」
　　　　　　　　　　(英語 "Pretty dress.""Big boat.")
G. 疑問　　　　　　「コレ，ナニ。」「ドコ，アル。」(英語 "Where ball?")
　　　　　　　　　　　　　　　(伊藤 1990；大久保 1981; Slobin, 1970)

1.4.3　三語文／多語文

　2歳前後になると三語文やそれ以上の長い文が表出する。二語文から三語文への移行期には二語文の連続発話が増えてくる。初めて三語文を言う時は，言い慣れた二語文を原型として，それに少しポーズをおいて新しい1語が加わることが観察されている。また，(2)のように言い慣れた二語文が衝突して，新たな三語文が形成されることもある（柴田 1990）。

(1) 段階1：パパ，ミテ‥‥コレ。
　　段階2：パパ，ミテ，コレ。
　　段階3：パパ，コレ，ミテ。
　　段階4：パパ，オベベ，ミテ。
(2) 段階1：パパ，カイダン。（主語＋目的語）
　　　　　パパ，コワシチャッタ。（主語＋動詞）
　　段階2：パパ，カイダン，コワシチャッタ。
　　段階3：マミチャン，キダン，ツクッタノ。
　　　　　パパ，カイダン，イッテ。
　　　　　パパ，カアイダン，アソボウヨ。　　　　　（柴田1990）

　柴田の娘の例において，「ママ，アケテ，ハサミデ。」「オンモ，イコ，ハック（早く）」というような発話に見られるように，三語文では，副詞のように比較的重要でない要素は後ろに置かれる傾向がある。しかし，一般には語順は子どもによりバリエーションがあるようである。むしろ共通に見られるのは，子どもにとっては主題が大切なので，主題が文頭に来る傾向が強いということである（伊藤1990）。子どもは認知能力や記憶力が十分に発達していないので，語順は純粋に子どもの思考の流れを反映していると言える。これ以降は2歳半前後で複文が出てくるようになり，さらに，3歳頃には「それで」「それから」などの接続詞が使えるようになって，まとまった文章で話ができるようになっていく（秦野2001）。

1.5　子どものことばの誤り

　子どもは単純に大人の言語を模倣しているだけではなくて，自ら予測してことばを試しながら使っている。つまり，FLAはただ大人をまねるだけの受身的なプロセスではなくて，創造的なプロセスだと考えられる。既習の言語形式が合わさって新しい形式を作る場合には，一方に他方が付加され，徐々に調整されて正しい形式になっていく。たとえば，否定では習得初期は何でも「ナイ」をつける傾向があるが，最初は「オモシロイナイ」と形容詞に「ナイ」を付加しただけだったのが，「オモシロイクナイ」などの試行錯誤を重ねて，「オモシロクナイ」へと構造化される。英語でも，名詞や動詞に "no" を付加して，"no food" "no eat" のような文で否定の気持ちを伝えようとする傾向があり，言語にかかわらず普遍的な傾向だと考えられている。
　また，子どもの頭の中では，意味の発達が言語形式の発達より先行して起

きているので，子どもは，知っている言語形式だけで，今までに使ったことがない他の機能や意味を表そうとする傾向がある。特に3歳を過ぎる頃からことばを創造的に使うようになるので，新しく覚えた言語形式を誤ったコンテクストで使うことが多くなる。物をあげる時に「どうぞ」と言うべきところを「ハイ　ドウモ」と言ってしまったり，母親が「待っててね。」と言ったのに対し「アーチャン，マッテ。」と反応した例（大久保 1981）などが報告されている。子どもが創造的に言語を使おうとして，誤りが生じるのである。

　子どもの文法的な誤用で特に顕著なのは，自動詞と他動詞の混同，および名詞句における「の」の過剰生成だと言われている（村杉 2014）。以下は，自動詞と他動詞を混同した例である。格助詞を用いて発話しているので，助詞の誤用ではなく，動詞の形の誤用だと考えられている。

> 戸をあいて〈2歳1か月〉
> 　（戸を開けて）
> ねえ，アチをひろがって〈3歳7か月〉
> 　（ねえ，足を広げて）
> <u>とどこっか</u>，あのひとに，<u>とどこう</u>，<u>とどこう</u>〈4歳8か月〉
> 　（届けようか，あの人に，届けよう，届けよう）　　　　（村杉 2014）

また，「の」の過剰生成では，以下のような文が生じる。

> ほわし（お箸），大きいのほわし〈2歳1か月〉
> 黒いのクック　　　　　　　　　〈以下，2〜3歳〉
> 　（黒いエナメルの靴）
> 意地悪なのおばちゃん
> 　（意地悪なおばちゃん―シンデレラの継母）
> 違うのおうち
> 　（（引越しをした）違う家）
> シュークリーム作ってるのにおい
> 　（シュークリームを作っている匂い）　　　　　　　　　（村杉 2014）

ほかにも，使役の誤り（例：「クチニ　イレサセテ（口に入れてくれ）」）や自動詞と可能動詞の混同（例：「ノラナイ（乗せられない）」），「いる」と「ある」の混同や，「あげる」「もらう」「くれる」の混同が見られる。このような誤りは，外国人の日本語学習でもしばしば問題になるが，日本人の子どもでも間違えるのである。なぜ FLA と SLA で共通の誤りが現れるのかは，SLA の章で考えてみたい。

第 **2** 章　ことばによる社会化

▶**本章の概要**

　子どもが習得すべきことは，言語の構造的な側面ばかりではない。FLA
は，いつ，どのように言語を使うのか，どのように会話に参加するのかとい
うような社会言語的な能力を習得し，言語が話されている社会の一員になっ
ていくプロセス（＝社会化）でもある。そのプロセスにおいて，親からの語
りかけが重要な役割を果たす。

　　キーワード：子どもに向けられたスピーチ（CDS），ことばによる社会化，
　　　　　　　　インプット，足場かけ，隣接対

2.1　伝達能力の習得

　言語学理論に多大な影響を与えた Chomsky（1965）は，言語能力
（competence）を言語運用（performance）と区別し，言語能力こそが科学
の対象になり得るとした。なぜなら，実際の発話には母語話者でも言い淀み
や言い誤りがあるので，そのようなミスをおかさない理想的な母語話者が持
つ文法知識のみが研究の対象にできると考えたのだ。これに対し，Hymes
（1972）は，文法的に正しい文を形成する能力だけではなくて，いつ，どこ
で，だれに対してどんなことばを使ったらいいかということを理解しておく
必要があり，社会文化的なコンテクストの中で言語を適切に使用する能力，
つまり，伝達能力（communicative competence）こそが重要であると考え
た。FLA には，Chomsky 学派のように母語話者が生まれながらに持ってい
る言語能力とは何かということを追求する路線の研究もあるが，本書では外
国人が日本語の運用能力を身につけるとはどういうことなのかを考えること
を狙いとしているので，FLA でも，子どもが L1 においてどのように伝達
能力を身につけるのかを考えてみたい。

　子どもが，ある特定の文化において，いかに適切に言語を用い，どのよう

に考え感じて行動するかを学んでいくプロセスのことを「ことばによる社会化（language socialization）」（Schieffelin & Ochs, 1986）と呼んでいる。子どもは，自分が生まれ落ちた言語環境の音や統語の規則のみならず，その言語特有の文化の中でどのようにことばを使うかを学ばなくてはならない。すなわち，社会言語的な知識も習得しなくてはならない。そのためには，意味あるコンテクストを共有して子どもとコミュニケーションを図る大人の役割が重要である。子どもは，周囲の大人とのインターアクションを通じて，どのようにして会話に参加すればいいか，社会でどのように振る舞えばいいかを学び，自分の置かれた文化社会の一員になっていくのである。

2.2　大人からの語りかけ

2.2.1　インプット言語の特徴

　大人が子どもに話しかけることばは，子どもにとっては言語習得のために入力された言語データ，つまりインプットである。これを Ferguson（1977）は，大人の言語使用域を簡略化したことばとして『ベビートーク（baby talk）』と命名した。しかし，ベビートークというと大人だけでなく乳幼児が使うことばをさして使う場合があるし，大人同士で話すのとは明らかに異なる語彙や音の誇張を含む話し方のみをさす場合もあり，曖昧である。それで，『母親語（motherese）』という用語が使われたこともあった。しかし，これも子どもに話しかけるのは母親だけではないので，『養育者言葉（caretaker speech）』や『子どもに向けられたスピーチ（Child-Directed Speech: CDS）』などの用語が取って代わることもある。本章では最も中立的な用語で，子どもに対するスピーチ全般をさす語として，以下，CDS を用いる。

　CDS の特徴としては，大人は無意識のうちに子どもからことばを引きだそうとするので，質問が多いことがあげられる。何かを指示する命令文も多い。また，CDS はピッチが高く音の誇張が見られ，同じことを繰り返す傾向が強い。2歳4か月の子どもの母親からの CDS の 34％は繰り返しだという報告もある（伊藤 1990）。これは，子どもの記憶力が未発達であること，音声処理能力が未熟であることを，親が無意識に理解して，子どもと共感関係を築こうとしているものと思われる。また，子どものことばに何か付け加

えたり言い換えたりすることが多く，これが言語発達を促していると考えられる。親子が身近な関心事について会話を進める中で，子どものことばに合わせて，親のことばも次第に複雑になっていき，自然に子どものことばの発達段階に合わせた調整が行われているのである。このようなやりとりによって，お互いに要求を伝えたり，愛情を表現したりしている。また，大人や年上の子どもとのコミュニケーションは，男の子として，あるいは女の子としてどう振る舞うか，年齢が近い相手，あるいはずっと年上の子どもとはどうつきあうか，といった社会行動を学ぶ手段でもある。

　CDSの重要な役割は，大人が子どもと共同で会話を構築していくことにある。特に子どものことばが出始めた頃は，子どもは十分にことばを返せない。それでも，大人の側がことばを補って会話の形態をとろうとしている。会話が成立するためには，少なくとも1度は双方向の発話のやりとりがなくてはならないが，その構造は隣接対（adjacency pairs）と呼ばれる。大人とのやりとりは会話の隣接対の構造の学習を助けてくれる。以下は秦野（2001）の母親と1歳児との会話の例である。

　　母親：（絵本を広げて）あゆちゃん　これなあに？　　　〈隣接対前半〉
　　子ども：（じっと絵を見ている）　　　　　　　　　　　〈隣接対後半〉
　　母親：（絵本を広げて，ウサギの絵を指さして）
　　　　　これウサギさんね。　　　　　　　　　　　　　　〈足場かけ1〉
　　母親：なんだろう？　何かな？　何かな？　　　　　　　〈足場かけ2〉
　　母親：（ウサギの目を指さして）これなあに　赤いの？　〈足場かけ3〉
　　　　　お目目もあるね。

　　　　　　　　　　　　　　　　　　　　　　　　　　　　（秦野2001）

この例の中では，子どもは母親の問いかけに何も答えていないが，沈黙の後に母親自らが答えを言って，隣接対を完成させている。このように，インターアクションを行いながら文を構築して，新しい言語構造や会話の規則を学ばせる援助のプロセスを足場かけ（scaffolding）と言う。これは，子どもの言いたいことを補って，ことばの足がかりを作ってやったり，いつ話し手と聞き手が入れ替わるかというような会話のタイミングを体得させたりする機能を果たしている。

2.2.2 インプットとしての日本語

「赤ちゃんらしさ（babyishness）」に対する概念，解釈は文化によって異なり，必然的にベビートークがどの年齢まで使われるかも社会によって異なる。社会における子どもの地位がベビートークの使用期間を決めるようである。Saville-Troike（1989）によると，Comanche という部族は，子どもがことばを理解できるまで，つまり 1 歳頃まではベビートークを使うが，それ以降は大人に話すのと同様のことばで子どもにも話すという。また，Gybyak という部族は離乳期（3 歳）から 8 歳頃まで，Cocopa という部族は男の子には 6 〜 7 歳まで，女の子には 10 歳まで，時には結婚するまでベビートークを使うというケースもあるという。日本は欧米に比べると子ども中心社会で，欧米では 2 歳頃までベビートークを使うが，日本はそれより長いとされ，幼稚園頃まで使用されるケースも多い（勝浦クック 1991）。日本語にはベビートークの語彙（例：メメ，テテ，ブーブー，ダッコ）が豊富で，また，子どもの気をひくために，無意味音やオノマトペアの音が多く使われる（例：オナカシュイタ？　アソビマチョ，ドオジョ）とされている（Toda, Fogel & Kawai, 1990）。

このような傾向があるのは，日本社会は子どもと大人の区別が明確で，大人への依存が許される社会だからだと考えられている。Clancy（1986）や Holloway（1988）は，日本のコミュニケーション・スタイルには「甘えの構造（土居 1980）」が根底にあり，他者の慈悲，博愛への依存が強い社会だと見ている。よって，コミュニケーションにおいては，話し手には，相手が自分の考えていることを察してくれるという大前提がある。そして，親子にも「甘える／甘やかす」の関係があり，たとえば子どもが泣いている時も，日本人の母親はアメリカ人の母親より語りかけが少なく，なぜ泣いているのかを察する傾向が強い（勝浦クック 1991; Fischer, 1970）。アメリカ人の親は 3 か月の子どもにもよく話しかけるが，日本人の親は顔の表情や体の接触により愛情を表現するという（Fernald et al., 1989）。Morikawa, Shand & Kosawa（1988）も，ことばを話し始める前段階でも，アメリカは情報志向で，子どもの行動について明確に言語化するのに対し，日本は無意味な音による遊びや目で見つめる行為が多く，愛情志向であることを示している。

（子どもが母親を見た時）

a. アメリカ
   You going to talk a little bit?
   Yeah, talk a little bit.
   Hi, Hi.（子どもの気をひく）

b. 日本
   おおお。おおお（非言語音）
   もっとおしゃべりは？
   あーあ，あーあ（非言語音）
   そうなの。

(Morikawa, Shand & Kosawa, 1988)

　このように，生まれた時からの母親の語りかけは，少なくともアメリカと比較すると日本語には顕著な特徴が見られる。このような違いが存在する理由は，社会化のゴールが日米では異なるからだと考えられる。社会化のゴールは，アメリカであれば自分の考えをはっきり相手に伝えることであるが，日本では，言われる前に相手の気持ちを察することである（Clancy, 1986）。したがって，日本語では「察する」ためのトレーニングが，子どもの頃から言語によるコミュニケーションを通じてなされていると考えられる。

2.3　日本語のコミュニケーション・スタイルの習得

2.3.1　間接的なコミュニケーション・スタイル

　日本語のコミュニケーション・スタイルは，アメリカ英語と比較すると間接表現を好む傾向が強いことが特徴である（Clancy, 1985, 1986）。日本は，伝統的にはグループの調和を重視し，あからさまに拒絶や反対の意思を表さない文化である。個人の表現を好む英語と異なり，日本語には日常会話の定型表現が多いことにも，他人との調和を大事にする日本的な文化が反映されている。Clancy（1986）は，日本語の間接表現を子どもがどのように習得していくのかを克明に観察して，日米比較を行っている。その調査の中で，日本人の子どもは2歳ですでに多くの間接的な命令形を聞いていることが示されている。命令形は，アメリカの親が，親の権限を示すために用いるのに対し，日本の親は，命令形にしばしば理由を付加したり，直接表現と間接表現を並べて用い，子どもが間接表現の意味を理解できるようなヒントを与えている。日本の子どもは3歳頃から，自分でも間接的な命令表現を使い始め

るようである。これが，日本のコミュニケーションの原点である相手の気持ちを察するトレーニングにもなっているのである。

(1) 承認できない行動が疑問文の中で明白に言及されるが，何をするべきかは子どもが考えなくてはならない。
　　例：いすにのっけるの，ブーブーを？
　　　　まだそれ食べるの？
(2) 意図する命令を推測させるようヒントを与える
　　例：(子どもが自分のじゃないおもちゃを取ろうとして)
　　　　これ，よっちゃんのよ。(子どもは取るのをやめない)
　　　　よっちゃんの，どれ？
(3) 子どもが間接表現の意図を解さない場合，より直接的な表現を並べる
　　例：(お客とのゲームをやめさせるために)
　　　　もう，おねえちゃん，いやって。〈直接的〉
　　　　もういいって，みい（ミルク）は。〈より間接的〉
(4) 直接的な命令＋質問，理由，警告
　　例：あ，やめなさい。おねえちゃん，せっかく作ったの。おねえちゃんに怒られるよ。
　　　　じゃ，おねえちゃんも食べたい？って言わなくちゃ。ん？　おねえちゃんもどうぞって。よっちゃんだけパクパク食べてんの？
(5) 引用表現を使った直接要求
　　例：おねえちゃん，おもちゃ見せてって。
(6) 欲求や感情的反応
　　例：おねえちゃんたちも食べたいって。
　　　　ねえちゃん，痛い，痛いって。
(7) 定型表現の使用を促す
　　例：ほら，おちちゃったよ。ありがとうは？　おねえちゃんにありがとうって言うんでしょ？
(8) ウチとソトの区別—ソト（他人）を意識させる
　　例：人が見てるよ。
　　　　人に笑われますよ。
(9) 衝突回避—子どもにもはっきり「ノー」と言わない
　　例：(要求を無視，子どもの気をそらす)
　　　　まだだっこ？　重いのになあ，重いのになあ。
　　　　(アメをほしがって)
　　　　朝たくさんおもち，食べたじゃない。

(Clancy, 1986)

　Clancy は，日本の母子関係は「甘えの構造」の典型的な具現例で，後の社会的関係の原型だと見ている。日本の親が，なぜ乳児が泣くのか，どうすれば満足するのかを黙って推測していた（Fischer, 1970）のと同様に，子どもも少し大きくなると，他人の考えていることを察し，間接的な発話行為に

より社会の規範に順応することを学ぶ。英語にも頻度は低いが間接表現はあり，アメリカ人の子どもも間接的要求を 3 〜 4 歳で理解できるようになる。これらのことから，間接的な表現を理解するには，普遍的な認知能力の発達も必要なのではないかと考えられている。

2.3.2　男女差の習得

　日本語は，特にインフォーマルな会話になると男言葉と女言葉の区別がある。しかし，男の子でも，父親と一緒の時間より，母親と一緒に過ごす時間の方が長い場合が多い。では，男の子はどのように男言葉を習得していくのだろうか。子どもは 2 歳頃になると，非言語的な行動において男女差が現れるという（Saville-Troike, 1989）。個人差はあるだろうが，男の子は乗り物に興味を示し，女の子は人形やぬいぐるみを好むというような違いが出ることが予想される。男の子は 3 歳頃になると父親のスピーチをまねし始めるようである。大久保（1981）は，男の子のスピーチの変化を終助詞や代名詞に着目して，記している。（丁寧語は女言葉として分類してある。）4 歳頃になると，男言葉特有の終助詞がずいぶん使われるようになっている。

```
40 か月    どうしてこっちつけるんですか。(F)
          自動車で遊びます。
          見ててください。
          これとこれです。
43 か月    バイバイって言ったでしょ。
          ちっちゃいんじゃないか。(M)
          受け取ってごらんなさい。
          ボクのところにまな板持って来てください。
48 か月    雪降ってるぞ。
          見ててもいいかい。
          だまってろ。
          折ってやれ。
```

（大久保 1981）

Sakata（1991）は，3 歳児の日本人母子の会話を調べて，3 歳でも子どもは男女のことばの差に気づいていて，特に終助詞には敏感だとしている。母親もあらっぽい遊びをする場面では，以下の例のように男言葉を使っているようである。

Yの母親のスピーチ
（キャッチボールをしながら）来たな。
（男の子が泣きそうになった時に）ボク泣かないから。
（くまのプーさん〈男の子〉のぬいぐるみの包みを開けて）
これ，くまのプーさんみたいだね。
（子どもがくまのプーさんにアイスクリームをあげるのを見て）
［プーさんが］おいちいなあって言ったでしょ。

(Sakata, 1991)

母親は男言葉の終助詞の適切な使い方を示しているだけでなく，上の例（「ボク泣かないから」）にあるように，男の子としてどう振る舞うべきかも教えている。日本語では言語に男女差が顕著なぶん，子どもにも早くからその認識ができているようである。しかし，日本語ほどではなくても，英語にもある程度男女のことばの違いはあるようで，アメリカの子どもでも5歳頃にはどんなことばが男性的か，女性的かというステレオタイプの知識は持っているようである（E. Anderson, 1986; Edelsky, 1977）。日米共，本格的には学校で友だちと遊ぶようになってから，男女のことばの違いを学んでいく。

2.3.3 丁寧さの習得

日本では，ウチとソトで丁寧さを区別したり，目上の人を敬うというのが，一つの社会規範になっている。日本語の複雑な敬語のシステムは，それを反映したものと言える。このような丁寧さの基礎はどのようにして築かれるのだろうか。日本では，「よい聞き手」であるようにしつけられることが，丁寧さ習得の第一歩になっているようである。CDSには繰り返しが多いことを前に述べたが，日本人の母親の繰り返しの多用は，親が子どもに間接表現を理解させるためだけではなくて，会話のよい聞き手であるよう訓練する役割を果たしているのではないかと考えられている。Clancy（1986）は，人が話しかけている時，日本人の母親はきちんと聞くようにしつける傾向が強く，アメリカ人の子どもが人の話をしばしば無視し，親もあまり注意しないのとは対照的であると指摘している。また，日本人の母親はアメリカ人の母親より，早い時期から身内ではなく他人に対して挨拶などの定型表現をきちんと使わせたり，他人に対する拒絶を表す際に間接表現を用いるよう注意する傾向が強いとされている。よって，日本人の子どもは小さい時からソト

に対しての振る舞いに注意してしつけられていると言える。

　話しことばの丁寧さの基本は敬体と常体の区別であるが，子どもはこのような区別をどのようにして学んでいくのであろうか。敬体は，目上の人に対して，あるいはかしこまった場面で用いられるものなので，年上の人から子どもに向けられる CDS には「〜ます」「〜ました」のような敬体は含まれていないと考えられる。しかし，Clancy（1985）は，2歳児の発話の中にすでに「〜ます」の形が現れていることを示している。CDS を調べると，親が子どもに物語の読み聞かせをする時や，目上の人，ソトの人が言ったことを引用する時に「〜ます」が使われていることがわかっている。たとえば，医師の往診の際に，母親が子どもに対して「よっちゃん，元気ですかって。元気に遊びますかって。」と言った例が報告されている。「ごっこ遊び」の中で，医師やお客の役を演じる子どもに対して母親が敬体を用いている例もある。子どもは最初は単に大人をまねるだけだが，3〜5歳頃にはどんな場面で敬体を使うべきかということに，かなり敏感になっているとされている。

　以上のように，社会言語的な面から見ると，日本の子どもは親とのやりとりを基本として，文化特有のコミュニケーションのパターンを学びとっていることがわかる。日本語の CDS には，子どもが置かれている社会の一員として，どのように適切に行動できるようになっていくのか，すなわち，どのように社会化していくかというカギが隠されているようである。

第 **3** 章　脳の発達とFLA

▶**本章の概要**

　脳には言語を司る部位があるとされている。生後から思春期にかけて言語機能が左脳のある場所に固定されていく時期があり，その時期になんらかの事情で，脳に損傷を受けたり，人間社会から隔離されたりした場合，第一言語を習得することは難しくなる。年齢と脳の発達段階は FLA 過程に大きく関わっている。

　キーワード：ブローカ野，ウェルニッケ野，心的表象，言語処理，大脳半球優位性，脳の一側化，臨界期仮説

3.1　言語運用における脳のしくみ

3.1.1　脳の発達

　FLA には，どの子どもにも共通の発達過程があり，言語が異なっていても同様の発達をする。そこには，脳の発達や身体の発達も連動している。ことばを発するためには，音声器官や腹筋の発達など，運動神経が関わっていることは第 1 章でも述べた。それに加えて，誕生してから成長していく過程で，脳がどう発達するのかということも考えなくてはならないだろう。なぜなら，ことばで何かを表現するためには，ことばを表出する以前に，感情が起こっていなくてはならないし，表現するための文を構築するためには，頭の中に文法を作り上げなくてはならないからだ。

　胎児は 40 日目頃に脳らしき構造が出現するという。生まれたばかりの新生児の脳の重さは 370 〜 400 グラムである。それが，半年で 2 倍の重さになり，その成長は身体の他の組織の成長と比べると，かなり速いスピードで進む。そして，10 歳頃には大人の脳の大きさの 90％まで発達し，20 歳前後で脳の発達は完成すると考えられている。大きくなるだけでなく，脳にしわが刻まれて神経のネットワークが形成され，複雑で高度な思考などの認知活動

を行えるようになるのである。脳の中で一番早く発達するのが感情を司る脳幹と，運動を司る小脳だと言われている。脳幹と小脳は，呼吸，消化，心拍などの基本的な生理機能の働きに重要な部分であり，さらに，動作の伝達を行い，ここで感情も生まれる。乳児はおなかがすいたなどの欲求や不快感を泣き声で表現しようとするが，コミュニケーションの原型を支える部分が，まず発達すると言える。理性は後から大脳皮質が発達することにより起きる。大脳皮質が発達しているのは，動物と比較すると，ヒト固有の特徴で，ヒトの進化の証である。

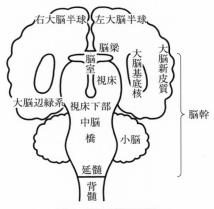

図1　脳の前頭断面図

　5歳頃までは脳の中でも感情や音楽を司る右脳の活動が活発である。すなわち，音楽的能力に関与する右脳がよく働くことで，早くから音を聞き分けたり，イントネーション・パターンを身につけることができるのだと言える。論理的，抽象的な思考や言語に関与するとされる左脳は，右脳より遅れて発達する。認知能力の発達と共に，言語で抽象的な概念なども表現できるようになる。脳が発達するということは，神経生理学的にいうと，神経細胞（ニューロン）が発生して，他の神経細胞と結びつくことである。神経細胞は，シナプスと呼ばれる神経結合部を介して，他の神経細胞と手をつなぎ，刺激を伝達し合っている。学習が起きる度に新たな結びつきが生まれ，脳の中には複雑な神経回路のネットワークが形成されることになる（正高 1993; 酒井 2002 等参照）。

3.1.2　言語構造と脳

　脳の中で学習が起きると神経細胞同士が結ばれるというのは神経生理学的な見方であるが，認知心理学的に見ると，学習した情報は記憶として貯蔵される。長期記憶に貯蔵されている抽象レベルの心理的構造は，心的表象（mental representation）と呼ばれる。脳は，新しい刺激が入力されると，なんらかの反応を出力する。たとえば，親の顔が視覚情報として入ってくると，子どもは喜びがあふれ笑顔を作るという反応を出力する。入力されるのは視覚や聴覚などの感覚から入ってくる情報で，出力されるのは運動器官を使った反応行動である。その過程で，新しい刺激情報は，心的表象に照らし合わせて解釈されたり，既存の心的表象とうまくマッチしない場合は，新たな心的表象を作ったりしながら，既存のものに修正を加えていく。コンピュータの到来と共に，人工知能や情報処理の研究が盛んになったが，ヒトの脳も，コンピュータのように，インプット（入力）からアウトプット（出力）に至る情報処理の場としてとらえられている。

　では，ことばを学ぶ際には，どんな心的表象が形成されていくのだろうか。五感の中で，子どもがまず発達させるのは聴覚だが，ことばの発達もまず音から始まる。周囲から聞こえてくる音を自分の言語の音として認識するためには，音韻の心的表象を形成する必要がある。音の表象ができれば，音声刺激を受けた場合，その心的表象と照合して，母語の音として認識できる。そして，いったん音韻体系が作り上げられると，音を聞き取るのに労力は必要でなくなる。一方で，自分の言語以外の音に対する感受性は失われてしまう。発話する時は，音韻の心的表象を呼びだして，知覚運動感覚を統合して音を作る。慣れてくると，次第に音を表出する一連の運動の流れが自動化され，さらに複数の音節から構成される単語を認識できるようになる。

　意味の心的表象は，輪郭のはっきりしない曖昧な表象構造の複合体である。そのはっきりしない心的表象に名前を与えるのが，単語である。ヒトは頭の中に心的辞書（mental lexicon）を持っているが，意味情報と言語形式（どんな音からなるか，またはどんな文字からなるか）は別々に貯蔵されていると考えられている。というのも，こんな意味のことばがあったはずだけれども，単語が思いだせない場合，あるいは反対に，単語には見覚え，聞き覚えがあるが，意味は思いだせないということを日常生活で私達が経験して

いることから予測がつく。このようなことから，意味と言語形式の心的表象は別々の表象を形成していると考えられているのである。

　文レベルの心的表象には，単語の並べ方に関する約束事が貯蔵されているはずである。つまり，頭の中には心的文法（mental grammar）が形成される。心的な辞書や文法は，日常，私達が手にすることができる辞書や文法書のようにぎっしり文字で埋め尽くされたものではなくて，心理的で抽象的なものだが，効率よく取りだせる形で記憶の中に表象が築かれている。抽象的で記述するのが難しい心的文法を，言語構造の枝分かれ図を書いて，図式化して説明しようとしているのが，Chomsky をはじめとする言語学者達である。

　また，談話レベルで話し手と聞き手が理解し合えるのは，相手の発話を聞いた時に，自分の頭の中に相手と同じ心的表象を再生しているからである。談話レベルの発話とは，自己の心的表象（思考）をことばという記号にして外に発信するプロセスである。お互いが同様の心的表象を頭の中に浮かべることにより，状況認識ができたり，感情理解や意思表示を行ったりすることが可能になる（Steinberg, 1993 参照）。

　より最近の研究では，脳におけるミラーニューロンの存在が明らかにされている。たとえば，「飛ぶ」「走る」といった行為を行う時には運動前野が活性化しているが，この領域は，他者が同様の行為を行ったことを知覚する時にも活性化するという。ミラーニューロンは，サルの実験で最初に発見されたのだが，一部の鳥やヒトにもあることがわかっている。実際に経験しなくても，他者の経験を「なぞる」ことできるというミラーシステムが，他者の意図や感情を理解することの起源ではないかと言われている（乾 2013; 山崎＆入來 2008）。話し手と聞き手が，頭の中に同じ心的表象を思い浮かべることで，コミュニケーションが成立するのである。

3.1.3　言語処理と脳

　脳の働きはインプットからアウトプットへの情報処理（information processing）でとらえられるが，言語使用も情報処理の一つの形態である。言語使用における情報処理では，耳から，または目から入ってきた情報を理解したり，頭の中に浮かんだ感情や考えをことばとして構築し産出したりしている。そのプロセスがすなわち，言語を処理する（language processing）

ということである。そして，そのような言語処理のプロセスは，脳の中で起きている。20世紀初めにドイツのブロードマンが脳地図を描き，脳の領域区分を示したが，今でも各領域の機能はまだ完全に明らかになったわけではない。しかし，大脳の中で主として言語に関わりがある言語野の存在は，早くから知られていた。言語野の中でも，言語理解を司るのが，左脳後方の領域にあるウェルニッケ野，言語産出を司るのが，左脳前方の領域にあるブローカ野である。また，文字からの視覚情報は角回と呼ばれる領域を経由して，ウェルニッケ野に入るとされている。

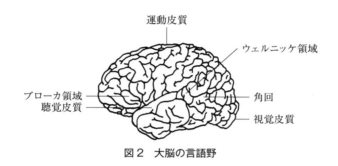

図2　大脳の言語野

　音声言語は，まず聴覚から側頭葉の聴覚野に入り，言語性の音かどうかが識別される。そして，言語性の音だと判断された音声は，隣接するウェルニッケ野に送られる。送られた段階では，音声のかたまりにすぎないが，ウェルニッケ野で一つ一つの音が日本語のどの音韻にあたるかが照合される。言語理解では，まず，全体的な文脈と大雑把な意味が理解され，さらに文構造や単語や単音の分析がなされて，最終的に正確な意味が理解される。
　言語産出においては，大体のメッセージはウェルニッケ野で生成される。それから，ブローカ野に送られる。ブローカ野では発話に必要な語彙が選択され，音韻イメージ（心的表象）を音声に変換する司令が出される。発話は音声器官を使って実際に表出されるのだが，情報は，音声器官を制御している運動領域に送られる。舌，唇，あご，軟口蓋，声帯などの筋肉運動に関わる運動領域は，ブローカ野に隣接していて，素早く情報が伝わるようにできている。（酒井 2002; 山鳥 1998; Steinberg, 1993 参照）
　脳の中の言語野は，言語処理に重要な役割を果たしているので，この領域

に損傷を受けると，当然言語にもダメージを受ける。言語障害を発症する年齢によっては，正常な FLA の言語発達を妨げる場合もある。

3.1.4　言語野と失語症

　感覚や音声器官に異常がないのに，言語の使用や理解に障害が現れることを失語症（aphasia）と言う。多くは脳に外傷を受けたり，腫瘍ができたりして，言語野を損傷した場合である。言語機能は大抵の人において左脳にあるとされているので，言語障害を起こした患者の大部分は左脳に損傷がある。特に発話に障害がある場合は，前頭葉に梗塞があり，ブローカ野が損傷している。話し言葉が理解できなくなる場合は，ウェルニッケ野が損傷しているとされる。そもそも，この二つの言語野の名称は，それぞれの失語症の事例を最初に発見した医師の名前にちなんで名づけられた。

　この失語症を発見したフランス人医師ブローカの患者は，言語理解はできるのに，発話は "tan, tan" としか言えなかったという。このブローカ失語症においては，発話が断片的になったり，意味が通じる文を話していても，文法的な機能語が欠落することも多い。また，統語分析ができなくなるので，常識で判断できない文では，言語理解にも支障をきたすという。たとえば，"The apple that the boy is eating is red." のように常識的な文は理解できるが，"The girl that the boy is looking at is tall." というような常識では解釈できない文になると，理解できなくなってしまう。

　一方，ウェルニッケ失語症になると，音を表出することはできるが，何を言っているのか意味不明になるという。音は聞き取れても，聞いた音が自分の言語の音韻のレパートリーの中にある音なのかどうかを認識できなくなる。音韻の形は受容できても，単語の意味がわからない場合もある。そのような場合は，言われた通りに音を繰り返すことができても，意味はわかっていない。また，理解できることばが減少し，個別の単語は理解できても，文が理解できない場合もあるという。これは，特に助詞などの機能語の理解ができないことによる。よって，日本語で「くしで鉛筆にさわってください。」というような日常的でない文を言われると，理解することはできないようである。（日本語の失語症の臨床例は山鳥 1998, 2003 を参照のこと。）

　ブローカ野は発話の言語中枢で，統語処理を司る。一方，ウェルニッケ野

は理解の言語中枢で，意味処理を担うとされてきた。しかし，実際にはそれほど単純ではないようだ。たとえば，ブローカ野を損傷していなくても，統語処理に支障をきたす症例や，反対に，ブローカ野失語症でも意味的な処理に問題が起きることもあるという。そして，言語産出，理解の両方のプロセスにおいて，二つの言語野が単独で機能しているのではなく，統語処理と意味処理の間に相互作用があることも確認されている（大石 2008）。また，ブローカ野は，音楽のハーモニーを認識する時にも活性化していることが明らかになり，言語中枢だと思われていた領域が，言語だけに特化していない可能性があることも指摘されている。（古屋 2012 参照。）

　失語症は，狭義には言語理解と発話の障害をさす用語だが，広義には失読症（alexia）や失書症（agraphia）を含むことがある。特に失読失書症と呼ばれる障害は，日本語をL1とする患者に起きるものである。この言語障害があると，書き取りで漢字は正しく書けても，仮名が書けなくなったり，一見，流暢に漢字を書くが，書いたものが意味をなしていなかったりする。また，漢字は読めないが，仮名なら読める，あるいはその逆というような症状が見られる。これは，日本人が漢字と仮名に異なる処理を行っていることに起因するのではないかと考えられている。文字言語は視覚野から情報が入ると，角回でいったん音韻情報に変換されて，意味理解がなされると考えられていた。アルファベットや仮名がそうである。しかし，漢字は音韻情報に変換しなくても，直接意味にアクセスできることが知られるようになった。つまり，仮名のように音を表す表音文字と，漢字のように音と意味を表す表意文字では，処理のメカニズムが異なり，障害の症状も分かれて現れるのである。最近は，脳機能の画像が見られるようになり，漢字の読み書きには，仮名とは異なる側頭葉後下部が活性化していることが確認されている（酒井 2002）。これは，日本語の失語症研究が世界的に知られることとなった事例であるという。（山鳥 2003 参照。）

　後天的に失語症になった場合，発症年齢によって回復の度合いに差が出ることが知られている。FLA でも脳の損傷などの事情で，通常の言語発達ができなくなることがある。そこから，言語習得には最適な年齢があるのではないかと考えられるようになった。FLA における年齢の問題を，脳のしくみと合わせて，次節で考えてみよう。

3.2 FLAにおける臨界期

3.2.1 臨界期仮説

　Lenneberg（1967）は，子どもの失語症（後天性小児失語症）の症例データを検証して，発症年齢が異なると，言語の回復に違いがあることを見いだした。2歳までに発症したケースでは，ことばはすっかり失われてしまったが，そこから，また通常の言語発達が始まったという。2歳より上の年齢で発症すると，すべて失われるのではなく，多少のことばは残っていて，そこから再スタートし，割とスムーズに回復が見られた。しかし，12～13歳以降になると，十分な回復はほとんど不可能であったという。このことから，Lennebergは，ヒトにはことばを学べる最適な年齢というものがあり，その時期を過ぎると次第に習得が難しくなるのではないかと考えたのである。言語習得に最適な時期を臨界期と言い，このような考え方を臨界期仮説（Critical Period Hypothesis）と言う。

　言語に関してだけでなく，ある特定の能力が発達する時期に必要な条件がそろわないと，その後の発達に大きな影響が出る場合がある。臨界期は，その重要な時期をさす語として使用される。たとえば，動物の研究では，鳥のヒナを生後親鳥から離すと，自分の親を認識できなくなることが報告されている。また，ネコに生後4週間から3か月の間，視覚刺激を与えないようにすると，目が見えないままになってしまうという。FLAでも，最適な時期に習得に必要な言語環境が整わないと，言語が未発達のまま大人になってしまうことがある。

　FLAの臨界期仮説を実証するような事例は，いくつか報告されている。それは，脳に損傷を受けたのではなくて，なんらかの事情で親から十分愛情を受けて育つことができなかった養育放棄の事例である。古くは，フランス南部のアヴェロンで1800年頃に発見された11～12歳の少年ヴィクトールの事例がある。ヴィクトールは，何か理由があって，幼い頃親と離ればなれになってしまい，人間社会から遮断されて，一人で森の中で生活していた。発見された時は，動物のようなうめき声をあげ，裸足で四つんばいになって森を駆け回るような状態だった。それで，ある医師が少年を引き取り，人間の習慣やことばを教えた。少年の感覚機能や記憶力，集中力などは正常と判断されたが，1828年に亡くなるまで，結局発話は不完全なままだったという。

また，1970年代にカリフォルニアで発見された13歳のジニーという少女の事例がある。この少女は，父親から虐待を受けており，食事もあまり与えられず，身動きできないような小さい部屋に閉じ込められていた。つまり，12年あまりの間，社会から隔離状態にあったのだ。発見された時の言語能力は2歳程度だったとされる。そして，8年後も言語の習得は不完全だったという。日本でも，1972年に虐待放置事件で発見された6歳の姉と5歳の弟の例が報告されている。二人は発見時の外見は1〜2歳に見え，ことばは姉が数語知っている程度で，弟は何も話せなかったという。彼等は親からの愛情にも恵まれず，文化的な刺激もない環境に長い間置かれていたのであった。その後の20年にわたる追跡調査の結果，コミュニケーションに支障がないまでには言語が発達したようである。この事例は，5〜6歳では，まだ言語が発達する余地が残されていたことを示している。（報告の詳細は藤永1997, 2001参照のこと。）以上のようなことから，言語習得の臨界期は，思春期（puberty）前の12〜13歳なのではないかと言われている。

3.2.2　臨界期が存在する理由

　なぜ12〜13歳を過ぎるとFLAが難しくなるかについては，脳神経学から説明がなされている。脳には大脳半球優位性という性質があって，大人は特定の機能が左右どちらかの脳に片寄っている。たとえば，右利きの人の約96％は，左脳に言語機能がある。よって，右利きの人で言語障害が起きるのは，ほとんどが左脳に損傷を受けた場合である。大人は一般には，機能が局在しており，左脳は言語中枢を司り，右脳は非言語情報や視覚的映像，環境音などを扱うとされている。しかし，脳の発達途上の時期は，左右の半球の役割分担はまだはっきり決まっていない。だから，もし左半球の損傷によって言語機能が失われた場合は，右半球が肩代わりすることが可能だと考えられている。これを右半球の代償可能性と言う。若い時なら，まだ脳が柔らかくて，脳の失われた領域の機能を，他の領域で補うことができるのである。脳の左右どちらかに機能が固定されていくことを一側化（lateralization）と言うが，これは生後から思春期にかけて緩やかに起きる。それ以前なら，失われた機能の回復は比較的容易だと考えられている。つまり，脳に可塑性があるとされている。よって，脳の機能が一側化してしまう前なら，言語機能

の回復は可能なのである（酒井 2002; Steinberg, 1993 等参照）。しかし，思春期以降，脳の代償可能性がなくなるのはなぜかなど，今現在もまだ解明されていない疑問は残されているようである（藤永 2001）。

　子どもが後天的に失語症になった事例は，脳の発達段階から説明することができる。発症が早ければ，失われた言語機能を脳の他の領域が肩代わりしてくれるのである。養育放棄の事例は，脳の損傷ではないが，言語習得に最適な年齢で，愛情を注ぐ親とのコミュニケーション環境が整わなかった場合は，脳が一側化した思春期以降いくら言語を教えても，通常の言語発達は望めなかったのである。大人になると FLA のように簡単に外国語を学ぶことができなくなるように，ある時期から脳の言語学習のメカニズムに変化が起きるのだと考えられる。年齢は SLA でもしばしば議論の的になることで，この問題は SLA の章で，また取り上げることにする。

3.3　ことばの発達の遅れ

　FLA では身体の発達，認知的発達，また脳の発達とも連動しながら，ことばが発達していく。その意味では，どの言語を母語としても，子どもの言語発達の段階には共通性が見られる。しかし，SLA ほどではないとしても，FLA にも個人差はある。実際，1 歳で話し始めない子どもは 5 ％いるという。そのうち 2 ％は 3 歳までに話し始め，就学までには追いつくことができる。しかし，2.7 ％は 5 歳までに話し始めるが，読み書きなどに遅れが出て，0.3 ％は重篤な状態になるという（西村 2001）。聴力や知能に問題がなくても，言語の産出や理解が困難なことがあり，なんらかの脳機能の発達に障害があるのではないかと考えられている。

　日本では報告例が少ないそうだが，欧米には全人口の 5 ～ 10 ％はいると言われるのが読字障害（dyslexia）である。これは，視力は正常で，一つ一つの文字は知覚できるのだが，文章を正確に読めないという言語障害である。発話や言語理解に問題はないのに，他の認知能力に比べて読み書き能力が劣ることが報告されている。読字障害の原因に関しては諸説あり，脳科学でも活発に議論がされてきた（酒井 2002）。日本語では，文字と音が 1 対 1 の対応をなしており，このような言語では，読字障害の出現率が欧米語に比べると低いとされている。（ただし，日本語でも仮名の特殊拍や漢字となる

と1対1の対応ではなくなるので，難易度が上がる。）しかし，小学校まで
の日本語ではそれほど大きな問題にならなくても，学校で英語学習が始まっ
た時に言語学習に困難を感じることもあるという。

　読字障害の大きな原因として考えられるのが，音韻処理能力だと言われて
いる。音韻処理能力には，音の単位を認識したり，音の単位を操作したりす
る能力が含まれる。読みと音韻処理能力は，一見，無関係に思えるが，文字
情報は頭の中で音韻の情報に1度変換されて，そこから発話と同様の理解の
プロセスが進行する。よって，音韻処理能力は，読みにも大きく関わってい
るのである（大石2001）。L1の音韻処理能力の問題は，SLAにも継続して
影響を及ぼすと考えられているので，本書の第2部（第9章）でも再度触れ
ることにする。

　第1章では，ことばの発達において，手さしや指さしにより興味対象の物
を示し，親と子の三項関係を作る共同注意という行為が重要であることを述
べた。この共同注意がうまく発達せずに，言語発達に遅れが見られることも
ある。それが，自閉症スペクトラムである。共同注意が乏しいと，共感関係
を築くことが難しくなり，ことばの発達だけでなく，コミュニケーションに
も影響が現れる。また，相手の発話を推論して解釈することができないの
で，「ご飯を食べに行こう。」と言われても，「お米は食べて，おかずは食べ
ないのだろうか？」と悩んだりするという。自閉症スペクトラムも，先天的
な，なんらかの脳の機能障害によって起きるものだと考えられている（別府
2001）。

　日本では，欧米に比べると，学習障害や発達障害を抱える子ども達に対す
る支援が遅れていると言われてきた。しかし，今では，これらの障害に対す
る理解が進み，学校教育の中での支援もなされるようになっている。また，
日本に留学してくる外国人の中にも，学習障害や発達障害を抱えるケースが
増えてきている。そのような留学生を受け入れる大学などの教育機関では，
障害への配慮が求められるようになっている。

第4章　FLA研究のアプローチ

▶本章の概要

　FLAでは言語習得は生得的に持って生まれた能力なのか，あるいは後天的な環境要因の方が重要なのかという議論があり，いくつかの見解が存在する。外から言語行動を制御されることが重要だという立場，生まれながらに言語習得装置が備わっているとする立場，大人とのインターアクションが重要だとする立場などがある。どのような理論がFLAのプロセスを最も説明し得るかを考える。

　キーワード：行動主義，生得主義，相互交流論，用法基盤的アプローチ

4.1　Nature vs. Nurture

　乳幼児がL1を習得していく発達段階には，ある共通性がある。生後2, 3か月頃から「アー」「ウー」といった母音を発し始め，生後6か月頃には「バーバー」「マアマア」など子音と母音が結合して繰り返される喃語期と呼ばれる段階がある。それから，生後1年で一語文，1年半で二語文という単語を並べただけの発話をするようになり，徐々に機能語（日本語なら助詞，英語なら前置詞や冠詞）も使えるようになっていく。どんな言語においても子どもは，このような過程をたどると言われている。では，言語を使うことは生まれつき備わった能力（Nature）なのだろうか，もしくは，後天的に学びとった能力（Nurture）なのだろうか。FLA研究における，このNature vs. Nurture論争は，両極の見解の間で常に理論の振り子が揺れてきた。合理主義者（rationalist）[1]は，人は言語発達に必要な能力を持って生まれ，その能力の発達過程は生まれながらにプログラミングされているという前者の立場をとる。その一方，経験主義者（empiricist）[2]は，言語学習を促進するのは学習者の経験であり，生得的な能力以上に環境，つまり外的要素の方が重要であるという後者の立場をとっている。言語発達が同じタイミングで進んで

いるとすれば，生まれながらに言語がどのように表出するかが決められているようである。しかし，養育放棄の事例を考えると，やはり愛情を注ぎ，根気よくコミュニケーションにつきあってくれる親がいない環境では，言語習得は起こらないようにも思える。本章では，FLA のプロセスをどんな理論で説明できるのかを考えていきたい。

4.2　行動主義

　20 世紀初頭にアメリカで提唱された行動主義（behaviorism）は，経験主義の立場をとり，言語学および言語教育にも大きな影響を与えた。行動主義は，学習者の経験，つまり外的要因を重視した。当時は，外から観察し得る行動のみが研究の対象で，「心（= mind）」という直接観察不可能なものは科学的検証の対象ではないと考えられた。Skinner（1957）等は，刺激→反応の繰り返しの習慣形成による行動の学習理論を打ち立て，人間の学習は基本的には動物の学習と同じだと見なした。言語学習に関しても，言語スキルを「学習により獲得した行動」であると規定し，言語学習も他の学習メカニズムとなんら変わりはないと考えた。外から観察できる行動に着目するという意味で，行動主義は言語運用を重視しているのだが，Skinner は「言語行動（verbal behavior）」という語を好んで用いている。

　行動主義のもとでは，FLA には三つのタイプの学習があるとされている。一つ目は，古典的条件づけ（classical conditioning）と呼ばれる学習である。たとえば，「アメ」という音声刺激に対して，口の中に甘い味の生体的反応が繰り返し起きると，二者の連合が強まる。この刺激と反応の結びつけ，つまり連合学習（associative learning）が，古典的条件づけなのである。もう一つは，オペラント条件づけ（operant conditioning）と呼ばれる学習である。母親がミルクを与えながら "milk" と言って聞かせると，乳幼児もまねをして，"milk" と言うようになる。そのうち，乳幼児は "milk" という語を発することで母親からミルクをもらえることを知ると，ことばとそれによってもたらされるご褒美（reward）との連想を強めていく。ご褒美によって強化（reinforcement）された行動はその後も度々現れるようになり，"milk" と言わない時はもらえないというような罰（punishment）を受けた行動は次第に消滅していく。オペラント条件づけとは，養育者からのご褒美

による強化で形成される学習である。三つ目は，模倣である。親が「バイバイと言ってごらん」と熱心に子どもを訓練して，根気よくまねさせるのも，行動主義の学習パターンである。行動主義では，模倣により文法的枠組みも習得されると考えられた。このように，言語行動の習慣を形成していくことで言語が習得されるという見解がなされていた。

行動主義心理学は，一時期，特に北米で盛んだったが，その後，様々な批判を受けた。オペラント条件づけでは，厳しく罰せられた行動は消滅すると考えられたのだが，親は子どもが文法的に正しくない文を発話しても，実際にはそれほど厳しく罰することはないことが指摘された。また，模倣とご褒美による強化学習だけでは説明できないことも出てきた。たとえば，生まれたばかりの新生児でも言語音と非言語音を区別できるが，それは模倣でも強化学習によるものでもない。さらに，実験室では言語行動は形成されるが，実生活の場面では証明されていないという批判もあった。それで，Skinnerを直接批判して生まれつき備わっている言語能力を重視するChomsky等が現れたのである。

4.3　生得主義

Chomsky（1959）は，刺激と反応の連想による習慣形成で習得できる言語知識は限られていると主張し，Skinner（1957）を激しく批判した。子どもが耳にする大人からのインプットには，完結していない文，言い間違いの文も含まれ，言語体系を習得するための言語データとしては不完全だということを根拠としている。これが，いわゆる「刺激の貧困（poverty of stimulus）」である。それにもかかわらず，子どもが今までに1度も聞いたことがない文をも短期間に生成できるようになるのには，子ども自身の言語の創造性なくして実現不可能だとしたのである。よって，Chomskyは，子どもは「言語習得装置（Language Acquisition Device: LAD）」なるものを持って生まれ，必要最小限のインプットを受けるだけで，それが引き金（trigger）となって習得装置が活性化され，短い間に言語を習得できるのだと主張した。Chomskyのような立場を生得主義（nativist/innatist）と言う。そして，LADは，原理（principles）とパラメータ（parameters）からなる普遍文法（Universal Grammar）であるとされた。原理とは，どの言語

にも共通の核文法であり，パラメータとは，言語により設定が異なる言語特有の文法のことである。よって，乳幼児にとっては，周りから得られるインプットを通して自分の言語のパラメータがどんな設定になっているのかを発見するのが言語習得だと考えたのである。

　パラメータの設定は二者択一で，たとえば，主要部（head）のパラメータについて言えば，英語では主要部先頭（head first）に設定する必要があるが，日本語なら主要部最終（head last）となる。これは，具体的には，以下のように，文が名詞句（noun phrase: NP）を修飾する場合，主要部であるNPは英語なら先頭に来るが，日本語は後ろにつく。したがって，日本語環境に生まれた子どもは周りのインプットを聞いて，主要部パラメータを主要部最終に設定しなくてはならない。

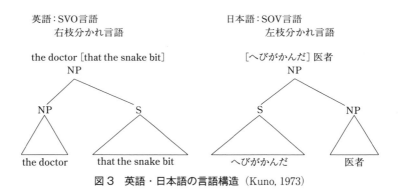

図3　英語・日本語の言語構造（Kuno, 1973）

　ここでは，インプット，つまり，周りの言語環境は，言語習得装置を動かす引き金となる間接的な役割にすぎない。行動主義から一転して生得的な要素が強調され，理論の振り子はnatureに大きく振れたのである。Chomskyは何度か理論を修正しているが，最も新しいミニマリスト・プログラム（Chomsky, 1995）では，語彙の中にパラメータが含まれると考える。したがって，インプットさえあれば文法は獲得できるので，言語の獲得において子どもがやらなくてはならないことは，語彙の習得だとしている。

　生得主義を批判する立場（Meisel, 1995）からは，どれほどのインプットがあればLADが活性化するのか明らかにされていないという指摘がある。大人の発話には20%近くも非文法的な文が含まれているので，誤ったパラ

メータを誘発するのではないかと疑問視する声もある。また，子どもの初期設定はパラメータのどちらかになっているが，設定を変えなくてはならない場合にどうやって設定を変えるのかという問題も指摘されている。たとえば，パラメータの一つに空主語（empty subject）が可能かどうかというものがあるが，日本語やイタリア語では主語なし文が可能である。英語においては本来主語なし文は文法的ではないが，会話においては可能である。よって，子どもが英語の主語なし文のインプットを受けた場合，英語のパラメータを空主語が可能という設定にしてしまわないか，そして，そうした場合，後からどうやって正しい設定に変えるのかという疑問もある。しかし，日本では脳科学の立場から，Chomsky の理論の妥当性を証明しようとしている研究（酒井 2002; 櫻井＆酒井 2000）も行われている。また，Chomsky のほかにも，生得主義の立場を強く主張する研究者（Pinker, 1994）も出ている。Pinker の著書 "The language instinct" は，研究者だけでなく，一般の人々にも広く読まれ，ベストセラーになった。Pinker は，言語は進化の過程で生まれた，人間にしか備わっていない生得的な能力だとしている。この能力は，一つの心的器官（mental module）のようなもので，他の能力からは独立した言語モジュール（頭の中にある言語のみに機能するシステム）である点が強調されている。

4.4　相互交流論
4.4.1　認知的アプローチ
　行動主義とはまた異なる立場で nurture の役割を重要視する見解もある。インプットを提供する外からの環境と内的なメカニズムの双方が作用し合って言語習得が進むと考える相互交流論（interactionist）の見解である。その中でも，環境と相互に作用する子どもの内面を重視した立場が認知的アプローチ（cognitivist）である。

⑴ Piaget の認知主義
　Piaget（1968）等認知主義者は，言語能力も，乳幼児の認知的成熟にともなって発達した様々な能力の一つであると見なす。たとえば，生後 2 年は乳幼児の感覚運動期（sensorimotor period）と呼ばれ，この間に乳幼児は時

間や空間の概念を理解できるようになる。生後6か月の子どもは目の前にある魅力的なおもちゃに興味を示しても，それが隠されるとすぐ興味を失ってしまう。それは，目の前から消えた物が存在し続けるという事物の永続性（object permanence）を理解できないからである。しかし，次第に空間的な位置が知覚できるようになり，認知の発達と共に言語も発達すると考えた。Chomsky とは異なり，言語能力も子どもが生まれてから発達させていく認知能力の一つだと見なしたが，どの子どもにも共通の認知の発達段階があるという点で，普遍文法とは異なる意味での認知の普遍性があると考えている。しかし，その認知の発達は，大人とのコミュニケーションを行う言語環境と，内面の認知システムとが相互に作用しながら進んでいく過程であるという点で，外的要素を重んじている。ただし，行動主義のように外から言語行動を制御しようというのではなく，内面の認知を考慮に入れているのである。

(2) Slobin の操作原理

　子どもは，自らの認知スキルを持ち込んで言語学習という課題に取り組んでいる。習得すべき言語が異なっても，FLA が同様の発達過程をたどるのは，言語情報を分析したり貯蔵したりする認知過程に共通の原理があるからだと考えられている。それを明確にしたのが，Slobin（1973, 1985）の「操作原理（Operating Principles）」である。言語習得は，まず意味ありきである。子どもには，ことばが出る以前から表現したい感情や意思が宿っている。言語習得とは，そのような意味（感情や考え）を，自分に向けられるインプットの中のどの言語形式で表現すればいいのか，マッピング（結びつけ）をする作業である。その際に，子どもは，認知的な言語処理を容易にする様々なストラテジーを使っている。

　　操作原理（Slobin, 1973 に基づく）
　　〈意味と言語形式のマッピングにおける一貫性〉
　　　　A．コンテクストを使い，語の形式の系統だった変化を探す
　　　　B．基本的な意味関係をはっきり示す文法マーカー（機能語）を探す
　　　　C．例外を避ける（一つの意味に一つの言語形式をマッピングする）
　　〈表層形式：言語の表面的な手がかりから根底の文法関係を見つける〉
　　　　D．単語の末尾に注目する
　　　　E．形態素の順序に注目する
　　　　F．まとまりのある言語構造への介入を避ける

このような認知処理をする傾向があるとすると，子どもの言語の発達パターンも説明がつく。たとえば，原理 A を使うと，過去の出来事について話すコンテクストで，英語の動詞の末尾の形態素の -ed に気づくことができる。また，原理 C を使うと，動詞 "go" の過去形でも，"goed" にしてしまうことがある。その前までは "went" と使えていたにもかかわらず逆行することもある。また，原理 F を用いるので，否定文を生成し始める頃，日本語の「オモシロイナイ」や英語の "no eat" のように，他の意味を表す要素をただ付加しただけの発話が見られる。「オモシロクナイ」と言えるためには，「オモシロイ」というひとまとまりの語の中に介入して変化させる必要がある。

(3) Tomasello の認知的見解

　Pinker 等の生得主義を強く批判しているのは Tomasello（1995）である。彼は，自分の娘 Travis の言語発達を観察，記録した（Tomasello, 1992, 2003）。そして，英語の形態素を含む動詞の使用を見ると，はじめは各動詞の経験に基づく固有の規則のみが存在し，生得主義者が言うような普遍的な規則は存在しないとしている。つまり，まず個別の動詞が発達し，複数の動詞がグループ化され，統合されて規則になるのだと主張している。生得主義者の予測のように，一つの動詞で過去形の形態素などの規則がわかれば即座にすべての動詞に拡大して適用されるのではないというのだ。つまり，生得主義者の主張のように，必要最小限のインプットを与えれば，言語習得装置が一斉に動きだし，規則がすべてのコンテクストに使われるのではないと見ている。岩立（1997）も，日本語の動詞の研究から，Tomasello の立場を支持している。

　第 1 章で，指さしや視線による「共同注意」の行動が，初期の語彙の習得を促進していることに言及した。Tomasello（1999）は，この「共同注意」が，その後の言語発達にも重要な要素だと見ている。指さしや視線だけでなく，親がことばを使って子どもの注意を何かに向けさせたり，また，子どもも，自分が注目しているものに対して，ことばにより親の注意を向けさせることができるようになる。この「共同注意」はヒトに最も近いチンパンジーにもできないヒト独自の行動だとされる。さらに，子どもは，大人が子どもを意識せずに行っていることは模倣しないが，子どものために何かした行動

は，模倣する傾向があるという。子どもは，共同注意の場面における模倣学習を通じて，伝達のシンボルである言語を学んでいると考えられる。

　ヒトは明らかに認知的に最も発達した生物であるが，ヒトがヒトたる所以を探るには，動物からヒトへの進化の歴史をひもとくことで示唆が得られる。Tomasello（1999）は，ヒトへの進化の過程やチンパンジーの研究に関する文献を概観して，ヒトの認知や言語発達のしくみを明らかにしようとしている。日本でも京都大学の霊長類研究所でチンパンジーの認知の研究が盛んで（友永，田中＆松沢 2003; 松沢 2002 参照），ヒトと動物の認知面の違いを明らかにしようとする比較認知科学という学問領域もある（友永＆松沢 2001）。ここではチンパンジーに簡単なことばを教えることに成功している。ことばを覚えた天才チンパンジー，アイとしてマスコミでも有名になったので，御記憶の方もいらっしゃるだろう。しかし，チンパンジーには限界がある。チンパンジーは，ある程度ことばを理解でき，言語産出に関しては，音声言語は難しいが手話はできるとされている。言語に関してヒトにしかできないことは，言語を記述するための言語（＝メタ言語）を持つことである。野生チンパンジーは簡単な道具を使うこともでき，たとえば葉っぱで水を飲んだり，おしりを拭いたり，中には石の上にナッツをのせてたたき割ることができるものもいるが，道具を作るための道具（＝メタ道具）を使うことはできないそうである。つまり，ヒトの認知活動はチンパンジーよりずっと高度で緻密だと言える。

　京都大学では「天才の子どもは天才か」という新たな研究課題を設け，アイの子どもアユムの観察も行っている。ことばに関して天才だったアイが，子どもにそれを伝えるかを調べるためである。長期にわたる観察によると，アイが何かの行動をやってみせることはあっても，子どもにやらせようとか教えようとすることはなかったようである。ヒトもチンパンジーも自己を認識できるが，チンパンジーには他者も意思を持つ存在だという理解がないようである。したがって，チンパンジーは，他者のために物を保持しようとか，他者に物を見せよう，あるいは，他者のために積極的に物を差しだそうというような行動はしないという。また，真の模倣はヒトだけができることで，チンパンジーは，他のチンパンジーが何かを行った結果を見て，自分の行動を変えてみようとすることはできるが，その因果関係は理解していない

という。（友永＆松沢 2001; Tomasello, 1999 を参照。）このチンパンジーの模倣は結果模倣（goal emulation）と言われる模倣で，アユムの場合も，親が子どもに教えようとするのでもなく，また，子どもが因果関係を理解して親をまねるのでもないことが報告されている。したがって，チンパンジーにはできない「共同注意」という行為が，ヒトの言語習得を促進していると言える。

　さらに，Tomasello（1999）によると，言語習得は，属する社会において他者の注意を操作するために言語的シンボルを伝統的にどう使ってきたかを学ぶプロセスだという。そして，長い生物の進化の歴史から見ると，ヒトの歴史は短く，言語的シンボルが様々な言語に分化したのはつい最近のことである。それで，世界を認知的にどう把握するか（例：時間や空間の認知）ということには普遍性があり，言語が分化してもなお，現存する言語に普遍性があるのは当然だとしている。すなわち，生得的にヒトに言語が備わっているのではないと考えている。

4.4.2　社会的相互交流論

　認知主義よりもっと言語環境を重視した見解として，社会的相互交流論（social interactionist）の立場がある。この路線の研究では，第 2 章で扱ったように，大人から子どもに向けられたスピーチ（Child-Directed Speech：CDS）に着目し，言語環境におけるインプットやインターアクションの役割に焦点を当てている。C. Snow（1977）や Ervin-Tripp（1977）は，言語は社会的なインターアクションやコミュニケーションの結果として習得されるものだという見解を示している。大人とのコミュニケーションの中で，言語以外のジェスチャーや親と子が目を見つめ合うなどの愛情表現，そして，ことばが使われる文化的なコンテクストも大切である。また，子どもが大人の発話を理解できるよう調節されているという特徴を持つ CDS も，言語習得に寄与していると考えられている。大人からのインプットが言語習得の重要なカギを握るが，インプットと言ってもテレビを長時間見たところで言語習得が進むわけではなく，やはり，実際に大人とのインターアクションがあって初めて言語習得へとつながるのである。テレビに関しては，家庭でのテレビ視聴時間が長いと，言語発達が遅れることが指摘されている（小西

2003)。

　インターアクション重視の考え方の中で，親のフィードバックの重要性も再認識されている。目標言語において何ができるかという情報を肯定証拠（positive evidence）と言うが，生得主義者は，肯定証拠のみ，つまり，周囲の大人が使っている言語を聞くだけで，言語習得装置が活性化され，言語が習得されると考えている。以下はよく引用される古典的な親子のやりとりの例である。母親が何度誤りを訂正しても，子どもは気づいていない。

> Child: Nobody don't like me.
> Mother: No, say"nobody likes me."
> Child: Nobody don't like me.
> Mother: No, now listen carefully; say "nobody likes me."
> Child: Oh! Nobody don't like me.
> 　　　　　　　　　　　　　　　　　　（McNeil, 1966）

生得主義者はこの例を使って，行動主義者が言うように，外から言語行動を制御することはできないとした。なぜなら，子どもは命題の真偽にしか興味がないからである。また，R. Brown & Hanlon（1970）は，親は子どもの発話の内容の真偽は訂正するが，文法的な誤りは訂正しないのだと主張し，これが FLA では長い間定説になっていた。

　誤りの訂正のように，目標言語で何ができないかという情報は否定証拠（negative evidence）と言う。FLA では，上述のように，否定証拠は必要ではないと考えられていたのだ。しかしながら，この定説をくつがえす結果がいくつか示されている（Bohannon & Stanowicz, 1988; Farrar, 1992 等）。たとえば，親は子どもの発話の意味を保持しながら，文法的に間違っている部分を訂正，補って繰り返している。このような繰り返しをリキャスト（recast:）と言う。また，子どもは親が言い間違えた発話や不適切な発話には反応を示さないが，言い換えや拡張発話は繰り返す傾向があるという。よって，確かに McNeil の例のように，はっきり明示的に誤り訂正をしても子どもには効果がないのかもしれないが，暗示的にそれとなく訂正するフィードバックは親と子のやりとりの中に実際に存在しているということである。さらに，Saxton（1997）は，否定証拠は明示的な誤り訂正のみをさすのではなくて，会話の中で子どもが誤った発話と，それに大人が即座に反

応して与えた正しい発話との対比も含むべきであるとしている。そして，そのような否定証拠が子どもの習得には重要だと見ている。すなわち，社会的相互交流論の立場をとる人達は，生得主義者の主張よりも，子どもはインプットにずっと敏感で，暗示的な誤り訂正に気づいていると考えているのである。FLA では，FLA に否定証拠は存在するか，必要かという問題も，議論の的になっている。

4.5 FLA の新たな論争

　以上のように，FLA のプロセスをどう説明するかに関しては様々な見解があり，どれも FLA のある側面を説明していると思われる。FLA は，さすがに今や行動主義で説明されることはなくなったが，Chomsky の普遍文法の理論に基づく研究や，認知主義，社会的相互交流論の立場の研究は，それぞれ現在も継続して行われ，活発な議論がなされている。その中で，Nature vs. Nurture の議論を超えて，新たな論争も起きている。特に生得主義と認知主義の間には，見解の大きな隔たりが存在する。その一つは，言語習得のメカニズムが言語専用のものか，あるいは汎用のものであるかという問題である。どちらもなんらかの生得的な要因を認めている点では一致しているが，生得主義では，Chomsky の言語習得装置や Pinker の言語本能のように，言語の習得のために備わった専用のメカニズムがあると考えている。一方，Tomasello などの認知主義では，ヒトに備わっている認知学習全般の汎用の能力を用いて，言語も習得していると考えているのである。

　もう一つの論争は，言語習得のメカニズムが演繹的か，帰納的かということである。演繹的というのは，規則から始まり，それが適用されることをさす。帰納的というのは，用例や事例にあたりながら，規則にたどり着くことである。生得主義では，言語習得装置ないしは言語本能が動きだしさえすれば，そこにあらかじめ内在化された規則がいっせいに母語に適用されると考える。よって，言語習得のメカニズムは演繹的である。一方，認知主義では，最初はそれぞれの動詞などに固有の用法があり，それが全体に広がってなんらかの規則性が抽出されるとしている。つまり，帰納的に言語が習得されるという立場である。Tomasello（1999）は，発話に規則性が見られたとしても，それが規則に基づいてなされているとはかぎらないとも主張してい

る。ここにも見解の相違があるのである。

　Chomsky の言語理論は20世紀後半から，ずっと進展を続け，理論言語学のみならず，習得理論にも影響を及ぼしてきた。近年，とみに理論的な発展を遂げているのが，Tomasello に代表される用法基盤的アプローチ（usage-based approach）であろう。これは，インプット中の用例に多く出会うことで習得が促進されるというインプット・ベースの理論の総称である。このアプローチでは，言語学習とは言語形式と意味／機能を結びつけていくこと，すなわち，マッピングのプロセスだと考えている。言語習得には，音の弁別に始まり，単語の音の並び，語や句の内部の形態素の分析，さらに，文における語順（統語）の分析へという連続したプロセスがあり，そこには乳幼児のパターン発見能力が働いている（Tomasello, 2003, 2008）。子どもは，音や語の並びが生起する頻度や確率を頼りに，その能力を発揮して，高度な統計学習を行っていると言える。このような FLA の異なる研究アプローチからの見解は，ほぼ並行して SLA にも存在する。FLA の議論を念頭に置いた上で，第2部の SLA も読み進めてほしい。

註
1.　合理主義（rationalist）とは，人間が知識を獲得するために重要なのは，理性であるとする認識論である。言語習得においては，人間の生得的な言語能力が経験よりも重要だと考える。
2.　経験主義（empiricist）とは，文字通り経験を重視し，Skinner（1957）に代表されるように，外からの刺激に反応して習慣を形成することにより，知識を得ていくと考える。

Column

～ FLA に影響を受けた教授法～

　世の中には様々な外国語教授法が存在する。（詳細は鎌田，川口 ＆鈴木 2000; Richards & Rodgers, 2001 を参照されたい。）それら はなんらかの理論や理念にのっとって提唱されている。言語学や心 理学，教育学などからアイディアをもらってくることもあるが，言 語習得の理論や研究に影響を受け開発された教授法も多い。そこ で，本書のコラムの中で，そんな言語習得と教授法の関わりに触れ てみたい。

　言語習得理論の影響を述べる前に，まずは，言語教育で最もオー ソドックスな教え方を思いだしておきたい。伝統的な教授法と言え ば，何と言っても文法訳読法だろう。伝統的と言っても，日本の従 来型の学校の英語教育，多くの大学の外国語の授業で，また世界中 でも，まだこの方法が広く使われていると思われる。これは，中世 ラテン語教育の時代から続いている教え方である。中世の時代には 神学僧の修業として行われ，文法訳読式ですでに死語だったラテン 語を学ぶことにより，分析能力がついて，本当に頭がよくなると考 えられていたようである。多くの読者が，学校で1度はこのやり方 で外国語を勉強したことがあるのではないかと思うが，簡単にこの 教授法についてまとめておく。

　文法訳読法の目的は，言語の文法規則を学び，翻訳により外国語 の文献が読めるようになることである。よって，授業では，対訳に より与えられた語彙を暗記させる，文法規則を詳細に記述し説明す る，文法項目の入った文章を翻訳する，というようなことが行われ る。この方法はクラス・サイズが大きくても対応でき，教師の助け がなくても辞書と文法書があれば自習もでき，ある意味重宝な教授 法である。教師が目標言語を聞いたり話したりできなくても，教え

ることができる。しかしながら，この教授法では，口頭による伝達
能力は身につかない。一見，読解を重視しているようであるが，辞
書を引き文法分析をしながら解読はできても，本当の意味での読
解，母語話者に近い読みはなかなかできるようにならない。事実，
文法と読解の英語教育を受けて，「日本人は，英語は話せないが読
める」と言われていたが，TOEFL の成績の国別比較では，総合成
績のみならず，読解のセクションの得点も，アジアの中でも低い方
だったという報告がなされている。SLA の章では，どうしてこの
ような教授法ではうまくいかないのかを，もっと考えてみることに
する。

直接法

　外国語教授法は SLA の理論のみに触発されて発展してきたので
はない。FLA 研究の影響を受けて提唱された教授法もある。19 世
紀になって，文法訳読法への反省から，外国語教授法改革の動きが
起きる。中でも，Guoin は，子どもの言語習得を観察して，場面の
中で関連する動作を示しながら，ことばを教えるべきだと考えたの
である。また，子どもが親から自分の L1 を学んでいくのと同様，
媒介語を使わないで，聞いて話せるようになることを目ざした。直
接法はアメリカのベルリッツ・スクールをはじめ，ドイツやフラン
スにも広まり，また日本語教育にも大きな影響を与えた。現在も日
本国内の日本語教育は，学習者の L1 が様々であり，しかも，その
多くの言語を教師が話せないという制約がある。よって，媒介語を
介さないという意味で，今でも直接法と称されることが多い。
　直接法のやり方は，文法シラバスによる文法積み上げ方式であ
る。積み上げと言うのは，既習の語彙や文法を使って，新たな語彙
や文型を導入していくからである。場面がよくわかるように，絵や
写真，実物，動作などを見せて，意味を提示することが多い。文法
説明を行わない帰納学習（inductive learning）である。これは，
自分で推測して時間をかけて理解していくので，定着がよいと考え
られている。聞いて話せるようになることを目的としているが，授

業は教師主導型で，教師による質問に学習者が答えるという形がとられ，学習者の自発的な発話の機会は少ない。直接法は，認知能力が発達した大人に子どものように教えるので，時間的，経済的な無駄があるのではないかという問題点もある。

Total Physical Response（TPR: 全身反応教授法）

　James Asher も FLA のプロセスに注目して，教授法を提案した一人である。彼は，子どもは話し始める前に，母親の胎内にいる時から膨大な量の言語を聞いていることから，話すことより，まず聞くことを優先すべきだと考えた。しかも，L1 を習得中の子どもは，聞いている最中に何か指示されると，それに反応したり，あるいは周囲の人が反応するのを観察したりしている。たとえば，子どもは「バイバイと言いなさい。」「パパを見て，笑って。」と言われると，行動で反応を示している。特に幼い子どもがよく聞く文のタイプは命令文であり，子どもはことばで反応する前から，体を使って反応している。そのプロセスで，意味を発見し，言語を習得している。また，子どもは話すことを強要されないし，誤りを厳しく直されることもない。よって，大人の学習者にも発話を強要しない方が，心理的抵抗がなくなって，リラックスして外国語を学べると考えた。

　Asher が提唱したのは Total Physical Response（TPR: 全身反応教授法）と呼ばれる教授法である。TPR のコースは，基本的に構造シラバスで，意味や頻度，ニーズを考慮して語彙や命令文が選択される。まず，教師が，指示文を言いながら動作をして見せる。英語では命令文だが，日本語の実践例では，「〜ましょう」の形が使われている。生徒は，指示文の意味がわかるようになったら，今度は教師が言ったことに対して，生徒全員，一斉に動作で反応する。そして，次第にグループ単位で，さらに個人単位で指名されて，動作を示す。最初の 15 時間程度は生徒は発話せず，動作のみでよいとされる。そして，準備ができていると思われる生徒を指名して，指示を出す役割をさせる。30 時間を過ぎると，既習の語彙や文型を使った短いストーリーを読んで聞かせたり，内容を質問したりする。

この教授法の根底には，Piaget の認知心理学と，大脳生理学の右脳による情報伝達（ジェスチャー）を重視する立場に基づいた理念がある。聴解力は体の動きと共に発達させるべきで，筋肉運動知覚システムを活性化させて身につけた聴解力は，水泳や自転車などの運動スキルと同様，長期記憶に残ると考えた。そして，聴解力が発達すれば，自らの認知能力で文法が構築され，話す準備が整うと見なしたのである。話す準備が整えば，発話は自発的に始まるはずである。

　TPR は，動作を基準にした教授法なので，抽象概念の導入が難しいという問題点がある。そのため，TPR を教授法の中心に据えて授業を行う機関はあまりないかもしれない。TPR は，他の教授法との併用でしばしば使われている。日本でも，1980 年代にインドシナ難民救援センター，中国帰国者定着促進センターなどで，TPR が実践されていた。教室の外では，仕事や学校など，日本人と日本語でコミュニケーションをとる社会に出て行かなくてはならない学習者には，日本語を聞いて行動で反応するというのは，重要なことである。

　FLA からヒントを得た教授法は，言語学習に場面やコンテクストが重要であること，習得では，話すよりもまず聞くことが先行することなどを，改めて思い起こさせてくれる。

第 **2** 部

第二言語習得（SLA）の研究

SLA

第1部では，子どもは第二言語（L2）を学ぶ学習者と同じような誤りを
おかすことを度々述べた。しかしながら，ゼロからスタートする子どもと異
なり，大人にはすでに第一言語（L1）の言語体系が頭の中にできあがって
いる。また，子どもは認知的発達と連動して言語を発達させるが，大人はす
でに認知能力が備わっている。そして，FLA と SLA の何よりも大きな違い
は，言語運用能力の最終的な到達レベルである。子どもは，特別な障害を
負ったり，恵まれない環境条件下に置かれたりしない限り，だれでも，ほぼ
等しく L1 の習得に成功する。その一方，大人の場合，母語話者並みの言語
運用能力レベルに達するケースは少なく，個人差が大きい。よって，FLA
と SLA には共通点もあるが，同時に，相違点も多いことがわかる。では，
なぜ共通点があるのだろうか。また，相違点がある背景には，習得メカニズ
ムにどんな違いがあるのだろうか。第2部では，このような疑問を一つ一つ
解き明かしていきたい。

　まず，SLA の研究がどのようにして始まったのか，SLA にはどんな研究
アプローチがあるのかを紹介する。SLA の研究アプローチは，FLA と並行
して，行動主義に始まり，生得主義，相互交流論，認知主義の立場が存在す
る。大人は子どものようには言語習得ができないことを私達は経験的に知っ
ているが，SLA にもなんらかの生得的な要素があるのだろうか。また，環
境は，SLA のプロセスにどのような影響を与えるのだろうか。このような
ことを考えながら，L2 の言語学習をとらえる理論の枠組みを示したい。そ
して，具体的に，学習者の日本語の発達過程には，どんな特徴があるのかを
見ていくことにする。

　次に，教室環境の SLA に焦点を当てる。教室は SLA にとって，好まし
い環境なのかを考える。教室で文法的に正確なインプットを提供できるの
は，多くの場合教師一人である。しかし，教師が学習者に目標言語で語りか
けるだけでは，習得に十分な環境を提供しているとは言い難い。また，どん
な教え方をするかによっても，SLA へのインパクトは異なる。教室環境を

SLA にとって最適の場所にするためには，学習者の認知心理面で何が起こっているかという，言語学習のメカニズムを考える必要もある。そのようなメカニズムを活性化する教え方が，SLA には効果的なはずである。

それから，SLA に影響を及ぼす言語以外の要因を考えてみたい。L2 を母語話者並みに習得する学習者もいれば，ほとんど話せるようにならない学習者もいる。もちろん，学習機会や目標言語との接触機会の有無もあるが，目標言語が話されている環境に住み，同様の学習の場があっても，到達するレベルに違いが出る。その裏には，学習者それぞれの性格の違いや，根本的な認知能力の差，異文化接触によって起きる目標言語の文化に対する心理的な壁などが複雑に絡み合っていて，SLA に影響を及ぼしている。また，FLA において，習得に最適な年齢で人間社会から隔離されたり脳に障害を受けたりすると言語発達が阻まれたが，L2 を何歳で始めるかによっても到達レベルに差が出る。このような言語以外の要因と SLA との関係についてまとめておきたい。そして，最後に本書でまとめた言語習得研究が言語教育にどう生かせるのか，その意義を考えてみたい。

SLA は，母語以外の言語を新たに学ぶ際の発達過程やメカニズムを解明しようという学問である。FLA に様々な学問の関連領域があるのと同様に，SLA も学際的な学問分野だと考えられている。理論言語学はもちろんのこと，認知心理学，学習心理学，神経生理学，教育学などの影響が大きい。よって，一人の研究者が SLA のすべての分野の最先端に通じているのは不可能なほど，SLA が網羅する領域は広く，多岐にわたるとされている。本書では，特に Classroom SLA / Instructed SLA という言語学習のメカニズムを明らかにしようという路線の研究を中心にまとめてある。なぜなら，この分野が言語教育との接点が最も大きいと思われるからである。

第 3 の言語，第 4 の言語を学んでいくと，言語学習経験が生かされて習得に要する時間は短縮できると思われる。よって，厳密には L2 の習得とは異なる面もあるかもしれないが，本書では，母語以外の新たな言語の習得ということで，第三，第四言語も含んで SLA という語を用いている。また言語教育では，目標言語が話されている国で学ぶ場合を第二言語環境（SL），目標言語が話されている国以外の地域で学ぶ場合を外国語環境（FL）として区別する場合もあるが，特に断らない限り SLA は両方をさす用語として用いる。

第 1 章　SLA 研究の始まり

▶本章の概要

　行動主義心理学は，FLA のみならず，構造主義言語学や第二言語の学習
観にも影響を及ぼした。当時は，第一言語と第二言語の相違が習得の上で困
難になる領域とされ，SLA は，第二言語における新たな言語行動の習慣を
形成することだと考えられた。その後，発達途上の学習者独自の言語体系を
さす「中間言語」という概念が生まれ，SLA 研究が本格的に始まった。

　キーワード：対照分析仮説，正の転移，負の転移，誤用分析，中間言語

1.1　行動主義心理学と言語学習

　FLA でも行動主義から始めたが，SLA においてもこの理論の影響を抜き
に語れないだろう。特にアメリカでは 50 ～ 60 年代に，行動主義心理学は言
語学にも大きな影響を与えた。行動主義心理学は，外に現れる行動のみを研
究対象にしたが，言語学でも，行動に現れる観察可能な言語形式のみを研究
対象とする構造主義言語学が登場した。この時代は，社会的なコンテクスト
における言語使用は無視して，やや機械的に言語形式を分析するようになっ
た。そして，行動主義心理学と構造主義言語学が，オーディオリンガルとい
う教授法（後述のコラム(2)参照）を提唱する基盤となった。

　構造主義言語学のもとでは，対照分析が盛んであった。二つの言語の比較
により類似点や相違点を見いだそうとしたのだ。そして，L2 学習では，母
語と目標言語との相違が，母語の干渉を受ける領域で，習得が困難だと考え
られた。これが，「対照分析仮説（Contrastive Analysis Hypothesis: CAH）
(Lado, 1957)」である。L2 学習において，過去の学習経験である L1 が転移

（transfer）するのである。転移には2種類あって，L1の習慣をそのままL2に持ち込める場合は正の転移（positive transfer）と言い，持ち込んではならないL1の習慣がL2にもたらされた場合は，負の転移（negative transfer）と言う。学習者の誤りは，母語の干渉から来るものだとされ，L1とL2の距離が遠ければ遠いほど，誤りが起こりやすく，習得が難しいとされた。したがって，教室では，負の転移が起こりやすいところを集中的に教えて，L2における新たな言語行動の習慣を形成していくべきだとされたのである。

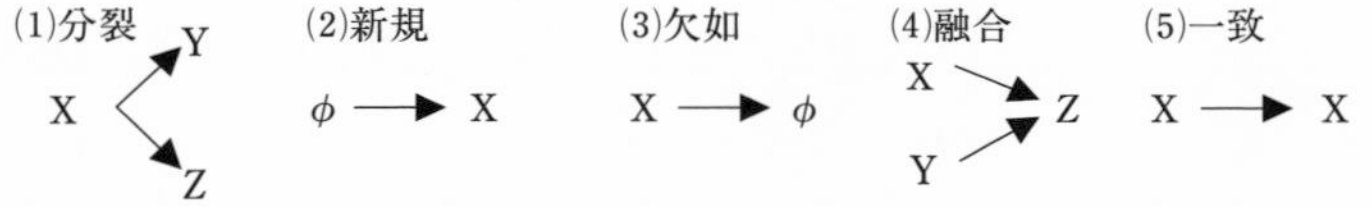

| (1)分裂 | (2)新規 | (3)欠如 | (4)融合 | (5)一致 |

$$X \diagup^{\displaystyle Y}_{\displaystyle Z} \qquad \phi \longrightarrow X \qquad X \longrightarrow \phi \qquad {X \atop Y}\!\searrow\!\nearrow Z \qquad X \longrightarrow X$$

図4　対照分析による学習難易度階層（Stockwell, Bowen & Martin, 1965）

　対照分析では，図4のように，L1とL2の距離を見いだし，学習の難易度が予測されている。たとえば，韓国語話者が日本語の清音と濁音の区別を学ぶ場合，韓国語には清音，濁音の区別がないので，(1)の分裂にあたり，最も難しいことになる。しかし，助詞を学ぶ場合は，韓国語にも日本語にも助詞があるので，韓国人学習者には(5)の一致にあたり，他言語を母語とする学習者よりは，習得が易しいことになる。（もちろん，厳密には，助詞の用法が，二つの言語において全く同じというわけではない。）また，日本人が英語の冠詞を学習する場合，日本語には冠詞がないので(2)の新規にあたり，難易度は高い。

　しかしながら，研究が進むと，母語の干渉を受ける誤りは，発音には多く見られるが，形態素や統語的な要素に関してはあまり見られず，誤りはむしろ母語とは関係なく起きる場合の方が多いことが明らかになってきた。CAHの予測通りには誤りが起きなかったのだ。言語間の距離が遠ければ誤りが多く起きるというわけではないという報告もされている。Schachter（1974）は，アラビア語，ペルシャ語，中国語，日本語話者の英語の関係代名詞の習得状況を，作文データから検証している。すると，距離が遠いはずの中国語，日本語話者の誤りの数が少ないという結果になった。つまり，二言語間の距離（難易度）と誤りの頻度が一致したわけではなかったのである。さらに詳細にデータを見ると，中国語話者，日本語話者は使用頻度その

ものが少なかったのだということがわかった。距離が近くて似ていれば，使いやすいかもしれないが，使用頻度が増して誤りが増えるということもある。また，反対に，難しければ，使用自体を回避するので，表面上は誤りが少ないということもあり得る。

　このようにCAHが基盤としている行動主義学習理論に対する批判が次第に高まり，模倣や強化による学習では言語学習は進まないと考えられるようになっていった。また，行動主義では，学習者間の個人差や，同一学習者でも場面により正確さに違いが見られるという可変性（variability）など，言語学習の複雑なメカニズムを説明することができなくなった。言語の発達過程において，規則を過剰般化（overgeneralization）して起こす誤りもあるし，一度は習得したかに見えた言語形式が正しく使用できなくなる逆行（backsliding）が起きることもある。したがって，SLAはL1を出発点としてL2へと移行する過程ではなくて，学習者がL2へ向けてもっと創造的に自分なりの言語を形成していく過程だととらえられるようになった。

1.2　SLA 研究の初期段階
1.2.1　誤用分析
　第1部の第4章で，Chomsky（1959）が行動主義を激しく批判したことに言及した。この頃は，行動主義の反動で，学習者言語の言語面だけではなくて，心理面，認知面に着目しようという動きが起こっていた。Chomskyは，言語習得を目標言語の規則やシステムを見いだす心理言語的なプロセスと見なしていた。Chomskyは言語運用を排除して，文法能力のみに着目していたが，学習者の言語運用から，L2の発達過程を見る動きも出てきたのである。中でも，Corder（1967）は，学習者の誤りの重要性を指摘し，誤り（error）と間違い（mistake）を区別して考えた。間違い（mistake）とは，母語話者でもおかすもので，ちょっとした言い間違いのことである。日本人でも，日常，日本語を話している時に口がすべって言い間違ったり，話している途中で気が変わってしまい，文の話し始めと文末のつじつまが合わなくなったりすることがある。しかし，文字にすれば少しおかしな日本語になっているかもしれないが，コミュニケーションに支障はない。これは，その時限りのもので，言語知識がないわけではない。その一方，誤り（error）

とは，繰り返し起こり，学習者なりに作り上げた体系的な規則に基づいて起きるものだとされた。これは，「発達途上の誤り」であって，学習過程で必然的に起きるものである。よって，誤り（error）を分析することにより，学習者の習得過程を明らかにしようとしたのである。

　誤用分析（error analysis）では，作文や発話を分析対象にして，あらかじめ設定した基準に基づき誤りを分類していた。分類の基準になったのは，言語的な要素（文法事項など）や，文の表面的な構造（必要な語の欠落，不要な語の付加など）であった。そして，次の段階は，それらの誤りの原因を説明することであった。誤りの原因は，言語間の誤り（interlingual error）と言語内の誤り（intralingual error）に分けられる。言語間の誤りは，L1からの負の転移により起きるものである。言語内の誤りは，L1 に関係なく，目標言語の学習過程で起きる発達途上の誤りである。たとえば，規則を使ってはならないコンテクストにも広げて使ってしまうという過剰般化が起きることがある。また，L2 の学習者は規則を単純化しがちである。英語で "two apples" という場合，"two" があれば，複数の "-s" は余剰情報である。そのような場合には，複数の "-s" は落ちてしまう傾向がある。その他，文法的に誤っていても意味は通じるような伝達上の誤りや，教師の教え方により混乱して起きる誤りがある。また，誤りを，全体的な誤り（global error）と局部的な誤り（local error）に分けることもある。全体的というのは，全体的な意味があまり通じないような発話や文のことである。局部的というのは，全体の意味は通じるが，文の構成上問題があり，何かの文法事項に誤りがある場合である。

　しかし，誤用分析もいろいろな問題を抱えることになった。実際には，何が誤りで，何が間違いかを見極めるのは難しかった。また，言語間の誤りと言語内の誤りを区別するのも容易ではなかった。それから，学習者の発話意図が明確ではないので，文法的に正確でも，学習者の意図と合っているかどうかという判断も難しかった。つまり，誤りやその原因を分類するのは，当初考えられていたほど簡単ではなかったのである。ほかにも，データ収集上の問題があった。誤用分析では，誤りのみが研究対象になったが，それだけでは SLA の全体像を見ることができない。学習者が回避のストラテジーを使って，ある文法項目を使わない場合は，誤用としては現れないことにな

る。当時は，一度に多くの学習者からデータをとって分析する横断的研究（cross-sectional study）が主流で，長期の発達過程を調べる縦断的研究（longitudinal study）は行われていなかったというような問題点もあった。

　その後は，SLA の様々な理論やアプローチが登場し，データ収集の方法も多様化していく。会話分析，談話分析，文法性判断テスト，心理学的な実験など，多様な方法で，多角的に SLA のプロセスが研究されるようになっている。日本語教育では，残念ながら，特に国内で誤用分析の時代が長く続き，SLA 研究において海外から遅れをとったという指摘がなされている（Kanagy, 1991; 長友 1993）。

1.2.2 『中間言語』の概念

　本格的な SLA 研究が始まるきっかけとなったのは，Selinker（1972）の『中間言語（interlanguage)』というタイトルの論文であろう。L1 でも L2 でもない学習者が作り上げた独自の発達途上の言語体系のことを「中間言語」と言う。これは，紙の文法テストで測られた文法能力ではなくて，自然な発話のように，内在化された言語能力のことを意味する概念として提案されたものである。Selinker も，誤りは不可欠なものだと考えていた。学習者は，母語話者からインプットを受けたり，L1 の知識を使ったりしながら，L2 の言語規則に関して仮説を立て，その仮説が正しいかどうか使ってみることで，言語体系を構築していくと考えられている。

　Selinker は，中間言語の形成に影響を及ぼす要素として五つをあげていた。まず，L1 からの転移である。これは，L1 のパターンを L2 にあてはめることだが，正の転移も負の転移も起きる。二つ目は，言語規則の過剰般化で，学習者は少ない規則で多くのことを表現しようとするので，適用できないコンテクストにまで規則を適用してしまうのである。三つ目は，訓練の転移の可能性である。これは，教え方が適切でないために，教室学習の弊害により起きる誤りである。四つ目は，伝達ストラテジーの使用である。言語能力が不十分な場合は，身ぶりや言い換え（paraphrases）を使ったり，使用を回避したり，L1 にコード・スイッチングしたりする。五つ目は，L2 の学習ストラテジーである。学習者は，自分なりの規則の仮説を形成し，それを検証していく手段として，規則の一般化を行ったり，単純化を試みたりして

いる。これらの要素が絡み合って，学習者それぞれの文法体系が築かれるとされたのである。

　ちょうどこの頃，他の研究者からも相次いで，学習者の言語は創造的なものだという考えが出された。Corder（1971）は，学習者の言語は「個人特有の方言（idiosyncratic dialects）」であると表現し，目標言語に向かって複雑になっていくダイナミックな言語体系だとしている。Nemser（1971）は，「近似体系（approximative systems）」という用語を用い，学習者の言語は内在的に構造化された近似言語体系で，それが目標言語に向かって発達していくと考えた。これらの用語の中でも，Selinker の「中間言語」という用語が最も定着し，日本では SLA 研究を「中間言語研究」と呼ぶこともあった。最近は，特定の研究者が命名した「中間言語」という用語より，「学習者言語（learner language）」という用語も使われるようになっている。中間言語というと，習得の出発点は L1 で，そこから L2 の規範を目ざして学習者の言語が発達していくような印象を与える。しかし，SLA の出発点は，必ずしも L1 からではない。よって，学習者言語の方が，学習者の発達途上の言語を中立的に表現しているとも言えるだろう。

▶コラム：言語習得と外国語教授法(2)　**Column**

～行動主義とオーディオリンガル・メソッド～

　行動主義の言語学習観と，構造主義言語学のもとに行われた対照分析の成果に基づいて提唱されたのが，オーディオリンガルと言われる教授法である。行動主義では，刺激と反応により行動の習慣が形成されることを学習と見なした。Skinner（1957）は，言語学習も，動物や人間の他の行動と何ら違いはなく，言語行動の習慣形成で，L2 においては，L1 とは異なる新たな言語行動の形成が必要で

あると考えていた。また，構造主義言語学では，二つの言語の対照分析を行い，学習者の誤りはすべて，学習者の母語と目標言語との違いに起因するものだと見なされた。対照分析は，言語が使われるコンテクストを考慮したものではなかったので，やや機械的に言語構造（音声，形態素，統語）が分析された。また，構造主義では，言語の基本的な要素は音声であるとされていた。

　このような考え方を言語教育に応用すると，言語学習で集中して教えるべきことは，L1とL2の相違点である。言語的な要素を基にシラバスが作られ，教科書は文型・文法を中心とした構造シラバスとなる。教室では，まず，ダイアローグによりコンテクストが導入される。そして，模倣と反復によりダイアローグを暗記する。それから，ダイアローグに出てきた文法のパターンを取りだして，ドリルを行う。教師がドリルのキュー（刺激）を出し，学習者が反応するという形で，授業が進む。行動主義は外から観察できる行動が重要なので，反復，代入，拡張，変形，応答練習などの機械的ドリルを通して，外から言語行動を制御しようとしたのである。また，構造主義では，音声が重要だとされたので，正確な発音による話し方が強調された。ひと昔前は，いろいろな教育機関でLL教室を作ることがはやりだったが，LL教室のテープによる模倣練習は，オーディオリンガルの影響が強い。この教授法では，誤りは厳しく訂正され，学習者の言語行動を形成していった。

　オーディオリンガルは，アメリカで発展した教授法なので，アメリカの日本語教育への影響が大きかった。"Learn Japanese: New College Text（Young & Nakajima-Okano, 1984）"や"Beginning Japanese（Jorden, 1962）"は，この流れを汲む教科書である。典型的なオーディオリンガルの授業は，文法説明や言語に関するディスカッションを行わず，多くの例から学習者が規則を導きだしていく帰納学習（inductive learning）である（Richards & Rodgers, 2001参照）。しかし，上記の日本語の教科書には，詳細な文法説明が掲載されている。これはアーミー・メソッドの方式を応用したものである。アーミー・メソッドとは，第二次世界大戦中に，軍隊の言語

要員の養成において採られた教授法である。この教授法では，英語による文法説明を行う言語学者である主任教授と，ドリルマスターと呼ばれるドリルを担当する母語話者によるチームで授業を行う。アーミー・メソッドは元来，政府の要請を受けた大学の言語学者が開発した教授法で，北米の大学における言語教育への影響が大きかった。大学の語学コースで，大人である大学生を教える場合には，オーディオリンガルの帰納学習より，文法を詳細に説明するやり方の方が好まれたのであろう。それで，オーディオリンガルに発展する以前のアーミー・メソッドの方式が教科書やクラス運営に残ったと思われる。現在でも使用されている Jorden & Noda（1987）の "Japanese: The Spoken Language" のシリーズでも，著者自身が提唱している方法は，"fact"（文法説明）の時間と，"act"（ドリルや応用練習）の時間を分けて，授業を行う形式である。オーディオリンガルのドリルの実例は以下の通りである。

〈変形ドリル〉
1. そこはきたないです。→そこはきたなくありません。
2. あの喫茶店はいいです。→あの喫茶店はよくありません。
〈代入ドリル〉
1. これはいいですね。（音楽）→この音楽はいいですね。
2. それは日本のカメラです。（カメラ）→そのカメラは日本のカメラです。
〈応答ドリル〉
1. あなたのうちは大きいですか。（とても）
→はい，とても大きいです。
2. あの店はきれいですか。（あまり）
→いいえ，あまりきれいではありません。
（Young & Nakajima-Okano, 1984, Vol. 1, pp. 113-114 より，
原文はローマ字書き）

▶本章の概要

SLA を説明する理論には，FLA と同様に Nature vs. Nurture の立場が存在する。SLA は FLA のようにだれもが成功するわけではないが，生得的な普遍文法がどこまで機能するかが焦点となる。また，FLA と同様に第二言語も母語話者から理解可能なインプットを多く受けることで習得されるとする立場もある。さらに，母語話者や他の学習者とのインターアクションや，認知的な側面を重視する見解もある。

> キーワード：普遍文法，モニター理論，相互交流論，社会文化理論，情報
> 処理モデル，スキル習得論，コネクショニスト・モデル，競
> 合モデル，用法基盤的アプローチ

2.1 生得的アプローチ

2.1.1 Chomsky の普遍文法（UG）

Selinker（1972）が「中間言語」という概念を提唱した当初は，ある意味言語習得は生得的な性質のものだとしていた。学習者が L2 でメッセージを伝えようとする時に，脳にすでに存在している認知のシステムが活性化されるのだと考えていたのである。しかしながら，中間言語は発達途上の誤りなど言語運用も視野に入れていたので，言語運用を排除した純然たる言語知識の獲得を言語習得と見なす Chomsky 等の考えとは一致しない。Chomsky 自身は，SLA に関してはあまり発言を行っていないが，普遍文法（UG: Universal Grammar）の考え方を SLA に応用する研究もなされている。

FLA 研究において行動主義が批判されたのと同様に，「刺激の貧困」の議論は SLA においてもあてはまる。教室学習で与えられるインプットには量的にも質的にも限りがあり，たとえ目標言語が話される国で生活していても，日常生活で受けるインプットだけでは，L2 のすべての言語体系を学習

するのは難しいように思われる。よって，なんらかの生得的な言語能力が，SLA においても作用しているのではないかと考えるのも当然である。しかし，言語運用能力の最終到達度に個人差が大きい SLA に，FLA と同様の生得的な立場をそのままあてはめるのは無理があるようにも思われる。そこで，生得的な言語習得装置が SLA においてどこまで機能しているか，人間が生得的に持っている UG の知識を大人も使えるかということが研究の焦点になっている。

UG はどの言語にもあてはまる共通の文法である原理と，言語により設定が異なるパラメータからなる。SLA において，UG が働いているかどうかについては，三つのアクセス・ルートが考えられる。まず，一つ目は，UG へ直接アクセス可能で，大人でも UG を完全に使えるとする見解である。二つ目は間接的なアクセスを主張する説で，L1 を経由して UG にアクセス可能だと考える。パラメータの設定が L1 と L2 で異なる場合は，設定を切り替える必要がある。L1 を媒介として，パラメータの設定が L2 で同じかどうかを判断するので，間接的アクセスだと見なすのである。三つ目は UG には全くアクセスがなく，脳のほかの学習機能が SLA に関係しているという説である（UG へのアクセス可能性についての議論は，Cook & Newson, 1996; L. White, 1989a を参照のこと）。

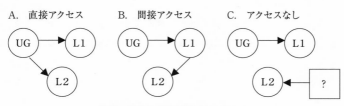

図5　UG へのアクセス・ルート

三つのルートとも，様々な学習者の異なる側面を説明し得るので，なんらかの点で真実を含んでいるのではないかと思われる。おそらく，言語習得の効率が落ちる年齢の境とされる臨界期前の若い学習者に関しては，バイリンガルになる可能性が高く，L1 と同様，UG に直接アクセスできるかもしれない。すなわち，L2 の若い学習者は UG の原理を使用し，L1 のパラメータの設定を経由せずに独自に L2 のパラメータを設定するのではないかと考え

ることができる。それから，臨界期を過ぎた大人の学習者には，L1経由で間接的なアクセスが可能なのではないだろうかと考えられる。世の中に物の名前，つまり名詞がないというような言語はおそらくないと思われ，他言語とかけ離れた文法を持つ言語は存在しないとされている。したがって，人はある程度，言語の普遍的な知識を有しているのではないかと考えられる。Chomskyの理論に基づいた，このような路線の研究を生成アプローチのSLA（generative approach to SLA）と言う。三つ目のアクセスがないという強い立場をとるBley-Vroman（1989）は，子どものFLAと大人のSLAは全く異なるとして，「根本的相違仮説（Fundamental Differences Hypothesis）」を提示している。UGへのアクセスがないという立場をとる場合は，後述の認知的アプローチでSLAを説明しようとしている。

　目下のところ，これらの三つの立場のうち，どれが正しいと結論が出たわけではない。それぞれの立場を支持する研究者が，今もそれぞれの立場を証明しようとしている。たとえば，菅野（2000）は，日本語の研究に基づき，UGに完全アクセスが可能だという立場をとっている。菅野は，一連の研究（Kanno, 1997, 1998a等）の中で，UGの原理で説明がつく規則について，日本語の母語話者と，日本語を外国語として学ぶ英語話者大学生の言語知識を比較している。（UGの原理を詳細に説明するのは本書の範囲を超えるので，Kannoの原著を参照されたい。）そして，学習者がたとえ非文法的な文を選んだとしても，それはUGの範囲内の選択であるとしている。すなわち，UGを逸脱した文法は形成されていないので，生得的な知識が大人にも働いていると考えている。そして，Kanno（1998b）は，SLAに個人差がある説明として，UGはSLAのどの段階においても完全に利用可能であるが，UGの原理を一貫して有効利用できるかどうかは個人により異なり，これが最終的な到達レベルの差となって現れるとしている。

　いずれにしても，生成アプローチによる言語習得研究は，言語能力（linguistic competence）の習得を研究対象とするので，文法性判断テストなどの結果を基に議論され，学習者の言語運用のレベルで文法がどれだけ習得されているかについては関心が払われていない。このアプローチの実験では，むしろ言語運用の要素をできる限り排除して，純然たる言語知識のデータをとろうとしているくらいである。言語教育の見地から見ると，やはり言

語運用までを含めた習得のモデルが必要である。また，原理やパラメータとして取り上げられ研究されている言語形式は限られており，言語教育で扱われる教育文法とは多少異なる面もある。よって，原理とパラメータ以外のほかの言語形式の習得がどのように進むのかは説明できない。さらに，Chomsky の言語理論も統率・束縛（GB）理論（Government and Binding Theory）（Chomsky, 1981）からミニマリスト・プログラム（Chomsky, 1995）へと発展しており，SLA の研究にも新たな影響を及ぼしている。ミニマリストでは，パラメータは語彙[1]の中に含まれており，語彙を習得すればパラメータも自ずと設定されると考えられている。

2.1.2　Krashen のモニター理論

Krashen（1980, 1985 等）は，L1 で親から多くのインプットを受けるのと同様の環境で L2 を学ぶのが理想的な言語習得だと考えている。SLA も言語習得装置を直接活性化することで起きる生得的なものだとしているのである。この意味では，UG に直接アクセス可能だという立場を支持していることになる。Krashen は五つの仮説を提示したが，これらは総称して「モニター理論」と呼ばれることが多い。Krashen が提示した仮説は以下の通りである。

(1)習得／学習仮説（Acquisition/Learning Hypothesis）

　大人が L2 を発達させる方法は二通りあると見て，「習得」と「学習」を区別した仮説である。L2 も FLA と同様の環境において習得されるべきであり，「習得」は，基本的に L1 と同じで，インプット中の意味を処理する過程で潜在意識的に起こるものだと見ている。一方，「学習」とは，意識的に言語の規則を学ぶもので，従来の学校の文法中心の言語教育をさしていた。Krashen は，学校の伝統的な文法指導は，意識的な学習を助長するだけで，真の意味での習得には決して至らないと主張した。すなわち，Krashen は習得と学習を完全に切り離し，二つの知識にインターフェース（接点）はないと考えている。したがって，この仮説を，ノン・インターフェース仮説（non-interface hypothesis）とも言う。

⑵自然習得順序仮説（Natural Order Hypothesis）

Dulay, Burt & Krashen（1982）の英語の形態素の習得研究に基づいて提唱されたものである。大人であれ子どもであれ，また自然習得や教室学習にかかわらず，どんな環境にあっても，おおよそ予測可能な順序で言語形式が習得されるとする仮説である。したがって，教室の文法学習でもこの順序を変えることができないのだから，意識的な文法学習はあまり意味がないと見なしたのである。

FLA では英語の形態素に習得順序が存在することがわかっている（R. Brown, 1973）が，SLA でも同様の順序が存在するかどうかが研究された。その結果，FLA と全く同じ順序ではないが，いくつかの形態素をグループにして階層化できるようである。以下の表 2 の通りである。

表 2　英語の形態素の習得順序
（R. Brown, 1973; Dulay, Burt & Krashen, 1982 に基づく）

FLA	SLA
1.　現在進行形 ing (Mommy running.) 2.　複数形 -s (two books) 3.　不規則動詞の過去形 (Baby went.) 4.　所有格 's (daddy's hat) 5.　コピュラ to be (Annie is a nice girl.) 6.　冠詞 the, a 7.　規則動詞の過去形-ed (She walked.) 8.　3人称単数 (She runs.) 9.　助動詞 "be" (He is coming.)	1.　現在進行形，複数形 　　コピュラ 　　⇩ 2.　助動詞 "be"　冠詞 　　⇩ 3.　不規則動詞の過去形 　　⇩ 4.　規則動詞の過去形 　　3人称単数，所有格

⑶モニター仮説（Monitor Hypothesis）

意識的な学習によって得られた知識は，言語産出の際のモニター，つまり産出しようとする言語の編集機能としての役割を果たすにすぎないとした。このモニターがオフになっている状態の時に自然習得順序も現れる。よって，習得によって得られた知識に基づいて産出されたアウトプットと，一時的な学習により表出したアウトプットとは質が異なると仮定した。

⑷インプット仮説（Input Hypothesis）

理解可能なインプット（comprehensible input）を受けるだけで，言語形式は習得されるとする。コミュニケーションがうまくいけば，学習者に理解可能になるようにインプットを微調整する必要はなく，自動的に「i＋1」のインプット，すなわち学習者の言語レベルよりやや上のインプットが提供され，学習者がそれを理解する結果として習得が起こると仮定した。

⑸情意フィルター仮説（Affective Filter Hypothesis）

習得は，学習者に強い動機づけがあり，不安（anxiety）が少ない状態の時に促進されると仮定した。この心理的な障壁が情意フィルターで，情意フィルターが低いほどインプットが入りやすく，言語習得も進むと見たのである。

これらの仮説は，習得と学習を二極化したこと，「i＋1」という定義が曖昧なこと，モニターや情意フィルターがどう機能するのかという説明が不十分であることなどから，理論上の不備が指摘され，よって実証も不可能であるという批判を受けた（Gregg, 1984; McLaughlin, 1978, 1987 等）。その後，Krashen の理論を覆したり発展させるような新たな研究が次々に登場し，現在の SLA 理論は Krashen の主張よりずっと進化したものになっている。しかしながら，現場の語学教師にはアイディアとして取り込める点が多くあり，特に北米ではモニター理論の考え方を反映させたナチュラル・アプローチ（Krashen & Terrell, 1983）（後述のコラム⑶参照）がコミュニカティブ・アプローチとほぼ同義語のように用いられるほど，教育現場では受け入れられた時期があったようである。また，反対に，文法教育に熱心な語学教師には，教室の文法学習が無意味だとする Krashen へ反発を感じたからか，はたまた，その Krashen への批判が次々と起きたからか，今でも SLA の理論と実際の言語教育の現場は異なり，習得理論は語学教師には役に立たないと思う人達が存在する。Krashen の考え方はよくも悪くも習得研究に大きな影響を与えたが，彼自身が実証したり，理論を新たに修正，展開したりしなかったことが問題だったと言えよう。

2.2 インターアクション重視の立場

2.2.1 相互交流的アプローチ

　FLA で，親と子どものインターアクションにおけるインプットの役割を重視する見解があったように，SLA でも，教師や母語話者から学習者へ提供されるインプットの必要性を説く人達がいる。FLA で子どもに向けられたことば（child-directed speech や caretaker speech）が，子どもの言語発達を助けたように，SLA では，フォーリナー・トーク（母語話者から非母語話者への語りかけ）や，ティーチャー・トーク（教師が学習者に対して使う言語）が，その役割を果たす。これは，言語が習得される環境を重視した立場である。Long（1980）等相互交流的アプローチの提唱者（interactionist）は，言語習得においてインプットが重要であることにおいては，Krashen と一致している。しかし，Krashen が考えるように，簡略化されて理解可能になったインプットのみが大切だとは考えていない。SLA を促進するのは，むしろ，母語話者と非母語話者とのインターアクションにおいて，意味交渉（negotiation of meaning）をすることにより理解可能になったインプットが大切だと考えている。意味交渉とは，会話の中で，お互いの発話意図がうまく伝わらない場合に，お互いが理解し合えるまで，聞き返したり意味を確認したりするやりとりのことである。

　Long（1980）は，インプットが理解可能になる会話的調整（conversational adjustments）の特徴を見いだし，それらの要素がお互いの伝達内容の理解を深める意味交渉を促進し，習得につながると考えた。これが，「インターアクション仮説（Interaction Hypothesis）」である。言語習得を促進する会話的調整とは，学習者が理解したかどうかを確かめる理解チェック（comprehension checks），意味不明の発話に対して学習者に説明を求める明確化要求（clarification requests）や，繰り返し（repetitions），言い換え（paraphrases）などである。また，インターアクションにおいて学習者が相手に理解してもらうために自分の発話を修正して産出するアウトプットも，中間言語文法形成には不可欠な要素だと考えられている（Swain, 1995）。これが，「アウトプット仮説（Output Hypothesis）」である。学習者は言語を産出しようとする時に，自分にできることとできないこととのギャップに気づいたり，自分の言ったことと教師のフィードバックを比較したりすることが

できる。すなわち，アウトプット仮説は，対話相手とのインターアクション
だけでなく，学習者自身の内面の認知のプロセスにも焦点を当てたのであ
る。こうして，最近では，インプットからアウトプットに至る習得過程は，
以下に述べる認知的アプローチの情報処理モデルに融合され，外の言語環境
とのやりとり，および内面の認知過程とのやりとりを含んだモデルとして展
開している。教室におけるインターアクションの役割については，第5章
で，また詳しく扱うことにする。

2.2.2　社会文化理論

　相互交流論者とは異なる立場で，インターアクションを重視する理論があ
る。人間の認知は社会的なインターアクションを通して発達するという，20
世紀初頭のロシアの発達心理学者ヴィゴツキーの考え方が，SLA にも応用
されたものである。この理論は，社会文化理論（Sociocultural Theory）
（Lantolf, 2000a, b）と呼ばれる。言語は，内面の思考が外に現れた認知的
ツールであり，SLA は，言語を用いて L2 の新しい思考やインターアクショ
ンの方法を学ぶプロセスだと見なされている。特に L2 の能力が不十分な学
習者の場合は，L1 が唯一自らの思考を表現する手段であることも多い。
よって，教室で L2 学習者が L1 を使うことも肯定的にとらえている。

　社会文化理論に基づく研究では，学習者にマイクを装着し，プライベート
スピーチ（個人的なささやき）を拾うこともある。プライベートスピーチを
分析すると，外からは反応がないように見えても，実は個々の学習者が，自
らの学習過程に能動的に関わっていることが明らかにされている。たとえ
ば，Ohta（2000a, b）は，アメリカの大学で日本語を学ぶ学習者の，教室に
おけるプライベートスピーチを分析して，教師が学習者に行ったフィード
バックに対して，フィードバックを受けた本人以外の学習者も小さく反応し
ていることや，文法タスクであっても，ペアで協力して問題解決を図り，や
がて自律して文が作れるようになったことを明らかにしている。

　この理論では，学習者が，教師や，自分より能力の高い仲間からの助け，
すなわち足場かけをされることによって，最大限に潜在能力が引きだされる
と考えている。その潜在能力の範囲を「最近接発達領域（zone of proximal
development: ZPD）」と呼ぶ。インターアクションにおいて，仲間と与えら

れた課題の問題解決を行うことにより，一人では成し得ないレベル，すなわち，潜在的な発達可能領域の上限まで引き上げられることで，言語発達が促進されると見ているのである。

　社会文化理論の提唱者達は，L1 を使って文法について話し合うことや，メタ言語的な活動でも学習者の協働学習を促進すれば，習得に役立つと考えている点で，L2 による意味交渉が習得を促進するととらえる相互交流的アプローチの習得観とは，大きく異なる立場をとっている。また，方法論においても，社会文化理論の研究は，プライベートスピーチの分析をはじめ，教室談話や教室内の活動の談話を記述し分析する質的研究（equalitative research）[2] が主流である。一方，相互交流的アプローチの研究は，意味交渉の有無による比較実験を行い，意味交渉が習得を促進することを数量的なデータを用いて実証する量的研究（quantitative research）が多い。研究方法においても社会文化理論と相互交流的アプローチとの間には，大きなギャップが存在するのである。よって，教室習得におけるインターアクションの役割について，相互交流的アプローチと社会文化理論の研究者は，習得に対する見解がしばしば対立している。

2.3　認知的アプローチ

2.3.1　情報処理モデル

　情報処理のモデルは，刺激が知覚を通じて入力され運動器官を使って反応を出力するという認知のメカニズムで SLA を説明しようというものである。当然のことながら，認知心理学からの影響が大きい。認知心理学とは，行動主義に直接対抗して登場した心理学理論である。学習を内面の心的活動の結果であると見なし，言語学習も一般的な人間の学習と同様，複雑な認知スキルの習得をともなうものだと考えている。UG のアクセスに関する議論で，大人の SLA には UG は一切機能していないとする強い立場があることを述べたが，UG に代わる一般的な学習能力として，このような認知スキルの習得モデルが想定されている。Krashen を強く批判した McLaughlin (1987, 1990) は，モニター理論に対抗して情報処理モデルを提案している。これは，認知心理学の Shiffrin & Schneider（1977）の研究に基づき，言語学習にも応用されたものである。このモデルにおいては，言語習得とはスキ

ルの習得，つまり言語運用能力の習得である。よって，UG に基づく生成ア
プローチで，言語習得は言語知識の習得だと考えているのとは見解が異なる。
情報処理モデルでは，言語のスキルが発達していくプロセスに注目している。

　学習者は，言語運用能力が発達するにつれ，練習や経験と共に絶えず新た
な文法知識の統合，再構築（restructuring）を繰り返している。FLA では
認知上の制約から，「操作原理（Operating Principles）」（Slobin, 1985）（操
作原理の SLA への応用については，Andersen & Shirai, 1994; Doughty,
2001 参照）が働き，言語習得という認知課題にあたる際に，言語処理を容
易にする様々なストラテジーが使われることを述べた。同様に，大人の情報
処理にも認知的な制約があり，習得初期は言語形式と意味機能の関係を 1 対
1 でマッピングしようとする傾向がある。たとえば，「コーヒーを飲んでい
る」「本を読んでいる」というような用例に多く出会っていれば，学習者に
とって，「～ている」は『進行中の動作』を表すものとして認識される。そ
れから，「窓が開いている」「電気がついている」というような『結果の継
続』の用例がインプットされると，今までの 1 対 1 の対応の解釈では，コン
テクストにそぐわないことになる。その際には，新たに言語形式 1 に対し
て，意味機能 2 という関係に，文法知識を再編成しなくてはならない。その
後，「窓が開けてある」「電気がつけてある」という用例を知ると，「～てい
る」と「～てある」の住み分けも必要になってくる。このようなプロセスが
文法知識の『再構築』である。ただし，規則を習ったら即マッピングが完了
するのではなくて，学習者の頭の中で認識され，長期記憶に，そのような言
語知識の心的表象が形成されなければならない。そして，それは，言語を使
う際に効率よく取りだされる形で保存されなくてはならない。

　また，言語課題の遂行において，最初の段階では，短期記憶の制約があ
り，意識的に注意を向ける統制的処理（controlled processing）を行ってい
る。それから，次第にパフォーマンスが改善されていくと，絶えず知識の統
合や再構築を繰り返しながら，まとまったユニットとして長期記憶に知識が
貯蔵されていく。そうなると，注意や意識的な努力を要せずに言語課題を行
えるようになり，流暢さが増していく。これが，自動的処理（automatic
processing）の段階である。情報処理モデルにおける練習とは，行動主義の
ように，外から行動を制御する機械的な練習ではなくて，インプットを分析

し言語形式と意味／機能のマッピングを行う学習者の認知面の能動的な働きかけを必要とする。そして，意味のあるコンテクストで行う学習において，注意を向けて取り込んだ言語形式のみが中間言語に組み込まれる。したがって，情報処理のモデルにおいては，学習と習得とは連続体をなすものだと考えられる。SLA の中でも，Classroom SLA / Instructed SLA と呼ばれる研究では，言語習得のメカニズムを相互交流，あるいは，認知の情報処理のモデルで説明することが多い。言語習得のメカニズムについては，第 7 章でまた詳しく扱う。

2.3.2　スキル習得論

　情報処理のモデルのほかにも，認知心理学の影響を受けた SLA 理論がある。J. Anderson（1983, 1985）の，ACT*（Adaptive Control of Thought）モデルによるスキル習得論により，SLA がとらえられている。ACT*モデルでは，長期記憶に貯蔵されている知識には 2 種類あると見る。一つは，宣言的知識（declarative knowledge）で，内容を記述できるような "knowing what" の知識である。もう一つは，手続き的知識（procedural knowledge）で，無意識に何かができるスキル的な "knowing how" の知識である。スキルを習得するにあたっては，まず宣言的知識を習得する。つまり，文法の規則を習うことである。そして，スキルとして使えるようになるためには，宣言的知識を繰り返し用いることで，スキルの使用が流暢になっていく必要がある。宣言的知識が手続き的知識に変換されるプロセスのことを手続き化（proceduralization）と言う。そして，さらに流暢さを増すためには，手続き的知識が自動化（automatization）されなくてはならない。（ACT*理論の SLA への応用は DeKeyser, 1998, 2001 を参照のこと。）

　スキル習得のモデルは，前述の情報処理モデルとの共通点もある。McLaughlin が，統制的処理から自動的処理へとスキルが流暢になるプロセスを考えていたように，このモデルも，意識的に注意を向けて課題を行う段階から，手続き化や自動化のプロセスを経て，次第に注意を要せず流暢にスキルが使われるようになるとしている。しかしながら，このモデルは，言語学習が必ず宣言的知識から出発することを前提としている点で，批判を受けている。確かに，教師が文法を説明し，それを使う練習をするというような

従来型の言語教育の妥当性を支持しているように見える。ACT*理論の考え方を，教授法（K. Johnson, 1996）や，教室における学習ストラテジーの使用（O'Malley & Chamot, 1990; Chamot et al., 1999）に実践しようとする動きもあった。一方，今では，SLA 研究者の多くは，文法が規則の提示とその適用による明示的学習（explicit learning）により学ばれるという立場に，必ずしも賛成していない（Mitchell & Myles, 1998）。この点については，第6章，第7章で再度考えてみたい。

2.4　新しい認知的アプローチ

　言語習得では，様々な理論やモデルが提唱され，異なる角度から研究がなされてきているが，比較的新しく提唱されるようになったコネクショニスト・モデル（Connectionist Model）と競合モデル（Competition Model）に言及しておきたい。FLA では触れなかったが，どちらも FLA を説明するモデルとしての研究もなされている。さらに，これらのモデルを吸収し，発展させた用法基盤的アプローチによる SLA の理論についても触れておく。用法基盤的アプローチは，FLA でも生得主義の言語習得観に対抗するような理論であるが，FLA と並行するように，SLA でも研究が盛んになっている。

2.4.1　コネクショニスト・モデル

　コネクショニズム（Rumelhart & McClelland, 1986 等）に基づいた言語習得モデルをコネクショニスト・モデルと言う。並列分散処理モデル（PDP: Parallel Distribution Processing Model）や神経回路網（Neural Network）という用語が用いられる場合もある。これは，認知の情報処理モデルと同様，言語習得をインプットからアウトプットに至る処理装置としてとらえる。このモデルでは，様々な概念や知識が，脳の中に相互に連結した膨大な数のユニットとして収められていると見る。そして，情報の検索には，ある刺激がインプットされると，複数のユニットが活性化されてアウトプット（反応）を出すと考える。

　言語学習では，反復により何度も同じ刺激を受けると，ある一定のパターンの連想が強まって，ユニットの結合強度がさらに強化される。そして，次第にその連結ユニットへのアクセスも早くなっていくと見る。そして，反対

に，強化されない連結パターンは消滅すると見なしている。この意味では，コネクショニズムは行動主義の再来かと言われたこともあった。また，ある特定の状況や構文の中で同じ例に何度も出会うことにより文法知識が構築されると考え，環境の役割を重要視している点で，生得主義とは対極をなすものである。学習の産物は，脳の中に形成された連結ユニットなので，規則としての言語知識は存在しないと考えている。これは，言語知識が原理やパラメータの規則から成り立っているとする生成アプローチとは大きく異なる点である。

　FLAでは，英語の過去形の習得過程で，子どもは最初は不規則動詞の"went"や"fell"が使えているのに，後から"goed"など，規則動詞の規則を過剰般化した誤りをおかすことが知られている。このような習得過程についても，コネクショニスト・モデルで説明されている。子どもは，初期の段階では丸暗記による学習で不規則動詞を使うのだが，インプットの中でしばしば出会う動詞と過去形"-ed"の連想が強まると，不規則動詞にも同じパターンの文が産出できると思ってしまう。学習が進み，さらにインプットを受けていくうちに，規則動詞の例外が区別できるようになると考えるのである。

　その後，SLAにも応用されるようになり，たとえば，Sokolik & Smith（1992）が，フランス語の名詞のジェンダーの習得を説明するのにコネクショニスト・モデルを使っている。フランス語の抽象名詞は，語末のスペル，または音で，男性形か女性形かを見分けることができる（以下の例を参照）。コネクショニスト・モデルの研究は，コンピュータに脳の神経回路と同様のモデルを作り，シミュレーションを行う。その結果，学習により連想パターンを見つけだし，そのパターンが強化され，学習段階で提示されなかった未知の名詞にもそのパターンを適用することができたことが報告されている。つまり，規則に基づいた言語知識が形成されるのではなくて，神経ユニットの連結パターンが形成されると考えるのである。

　　〈フランス語の抽象名詞のジェンダー〉
　　　男性形：-age（marri**age** 結婚）　-isme（social**isme** 社会主義）
　　　　　　　-ement（content**ement** 満足）　-at（professor**at** 教職）等
　　　女性形：-aison（compar**aison** 比較）　-esse（sag**esse** 知恵）
　　　　　　　-eur（douc**eur** 優しさ）　-erie（moqu**erie** 嘲笑）
　　　　　　　-tion（inven**tion** 発明）等

コネクショニスト・モデルは，そもそも，コンピュータのシミュレーショ

ンにより人間の記憶システムを検証し，人工知能に応用しようとしたものである。言語習得の実証研究では，語彙や形態素の習得に限られ，コネクショニズムが主張するような学習の蓄積モデルが，複雑な統語レベルの習得を説明できるかは，まだよくわからない。しかしながら，最近は学習を脳のメカニズムと結びつけて理解しようという傾向があり，コネクショニスト・モデルへの期待は高まっている。脳では，学習が起きた時には，なんらかの変化が起きる。そして，神経細胞同士が手をつないでユニットを形成する。大脳の情報処理のシステムをモデルにしたコネクショニズムの学習理論は，脳のメカニズムと合致しているようである。習得のメカニズムと脳のメカニズムの一貫性のあるモデルになり得るか，今後の発展が期待される。(SLA への応用については，N. Ellis, 2001, 2003 を参照のこと。)

2.4.2 競合モデル

競合モデル（Competition Model）は Bates & MacWhinney（1982, 1987）によって，言語処理のプロセスを明らかにすることを目的として提唱された。このモデルは言語運用（language performance）に関心を向けている。言語にはまず機能（意味）があり，それが表層の言語形式として表出するものだと考える。よって，このモデルにおける言語習得は，言語使用における言語機能と言語形式のマッピング，つまり，どの意味をどの言語形式で表すのかを結びつけるプロセスである。その中で，語順や格といった様々なキュー（手がかり）を比較し競合させ，目標言語の特徴を習得していく。たとえば，英語では，文の構造上，語順が重要な役割を果たし，日本語では格助詞が重要な働きをしている。L2 を習得するには，L1 とは異なるキューの情報を学ぶ必要がある。しかし，文を処理する L1 のストラテジーは L2 にも転移しやすい。よって，L2 の文処理で L1 と異なるストラテジーが必要な場合は，習得上問題となる。

たとえば，Rounds & Kanagy（1998）や Sasaki（1994）は，英語話者が日本語を学ぶ場合，学習初期は，文処理を語順に頼る傾向があり，格助詞が重要であるというキューを学ぶまでに時間がかかることを示している。以下の例で，(1)の文では，英語話者が語順に頼っても，解釈することができる。しかし，(2)のような本来なら少し意味がおかしな文の場合でも，格助詞を無

視して，ヒトである「女の子」が主語だと解釈しがちである。また，(3)のように どちらの名詞句もヒトである文になると，混乱してしまう。よって，言語習得では，目標言語で文を処理する際に，語順，主語の有生性（人や動物か，あるいは物か），格標示マーカーなどの競合するキューの中で，どれが最も重要なのかを見つけださなくてはならない。

(1) 女の子が木を見る。
(2) 女の子を木が見る。
(3) 女の子をおばあさんが見る。　　　　　　　(Rounds & Kanagay, 1998)

　競合モデルは，言語運用に着目し，インプットを処理するプロセスを明らかにしようとしている点で，情報処理の認知的アプローチに通じるものがある。今のところ，FLA に関しての研究が多く，またほとんどが語順に関するデータを扱っている。日本語では，ほかにも助詞の「ハ」と「ガ」の習得を，競合モデルで説明しようとした研究（富田1997）がなされている。欧米語と異なる言語的特徴を持つ日本語は，文を処理するストラテジーも異なるので，この競合モデルの研究に貢献できる点が多いと思われる。競合モデルの研究は，インプットが認知的にどのように処理されるかというテーマに早くから取り組んできたという点で，有意義である。競合モデルの提唱者のMacWhinney 自身は，近年，L1 も L2 も統合して言語習得のプロセスを説明するために，さらに「統合モデル（Unified Model）(MacWhinney, 2005, 2008)」を提案している。競合は，聴覚や語彙，形態素，統語，さらに言語産出に関わるメッセージ生成，文や構造のプランニングにいたる，あらゆるレベルで起きているとされる。この新たなモデルでは，インプットの処理のみならず，言語産出までを説明する包括的な理論の確立を目ざしている。

2.4.3　用法基盤的アプローチ

　第1部の第4章で，親と子の共同注意の行為を重視し，伝達的なコンテクストを共有する中で，経験を通して言語を習得するという Tomasello の見解を紹介した。FLA で提唱されている用法基盤的アプローチ（usage-based approach）は，一般的な認知学習のメカニズムを使って言語を習得するととらえるので，L2 も L1 と同様に，基本的には同一の学習メカニズムが働いていると見ている。よって，このアプローチは SLA にも応用され，近年，

研究が盛んになってきている（Bybee, 2008; Lieven & Tomasello, 2008）。

　用法基盤的アプローチは，インプットから始まるボトムアップ処理のプロセスを重視し，暗示的な学習メカニズムで習得を説明しようとする理論の総称でもある（N. Ellis & Wulff, 2015）。前述の，コネクショニスト・モデルや競合モデルも，広義には，用法基盤的アプローチの傘下にある。また，言語形式や文法規則が，言語使用の経験から「現れる／創発する（emerge）」という意味で，創発主義（Emergentism）と呼ばれることもある（Mitchell, Myles & Marsden, 2013）。言語学習は，意識的な努力を必要とするものではなく，用法基盤という名の通り，SLA においても，用例に依拠した言語学習が起こり，なんらかのパターンの規則性が抽出されると見ているのである。FLA では，子どもが音の連なりから単語のような意味ある単位を切りだす分節化というプロセスがある。同様に，SLA でも最初はインプットから固まりで表現を取りだし，後からその内部構造を分析するという帰納的なチャンク学習で習得をとらえている。

　言語教育において，実践的な言語運用能力の習得を目ざそうとする際に，インプットからアウトプットにいたる情報処理の枠組みの中で言語学習の暗示的なメカニズムを理解しておくことは重要である。なぜなら，暗示的なものだとされる言語運用につながるのは，暗示的学習だと考えられるからである。この根拠としてあげられるのが，近年，SLA においてしばしば適用される「転移適切性処理の原理（Principle of Transfer Appropriate Processing）（Morris, Bransford & Franks, 1977）」という考え方である（Hulstijn, 2002; Segalowitz, 2003 等）。もともとは記憶の理論で，記憶に覚え込ませる方法と，テストで記憶から取りだす方法が一致しているほど，成績がよくなるというものである。一見当たり前のように聞こえるかもしれないが，これを言語教育にあてはめると，ある言語形式の文法規則を提示し，文法ドリルや練習問題を行うような従来型の明示的学習は，文法のペーパーテストに有利だと考えられる。一方，伝達的なコンテクストにおいて，用例に何度も遭遇するような暗示的学習は，スキルとしての言語運用につながると推定される。したがって，用法基盤的アプローチにより暗示的学習のメカニズムを解明することは，SLA 研究からの知見を言語教育に応用するために非常に重要だと考えられる。（詳細は，小柳 2016a, 2018a を参照されたい。）

以上のように，SLA に対する見解にも様々な立場があり，今のところ，一つの理論やモデルで，SLA のすべての現象を説明できるようなものは存在しない。本書は，日本語教師のために，教室習得の視点で SLA 研究を紹介していくので，これ以降の章は，教室の言語学習のプロセスを最も説明できるとされている相互交流的アプローチと認知的アプローチにやや片寄った記述になると思う。ただ，情報処理の認知的アプローチだけでは，説明できないこと（例：どうしてある言語形式のみ母語からの転移が見られるのか）もあり，UG のような言語的なアプローチとは相対立するのではなくて，補完し合うアプローチだと考えられている。折にふれ，他のアプローチとの関連にも言及したい。

註
1. 応用言語学や SLA 研究では，「語彙」の意味合いが変化してきている。ミニマリストが語彙の中にパラメータが含まれていると見ているように，語彙の中には文法情報も含まれているとする見方も一般的になっている。よって，語彙をどう定義し，何をもって習得したと見なすかというようなことも SLA の大きな研究テーマになっている。
2. 量的研究（quantitative research）とは，実験や調査により一度に多くの人々からデータを取り，それを数量化して統計で分析する研究方法である。質的研究（qualitative research）とは，観察や，面接，質問紙によって得られる資料を基に，ある現象に対する解釈を与えようというものである。二つの研究方法は対比をなすものであるが，相互に補完的なものである。

Column

～モニター理論とナチュラル・アプローチ～

　モニター理論で五つの仮説をあげた Krashen は，Terrell と共に，モニター理論の考え方を反映させたナチュラル・アプローチ（Krashen & Terrell, 1983）という教授法も提案している。なぜナチュラルかというと，母語を使わず，伝達場面で目標言語を使うことや，文法説明や文法ドリルなどの人工的な方法を用いないことをさして，自然な言語の学び方だとしたのである。Krashen は，学習と習得を区別しているが，教室で目ざそうとしているのは，彼が定義する意味における「習得」である。つまり，FLA のように，意味を処理しながら伝達活動を行うことで，自然に身につく言語能力の習得を目ざしている。Krashen & Terrell 自身，ナチュラル・アプローチは他のコミュニカティブ・アプローチと同様のものだと言っているが，北米では特に，ナチュラル・アプローチという用語は，コミュニカティブ・アプローチと同義語のように用いられる。

　ナチュラル・アプローチの目標は，学習者に伝達能力をつけさせることである。よって，教室活動は，伝達場面で意味あるメッセージを伝え合うことに主眼が置かれる。その際に，教師からのインプットは，理解可能な「i + 1」レベルに自然に調整されると考えられた。特に，学習初期の段階では，理解可能なインプットが十分に与えられることが必要とされた。それで，子どもが L1 を話し始めるまでには長い沈黙期（silent period）があるように，L2 の学習者にも沈黙期があって当然だと考えられていた。FLA と同様に，言語理解が言語産出に先行するのが自然な習得なのである。FLA のプロセスからヒントを得た，聴解重視の教授法に TPR（コラム(1)を参照）があるが，Krashen 自身も，TPR を高く評価していた。実際，ナチュラル・アプローチを採用しているコースでは，学習の

初期段階で TPR を用いることがある。

　Krashen は，インプットを多く受けると，言語産出は自然に表出するものだと考えていた。ナチュラル・アプローチでは，教師が発話を強制するのはタブーである。学習者の発話する準備ができているかどうか，つまり，レディネスがあるかを見極めるのが重要なのである。これは，一つには情意フィルターへの配慮がある。発話を強制されて，学習者が不安やストレスを感じる状況に陥ると，情意フィルターは上がってしまう。そうして，心理的な壁ができてしまうと，インプットも浸透しないとされたのである。よって，ナチュラル・アプローチでは，誤りに関しては寛容で，学習者の発話に誤りがあったり，不完全だったりしても，教師は肯定的に受け止めることが求められている。

　Krashen の言うような「習得」が起こる教室活動の手法としては，イギリスの言語教育の専門家により提唱されるようになったコミュニカティブ・アプローチと共通するものが多い。たとえば，学習者自身のことを話題にする活動，問題解決活動や，ゲーム，ディスカッションなどである。北米で盛んなイマージョン・プログラムは，ナチュラル・アプローチの流れを汲むものである。イマージョンとは，コンテクストがわかりやすい算数，理科，歴史などの教科を目標言語で教えて，文字通り，目標言語に『浸らせる』ことである。文法が学習の目標ではないが，内容を理解することで，言語も習得されるというものである。イマージョン教育は，米オレゴン州やバージニア州の初中等教育で，日本語による算数や理科の授業が実践されている。また，日本では，静岡県の加藤学園が，小学校から国語以外の授業を英語で行うイマージョン教育を行い成果を上げている。それまで，文法訳読法やオーディオリンガルによる文法学習が主流だった北米では，イマージョンやナチュラル・アプローチで学習者が実際に言語を使えるようになったという点で，その成功には目を見張るものがあったようである。

II

第二言語の発達過程

第3章 学習者言語の特徴

▶本章の概要

　SLA は，言語形式が足し算のように累積されていくものではなく，時間がかかる複雑なプロセスである。学習者言語の発達曲線は U 字型を描き，一度は習得したかに見えた言語形式が後退することもある。また，一時的に誤りが定着してしまったり，コンテクストにより言語形式にゆれが見られることもある。さらに，言語発達には FLA にも SLA にも共通の発達段階があることが知られている。

　キーワード：U 字型発達曲線，化石化，膠着化，可変性，教授可能性仮説，処理可能性理論

3.1 学習者言語の発達過程に見られる現象

　言語習得過程は，とても複雑で，時間のかかるプロセスだと考えられている。学習者は，右肩上がりの一直線を描くように言語運用能力を伸ばしていくわけではない。FLA でも SLA でも，言語発達は U 字型曲線（U-shaped behavior）のような発達カーブを描くとされている。前にも言及したが，英語を L1 として習得する子どもでも，一時期 "went" と正しく使えていたのに，ある時期から "goed" のような誤りをおかす。U 字型にあてはめて説明すると，初期の段階では，コンテクストの中で丸暗記で覚えて "went" を正しく使っていたものと思われる。しかし，過去形に "-ed" をつけることを覚えると，規則を過剰般化して，不規則動詞にも適用してしまう。このように，一見習得されていたかに見えた言語形式も，逆行期（backsliding period）をたどることがある。それから，規則動詞と不規則動詞の区別がな

されると，再度"went"が使えるようになり，"goed"は消滅する。(FLA
のU字型曲線に関する詳細はBowerman, 1982; Karmiloff-Smith, 1984を参
照のこと。)

　Kellerman（1985）は，この発達パターンはSLAにもあてはまるとして，
オランダ語話者の英語の自動詞，他動詞の習得を例にあげている。英語の動
詞の多くは，同一の動詞を自動詞としても他動詞としても用いることができ
る。それは，日本語に，自動詞と他動詞で異なる動詞が存在することが多い
のとは大きな違いである。オランダ語話者は，17歳頃までは，英語の動詞
"break"を，自動詞（例：The cup broke.）としても他動詞（例：He broke
his leg.）としても使っている。しかし，18～20歳になると，自動詞として
の使用が減少し，20歳頃に再び自動詞の使用が増加するというのである。
これは，オランダ語話者が18～20歳頃に，動詞の用法に敏感になって，使
用をためらったのではないかと考えられる。発達曲線としては一見，後退し
ているが，これを認知的には前進だととらえる。学習者はインプットを絶え
ず分析しながら，McLaughlin（1990）の言う中間言語知識の再構築を行っ
ているのである。教室で一人一人の学習者が第2段階にあるのか，一切習得
されていないのか見極めるのは難しいが，学習者の言語習得は一筋縄ではい
かないことを教師は知っておくべきだろう。

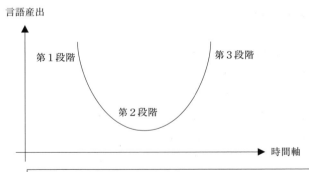

図6　学習者のU字型発達曲線（Kellerman, 1985に基づく）

U字型発達における再構築のプロセスと関連して，学習初期の段階では，形式発話（formulaic speech）が多いことが知られている。定型の挨拶表現のような決まり文句も含まれるが，それ以外でも，ことばをあるまとまり（チャンク）として，そのまま丸暗記して使っていることも多い。形式発話は記憶からそのまま取りだして使えるので，学習者にはレベル以上に上手に見せるストラテジーでもある。日本語学習者でも，目標言語との接触が多ければ，「待ってて」「忘れちゃった」のような縮約形の表現は，文構造が把握されていなくても，コンテクストの中で正しく使えている場合がある。そして，次第に言語が分析され，言語知識が構築されていくと，他の動詞にも応用できるようになる。形式発話は記憶からすぐに取りだせ，流暢さにつながるが，形式発話のみで言語を運用するとなると，言語産出のために膨大な記憶容量が必要である。規則に基づく知識を構築した方が，記憶容量としてはコンパクトにまとまり，かつ言語の生産性，創造性は高くなると考えられる。それで，Skehan（1998）は，形式発話が，分析を経て規則ベースの知識が構築された後に，再びチャンクとして保存されれば効率よく使えるのではないかとしている。規則に基づく言語知識が存在するかどうか自体，現在のSLAでは議論の的であるが，教師がコントロールしている以上に，学習者は，言語習得のために自らの認知能力を活用しているようである。

　それから，もう一つSLAに見られる現象に，「化石化（fossilization）」がある。これは，中間言語という概念と共にSelinker（1972）が提唱した，もう一つの概念である。中間言語とは，目標言語の規範に向けて絶えず変化している，発達途上の学習者のL2であるが，時として，ある環境や条件下で発達が伸び悩んでしまうことがある。不正確な発音や文法がそのまま定着してしまうケースである。上級になっても，発音のなまりがあるという場合は，発音領域が化石化したと考えることができる。しかし，実際には学習者のL2が化石化したと判断するのは難しい。化石になったと言うからには，修復不可能であると断定しなくてはならないからである[1]。また，化石化というと，すべての言語領域で一定のレベルで固まってしまったように聞こえる。しかし，上級になっても語彙など日々新たに習得している領域もある。よって，最近では化石化という語を避け，膠着化（stabilization）という語が好まれているようである。そして，教師が教室でできることは，膠着化し

た誤りの脱膠着化（destabilization）を図ることである。

　さらに，学習者の言語発達を観察する際には，学習者言語に可変性（variability）があることも，考慮しておかなくてはならないだろう。これは，くだけた会話か，かしこまった会話かなど，コンテクストにより，学習者の言語使用にゆれがあるということである。いわゆる「ら抜き」言葉は，正しくないとする人もいるが，日本語話者の中には，「食べれる」「食べられる」の両方を時と場面に応じて，使い分けている人もいるのではないだろうか。このように，同一の言語形式でも個人内にゆれが見られることは，そもそも社会言語学で指摘されていた（Labov, 1970）。このような可変性がSLAにも見られる（Tarone, 1988）。それは，発話の形式より内容に注意が向けられるような，モニターの働いていない日常的な発話（vernacular speech）から，形式に細心の注意が払われ，ことばを慎重に選んで話す発話（careful speech）の間で，連続体をなしていると考えられている。その軸上で，学習者が表出する言語は，時と場合によって変化するというのである。よって，学習者言語を観察する際には，どのような場面で話されたのか，どのような内容が話されたのかなどに着目して分析する必要がある。

3.2　文法の発達段階

3.2.1　統語の発達段階

　L2の言語能力の発達は複雑なプロセスであるが，FLAにもSLAにも共通で，しかもSLAの自然習得でも教室習得でも変わることのない，普遍の発達段階があることが知られている。これは，70年代のドイツのZISAプロジェクトと呼ばれる，ドイツに移住したイタリア人やスペイン人労働者のドイツ語の習得研究（Meisel, Clahsen & Pienemann, 1981等）に端を発している。その時に，ドイツ語の語順形成に一定の発達段階があることが突き止められた。その後，英語，ドイツ語，その他の言語の否定文，疑問文の発達段階も明らかにされた。共通の統語の発達段階として，以下のような順序が見いだされている。

　　　第1段階：語彙，きまり文句が言える
　　　第2段階：標準的な語順の文が作れる
　　　第3段階：文末の要素を文頭に置くなど文の要素を動かすことができる

第4段階：文の構成要素に対する認識ができ，文中の要素を前や後ろに動かすこ
　　　　とができる
第5段階：単文構造の中で様々な要素を自由に動かすことができる
第6段階：複文構造の中で要素を動かすことができる
　　　（Pienemann & Johnston, 1987; Pienemann, Johnston & Brindley, 1988, 筆者訳）

　これらの一連の研究では，データは自然発話からとられ，正用率ではなく
て，その段階の特徴が出現したかどうかで発達段階が決定された。前述のよ
うに，学習者の言語は，時には発達が逆行することもあるので，ある言語形
式の出現をもって，その段階の習得が始まったと見なすのである。発達段階
が存在するのは，言語処理における認知的な制約が統語の発達に影響を与え
るからだと考えられている。スピーチにおいて文の構成要素をどれだけ動か
すかという言語処理のプロセスには，記憶などの認知的な制約がともない，
発達的な特徴が見られる。たとえば，語順を変えずに上昇口調で疑問文にす
るのは易しいが，助動詞を文頭に出して疑問文にするのは，より難しいこと
である。

　Pienemann 等は，多次元モデル（Multidimensional Model）を提示し，
認知の制約を受け発達段階が存在する言語形式と，認知の制約を受けない言
語形式があると考えた。さらに，Pienemann（1989）は，これを基に「教授
可能性仮説（Teachability Hypothesis）」を提案している。この中で，普遍
の発達段階はどんな教え方をしても変えることはできないこと，発達段階の
制約を受けない言語形式はいつでも教えることが可能なこと，現時点の発達
段階より高すぎる言語形式を教えても効果がないが，一つ上の段階のものを
教えると効果が上がるという予測をしている。これについてはすでに実証研
究もなされており，発達段階とのタイミングが合えば，教室指導はより効果
的になることがわかっている。

　本書第2部 III で扱う教室習得研究では，フィードバックを集中的に与え
るなど，教室指導の効果を実証するために，Pienemann 等が提示した英語
の疑問文の発達段階が使われることがある。疑問文の発達段階が上がること
を，習得の目安としているのである。参考までに，表3に英語の疑問文の発
達段階を示す。中には，非文法的な文も含まれるが，その段階に特徴的な構
文の産出が始まったということである。また，第1，2段階にあるような単
語や短い文に上昇イントネーションをつけて疑問文にするようなことは，学

校英語では文法として習わないが，実際の伝達場面で何かを伝えようとする時には，表出すると考えられている。

表3　英語の疑問文の発達段階
(Pienemann, Johnston, & Brindley, 1988 に基づく，日本語部分は筆者訳)

第1段階	単一語	This?　Red?　Scissors?
	単一ユニット	A boy?　To who
第2段階	SVO 語順	This is picture?　*They stay oceans?
第3段階	疑問詞の前置き	What he is doing?　*Why he is stopped the car?
	Do の前置き	Do you have flowers?　*Does he going home?
第4段階	Yes-No 疑問文	Is she mad about this?
	の倒置	*Has he answering the phone?
		Can he see because of the snow?
	コピュラの	What is this lady?　*Where are this place?
	Wh 疑問文の倒置	Why is he surprised?
第5段階	助動詞 be の倒置	*Who is the woman who talk to the girl?
		Who's buying it?　What's he doing?
	助動詞の倒置	What does she hold in her hand?
		*Why did he crying?
		Who may be calling?
第6段階	否定疑問	Doesn't she want to come in?
	付加疑問	Did you drink beer, didn't you?
	埋め込み節	I don't know why he went abroad this summer.

(* 非文)

3.2.2　統語・形態素の統合発達モデル

　近年，Pienemann (1998) は，自身のモデルをさらに発展させて，処理可能性理論（Processability Theory）を打ちだしている。彼は，言語習得にはなんらかの生得的な要素があるとしても，習得には発達段階があり，それは言語知識とは別に認知面でどれだけ言語を処理できるかということと関係があると見ている。言語知識を使う手続き的スキル（procedural skill）が自動化されている程度により，言語産出において現れる言語構造に発達段階が存在するのだとしている。そして，日本語のように形態素が豊富な膠着言語[2]

は，欧米語の統語プロセスに加えて，形態素プロセスも組み込めると見ている。このモデルでは，文法情報の交換が行われるレベルにより，それぞれの発達段階でできることを特定している。たとえば，英語の形態素の -s について見ると，名詞句の中で複数にするかどうかを決められる。しかし，3 単元の -s は，動詞句の境界線をまたいで主語の名詞句と文法情報を交換しないと決定することができない。よって，英語では，複数の -s より，3 単元の -s の方が発達段階が上になるということである。このような段階は，様々な言語にもあてはまる普遍の発達段階なので，日本語の SLA においても，発達段階の大きな枠組みになると思われる。

　SLA 研究では，「形式発話（formulaic speech, formulaic expressions 等）」や「チャンク（固まり）」の役割が見直されている。丸暗記で覚えたフレーズで，その中に含まれる個々の言語形式が習得されたというわけではないという否定的なとらえ方も一時期あったが，今では，発達過程に必要なプロセスだと再認識されるようになったのである。チャンクは，外に表出した固まりとなった言語表現であるだけでなく，心理学では記憶のユニットのことをさす語として用いられる。FLA では，子どもが音の連なりから単語を切りだしていく分節化というプロセスがあることを紹介したが，単語が切りだせるようになると，句，単文と，次第に，より長い言語単位が処理できるようになる。下位の言語単位の処理が自動化して，そこに労力が要らなくなると，新たな処理スペースが生まれ，より大きなチャンクで言語表現を切りだし，複雑な構造の文が扱えるようになっていく。それが，すなわち，言語の発達段階が上がっていくことを示しているのである。このような発達のプロセスは FLA のみならず，SLA でも起きているのである。

3.3　日本語の発達過程

　初期の Pienemann のモデルを応用した日本語の研究に，土井 & 吉岡（1990）がある。助詞の「ハ／ガ／ヲ」について調べたものである。主題の「ハ」が入った文（以下の A の文）は，文の内部構造を知らなくても生成できるので易しいとされている。しかし，「ガ」や「ヲ」は，文中の動詞により，主語か目的語かという名詞句の文法機能がわからないと使えない（以下の B，C の文）という制約がある。よって，これらの助詞に関して見いださ

れた発達段階は，「ハ」→「ヲ（目的格）」→「ガ（目的格）」→「ガ（主格）」の順であった。ただし，主題化の「ハ」は比較的早く習得されるが，それ以外の用法の習得は難しいとされている（八木 1998）。

A. X は ［　文　］
B. ［……（主格）が　……（動詞）……］
C. ［……（目的格）を／が　……（動詞）……］（土井＆吉岡 1990）

　また，否定文の習得に普遍の発達段階があることは，様々な言語で調べられているが，日本語についても Kanagy（1994）が，表4のような日本語に関する発達段階を示している。これによると，第1段階では，述語が分析されていないので，用言に「ナイ」を付加しただけの発話が見られる。第2段階では，品詞が活用され始めるが，否定辞が未分析で，形容詞に「ジャアリマセン」を付加するような誤りが見られる。第3段階では，述語が分析さ

表4　日本語 L1 および L2 の否定形の発達（Kanagy, 1994 より）

	否定辞	日本語L1	日本語L2
Ⅰ.	未分析の述語+ナイ		
	非過去	＊食べる−ない（V）	＊行きます−ないです（V）
	ナイ	＊赤い−ない（A）	＊安い−ないです（A）
		＊本−ない（N）	＊車−ないです（N）
	過去	＊食べた−ない（V）	＊よかった−ないです（A）
Ⅱ.	未分析／修正された述語+様々な未分析の否定辞		
	非過去	＊食べる−じゃない（V）	＊読め−くない（V）
	ジャナイ	＊赤い−くない（A）	＊赤い−じゃありません（A）
	クナイ	＊きれい−くない（AN）	＊きれい−くない（AN）
			＊おいし−く−じゃありません（A）
	過去	＊食べた−じゃない（V）	＊食べました−ません（V）
	ナイ	泣かない（V）	＊きれい−なり−く−ないです（NA）
Ⅲ.	分析された述語+ナイ／ナカッタ		
	非過去	食べ−ない（V）	食べ−ません（V）
	ナイ	赤く−ない（A）	赤く−ありません（A）
		きれい−じゃない（AN）	夏−じゃありません（N）
	過去	食べ−なかった（V）	食べ−ませんでした（V）
	ナカッタ	赤く−なかった（A）	赤く−ありませんでした（A）
		きれい−じゃなかった（AN）	きれい−じゃなかったです（AN）

（＊は非文法的）

れ，正しく使えるようになる。また，否定形と過去形の組み合わせは，接辞の分析ができている必要があるので，この段階で正しく使えるようになる。Kanagy は Clancy（1985）の L1 データとも比較しているが，日本語の否定形の発達段階は L1 にも L2 にも共通であることがわかる。

表5　日本語における処理手順
（Di Biase & Kawaguchi, 2002; Kawaguchi, 1999; Pienemann, 1998 に基づく）

処理の前提条件	L2過程	形態素	統語
1．語／見出し語	語	不変の形式 V（語幹）＋敬体＊ 非過去	コピュラ文 （だ／です） 動詞文
2．カテゴリー手順	語彙形態素	敬体V（語幹）の接辞 （過去or否定）	規範的語順 SOV
3．句手順	句情報交換	助動詞との連結で 屈折変化する動詞の カテゴリー， V−てV，アスペクト	主題化
4．文手順 　語順規則	句内情報	接続助詞との連結で 屈折変化する動詞の カテゴリー	等位節， 従属節の接続 受身，使役， 授受表現
5．節の境界	主節と従属節	関係節	埋め込み節

（＊Kawaguchi は海外の教室学習者からデータ収集しているので、敬体で動詞が出現している。）

　表5は，処理可能性理論に基づいた日本語の発達段階を示している。言語処理の第1段階は，心的辞書に見出し語が形成されていなくてはならない。この段階では，基本形の「本です」「食べます」が使える。第2段階になると，動詞や名詞などの文法カテゴリーが識別でき，語幹に接辞がついた「食べます」「食べません」「食べました」が使えるが，述語は未分析である。語幹や活用の部分が認識できるようになるのは第3段階である。この段階では，「食べて」が使えると，「食べた」や「食べています」などにも応用できるようになる。第4段階では，格助詞がうまく使え，語順が操れるようになる。また，文単位の処理ができるようになるので，等位節や従属節も出現する。よって，「食べれば」のような条件節も産出できるようになる。また，受身や使役などの活用を含む動詞文はこの段階でできるようになる。関係節

のような文に節を埋め込む言語処理は最も難しいとされ，最後の段階で表出するとされる。

　日本語学習者が時々おかす誤りとして，形容詞と名詞の間に「の」を挟んで「新しいの車」のように言ってしまう場合があるが，これは，日本語のFLAにも起きる。これをHuter（1996）は，処理可能性理論から発達上の誤りであるとしている。Huterのデータで，複雑な名詞句（例：名詞＋ノ＋名詞）が作れるようになるのは第3段階である。しかし，形容詞による名詞修飾ができるようになるのは第5段階まで待たなくてはならない。修飾語を被修飾語の前に置くことや，名詞と異なり助詞をともなわないことを学ぶ必要がある。よって，過渡期に「新しいの車」のような発話があるのは，必然的な発達上の誤りだとしている。言語類型的に日本語と似ている韓国語を母語とする幼児にも，「ノ」の過剰生成が見られたことが報告されている（白畑 1993）。

　この発達段階を見ると，言語発達過程は，教科書がしばしば提示する文法の提出順序と，必ずしも一致していないことに気づくだろう。これは，学習者から自発的な発話のデータをとった結果であり，教室で教師が紙の文法テストや，型にはめた口頭ドリルをして学習者が習得したと思っているのとは異なる。また，教師はとかく完全文で発話を求めがちだが，初期の段階では，「〜です」「〜ます」程度の発話しかできない。言語学習に使える記憶などの認知資源はL1でもL2でも同一個人で同じはずだが，言語の熟達度が低い場合は，L1と同様に認知資源を有効に使えない。したがって，単語レベルの処理が自動化されないと，句が処理できないし，句処理のスキルが自動化されないと，文の処理ができない。故に，言語の発達段階に階層ができるのである。

　最近では，峯（2015）が，処理可能性理論に基づいた包括的な日本語の発達段階を提示している（表6参照）。このモデルに照らすと，ある特定の言語形式がなぜ産出できないのか，難しいのかというような学習上の問題について，理由づけをすることができる。たとえば，母語話者と日本語学習者のコーパス[3]を用いて，とりたて詞の限定を表す「だけ」と「しか」の使用が比較されている。「だけ」は，第2段階の語彙／範疇処理で産出できるものと想定され，実際，峯の分析では，初級の学習者にも1語を取り立てた「肉

だけ」「1回だけ」というような使用が多く出現している。しかし，句や節につく「だけ」は日本語のレベルが上がらないと使用が見られないようである。初級で導入され，一見簡単に見える「だけ」であるが，句や節につく「だけ」の使用は，より高い発達段階に達していることが求められることがわかる。また，「だけ」は取り立てたものを限定するのに対し，「しか」はさらに同時に，取り立てたもの以外を否定するので，文脈を必要とする第5段階で処理できる助詞だとしている（峯2016）。

「だけ」の使用例（峯2016，pp.86-87に基づく）
(1) （パリを旅行したときに泊まったホテルについて）
　　T：んー（んー），トイレありますよね
　　S：あります
　　T：なんか，ほかに，ありませんでしたか
　　S：ほかは，んーない（笑）でも，休む<u>だけ</u>，のはじゅうぶんです〈初級上〉

(2) （お正月は外で遊んだりしないのかという質問に）
　　S：外はあんまり，出ない
　　T：あそ，遊ばない（はい），んーんーんー
　　S：家にいる<u>だけ</u>で，面白いから〈中級上〉

(3) （韓国では地方独特の伝統的な音楽をポップスに混ぜたりしないのかという質問に対して）
　　S：そういうのがなんか（ん）ないって思ったんですよ（ん）もうある自分が興味がなくて見てない<u>だけ</u>かもしれないんですけど〈上級下〉

　峯（2015）の発達モデルは，処理可能性理論を日本語に応用するにあたり，第5段階で複文処理のみならず，文脈処理を含めたところが重要である。一つの文の中で完結するだけでなく，先行する文脈を考慮して使用する言語形式は，習得が難しいと言える。表6の発達段階を見ると，初級で網羅している文型ばかりだと思うかもしれない。しかし，上述の「だけ」にしても，初級で導入されるものの，動詞句や節につく「だけ」の用法を含めると，上級に至るまで継続して習得が続くと言える。複文が発達段階の一番上にあるのはわかりやすいが，受身や授受表現も同じ段階に位置づけられている。迷惑受身のように，文脈を考慮して産出しなくてはならない言語形式は，複文の処理と同等に難しいのである。教授可能性仮説（Pienemann, 1989）が提案された時は，発達段階に合わせて文法を導入すればいいと言われたこともあった。しかし，授業で習ったことは同じでも，クラスの学習者

表 6　日本語の発達段階のモデル（峯 2015，p. 221，表 7-5）

発達段階 言語処理 の階層	発話の文構造	解説
第 1 段階 語・表現	語，定型表現	● 単語や定型表現を並べる段階である。 ● 言語情報の文法処理はできない。
第 2 段階 語彙・ 範疇処理	基本語順 修飾語 + 被修飾語 名詞 + 助詞 とりたて詞ダケ 動詞の活用 可能動詞 終助詞カ，ネ，ヨ	● 品詞体系，基本的な語順が習得される。 ● 修飾語が被修飾語に先行するという語順も習得される。 ● 名詞に助詞がつくが，適切な使い分けはできない。 ● 限定の意味を付与するとりたて詞ダケの使用ができる。 ● タ，ナイ，ラレル（可能），とりたて詞のダケなどの意味を付与する形態素をつけることができる。 ● 内包する文との情報交換を必要としない終助詞，カ，ネ，ヨが使用できるようになる。
第 3 段階 句処理	名詞 + の + 名詞 形容詞 + 名詞 様態副詞句 + 動詞 複合動詞 シテイル（進行） A 類接続辞	●「修飾語 + 被修飾語」，それぞれの語の品詞によって接続を適切に変えることができる。 　例：「病気の人」，「きれいな人」，「きれいに掃除する」 ● 複合動詞を使用することができるようになる。 ● 目的格の助詞ヲを適切に使用できるようになる。 ● A 類接続辞（同時付帯テ／ナガラ※等）を使用できるようになる。（※ナガラの使用は遅れる。）
第 4 段階 文処理	格助詞ニ，デ（場所） ハ + 否定 C 類接続辞 シテイル 　（反復・結果） デショウ，ナァ， カナ，ヨネ	● 場所を表す格助詞ニ，デを使い分けるようになる。 ● 述部の否定形に呼応する形で，否定成分にハが後続する。（例：それは知りませんでした。） ● C 類接続辞（カラ，ケド等）が使用できるようになる。 ● 反復，結果を表すシテイル，そして，シテイタが使用できるようになる。 ● 文末表現（デショウ，ナァ，カナ，ヨネ※）を使用できるようになる。（※ヨネの使用は遅れる。）
第 5 段階 複文・ 文脈処理	従属節文中でのガ 対比のハ 受身・授受表現・ 使役，B 類接続辞 ノ，ワケ，モノ	● 従属節文中の主語がガで表される。 ● 文脈に応じて，対比のハが使用できるようになる。 ● 受身，授受表現，使役表現が使用可能となる。 ● B 類接続辞（タラ，ト等）が使用できるようになる。 ● 説明のモダリティ表現ノ，ワケ，モノが使用できるようになる。

全員が同じ発達段階にいるとはかぎらない。また，伝達上の理由から，発達段階が上の言語形式でも早く教えなくてはならないものもあるので，厳密に発達段階に沿って教えた方がいいというわけではない。発達段階に合っていなくても，インプットとして記憶の中に蓄積されて，やがて学習者の頭の中で分析され，使えるようになるということもあり得る。教師は，このような発達段階があることを知った上で，長い目で学習者の習得過程を見守ることが大切である。

註
1. Long（2003）は，化石化が起きたことの証明には，L2 の習熟度が高い学習者からデータをとること，さらに，そのような学習者を 10 年，20 年と追跡調査をすることが必要だと主張している。L2 のレベルが低ければ，U 字型発達曲線の沈んだ段階にあるとも考えられる。また，同一の母語話者に見られる誤りであれば，それはむしろ，指導により最も脱膠着化を図れる領域であるという可能性もある。よって，まずは，L2 の能力が高い学習者にある誤りが膠着化していることを示し，長期観察でも変化がなければ，化石化の段階に至ったということが実証できるのだとしている。
2. 膠着言語とは，語幹に接辞などの付属語を付加して文法関係を表す言語である。これに対し，英語のような欧米語は屈折言語とされる。屈折言語とは，屈折（性，数，格などを表す語形変化や動詞の時制などの活用）によって文法関係を表す言語のことである。
3. 峯（2015）が用いたコーパスは，ACTFL-OPI（全米外国語教育協会オーラル・プロフィシェンシー・インタビュー）の学習者の発話を集めた「KY コーパス」と，OPI を日本人母語話者にも実施した「上村コーパス」である。

第4章 SLAにおける第一言語(L1)の影響

▶本章の概要

最近は，行動主義の対照分析の時代に言われたように，第一言語と第二言語に違いが大きいほど，負の転移が起こりやすいとは考えられていない。第一言語の影響は，学習者の目標言語や文化に対する主観，年齢，動機づけなど様々な要素が絡み合って現れるとされている。しかしながら，どのような領域に第一言語の影響が現れやすいかは，SLAの理論からある程度予測することができる。また，第三言語を学ぶ場合には，第一言語からだけではなく，第二言語からの影響も考えられる。第二言語や第三言語から第一言語に影響が及ぶこともある。今では，転移は言語間で双方向に起きると考えられている。

キーワード：干渉，複合効果の原理，言語転移，有標，無標

4.1 L1の影響に関する見解の移り変わり

第1章で述べたように，対照分析や誤用分析が盛んになされた時代は，第一言語（L1）と第二言語（L2）の相違点こそが，L1からの負の転移が起きるところだと考えられていた。しかし，その後の研究により，L1とL2の相違点だけではSLAにおいて見られる学習者の誤りを説明できなくなってきた。L2の学習者の誤りには，L1を習得する子どもでもおかす共通の誤りがある。また，L1が同じでも学習者がおかす誤りにはバリエーションが大きいとも言われている。それで，SLAにおけるL1の役割を再検証する必要があったのである。その後，発音は確かにL1の影響が強いが，形態素や統語はそれほど影響が強くないと考えられるようになった。ただし，発音はデータに現れる頻度が高いが，形態素や統語の誤りが出現する頻度が低いのは，特定の形態素や統語の使用頻度自体が低いことが結果に影響しているのではないかと指摘する人もいる。また，語彙の意味領域の習得は，微妙な

ニュアンスや意味の境界線などを含めると，最後までL1の影響が残り，最終的には形態素や統語が習得された後も習得が難しい領域だとされる。

　現在のSLA理論では，L1はSLAにどのような影響を及ぼすと考えられているのだろうか。「干渉」や「転移」という用語が使われる場合，どちらかというと学習者の誤り，つまり負の転移に注意を向けられがちである。しかしながら，すでにL1の言語体系を持ったL2の学習者には，むしろ正の転移の影響の方が強いはずだという見方をすることもできる。たとえば，日本語を学ぶ際には，韓国人や中国人学習者は欧米系の学習者に比べるとずっと有利である。文法が日本語に似ている韓国語話者や，漢字学習や読みに有利な中国語話者は，L1からむしろ多くの恩恵を受けている。英語母語話者にとって，新たに欧米語を学ぶのは比較的たやすいが，日本語やアラビア語を習得するには，かなりの時間を必要とする。L1は，発音や統語といった特定の言語領域というより，L2を習得する全般的な速さに影響を及ぼすという見解もある。

　なぜL1からの転移が起きるかについては，様々な説明がなされている。Gass（1996）は，学習者が目標言語の中にL1と同等の言語形式を見つけられなかった場合に，単純化や誤用が起きると考えている。また，発音は，L1と異なる場合より，むしろ，L1に類似している音に関して誤用が起きやすいとしている。Odlin（1989）は，転移は目標言語やその文化に対する主観的な判断に基づいて起きるものだとしている。判断が正しければ，正の転移が起こり，判断が正しくなければ負の転移が起きる。そして，判断を下す際には，学習者の年齢，動機づけ，リテラシー・レベル，社会階級などが複合的に関わってくるとしている。L1とL2の比較において，学習者の主観的な判断要素が関わってくるとすれば，同じ言語をL1とする学習者に同様に誤用が起きるわけではないのは当然である。

　それから，L1とL2の比較における卓立性（salience＝ある言語形式がインプットの中で際立っているか，目立っているか）もSLAに影響を及ぼす。たとえば，文法上のジェンダーの区別がない英語を母語とする話者は，フランス語の文法ジェンダーに気づきにくいという。日本人にとって，欧米語の冠詞が難しいのは，インプットのメッセージ全体の意味の把握には，冠詞を見落としてもそれほど問題がないからだと考えられる。

以上のようなことをまとめて，Selinker & Lakshmanan（1992）は「複合効果の原理（Multiple Effects Principle）」を提案している。L1 は，一つの要素ではなくて，他のいくつかの要素が絡み合った時に，中間言語への影響が大きくなると考えるのである。転移は，L1 と L2 の距離だけで説明できるほど，もはや単純ではないということである。

　さらに，今では，転移の問題は拡大解釈され，「言語転移（language transfer）」（Odlin, 2003 等）として議論されるようになっている。第三言語（L3），第四言語（L4）の習得の場合には，L1 以外の既習言語からの影響もあると考えられる[1]。また，新たな言語を学び始めることで，L1 や既習言語へ逆の影響を及ぼすこともあり得る。すなわち，転移は各言語間で双方向に起きる可能性があるということである。たとえば，日本人が大学に入ってフランス語やドイツ語などの欧米語の学習を始める場合は，L1 である日本語からよりも，L2 である英語からの影響を大きく受ける可能性が高い。また，日本人が L2 としての英語を習得すると，日本語を話す時に外来語を英語に近い音で発音するといった逆方向の影響が現れることもあり得る。

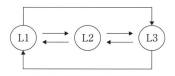

図 7　言語転移の可能性

　このように，「干渉」や「転移」は，用語自体をどう定義するか，どのようにデータを収集し，特定の言語からの影響が出たと証明するのかなど，今でも議論が絶えない研究テーマの一つである。（詳細は Odlin, 1989, 2003; Gass & Selinker, 1992; Yu & Odlin, 2015 参照。）転移は，時として L3 や L4 を巻き込む複雑なプロセスではあるが，L1 から L2 への転移としてとらえた研究が，やはり今でも依然として多い。そして，L1 の影響を受けやすい領域は，現在の SLA 理論から，ある程度予測することはできる。それを次節で扱ってみたい。

4.2　言語転移の可能性

4.2.1　インプット処理のストラテジー

　言語習得を起こすには，まず習得の言語データであるインプットが必要である。どんな理論のアプローチをとっても，インプットの重要さの程度に関して見解の差があっても，学習者はまずインプットを受けなくてはならない。その際に，インプットを処理するL1のストラテジーは転移しやすいと考えられている。L2の上級者でもL1のアクセントが残っていることはよくあるが，L1の音を分割するストラテジーはL2にも持ち込まれやすい。乳児は，生まれた時は，潜在的にどの言語の音でも出せる能力を持っている。やがて，約6か月で自分の言語の母音を知覚でき，9か月で言語特有の音の組み合わせもわかるようになる。その一方で，乳児は，急速に，自分の言語の音韻体系にない音の対比を聞き分けることができなくなってしまう。つまり，長期記憶には，L1の音韻体系の表象が形成されている。したがって，L2であっても，言語音であれば，L1の音韻の表象で認識しようとしがちである。あるアメリカ人が，「初めて日本を訪れた時，どうして日本人はアメリカの州名のOHIOを連呼しているのだろうと思った。」と言っていた。当時日本語をほとんど聞いたことがなかった彼女は，日本語の「おはよう」を英語の音韻体系で聞き取ったのである。

　子どもの耳が，発達過程で自分の言語の音にのみ反応するように形づくられていくのは，FLAにとっては便利なことなのだが，L2学習においては妨げになる。L2の音を正確に知覚できなければ，産出も正確にできないということになる。ただ，これには年齢も関与していて，若い時期なら音声は比較的習得しやすい。日本人帰国子女でも，英語の /l/ と /r/ の弁別ができるかどうかは，英語圏に行った年齢が11歳前後が分岐点になっているようである。また，子ども時代から2か国語，3か国語と接していれば，言語にはいろいろな音が存在することがわかっており，音を作りだす器官や筋肉に柔軟性があることが多い。問題となるのは個々の音だけでない。モーラ（拍）言語で高低アクセントの日本語を学ぶ外国人のL1が，異なる特徴を持つ言語であれば，初期の段階でスピーチの処理が難しいという可能性が出てくる。

　さらに，文を処理するストラテジーも転移しやすい。言語形式と意味のマッピングを行う際に，L2でもL1のストラテジーを使う傾向がある。こ

れは，文を処理するプロセスを説明する理論として，第2章で言及した競合モデルの研究に示されている。文を解釈する際に，L1とL2のキューが同じ場合はSLAが促進されるが，キューが異なれば習得には困難がともなう。英語話者にとって，中国語と日本語では，中国語の方が習得が速いというが，英語と中国語の語順が同じということが多分に影響しているのではないかと思われる。また，英語話者が日本語を学ぶ場合，Rounds & Kanagy (1998) によると，大人は学習が進むにつれ，格助詞が日本語の重要なキューであることに敏感になっていくが，イマージョンの小学生は格助詞のキューになかなか気づかなかったという。これは，若い年齢がかえって不利だということも考えられるし，イマージョンのような自然習得に近い環境だと習得されにくいということも考えられる。

　N. Ellis (2006, 2008) は，L2で気づかれにくい言語形式の学習において，先行するL1の経験が障害となる可能性を指摘している。N. Ellisは，先行するL1の経験のことを，「学習された注意 (learned attention)」と呼んでいる。たとえば，L1の時制標示において，yesterdayなどの副詞が信頼性の高いキューである場合，L2の動詞の過去形の形態素の習得はブロックされがちである。実際，英語の習得において，L1に動詞の過去形の形態素を持たない中国人学習者は，L1に過去形の形態素があるスペイン人学習者より，習得が困難であることが示されている (N.Ellis & Sagarra, 2010a, b, 2011)。つまり，L1でどこに注意を向けるかがすでに学習されており，その学習された注意がL2学習をブロックするのである。

　以上のようなことから，SLAにおいては，インプットを処理するストラテジーはL1からL2に転移すると考えられる (Doughty, 2003の議論を参照)。習得上問題となるのは，L1とL2で使用するストラテジーが異なる場合である。ただ，年齢や言語の習い方によって，L1の影響がどう現れるかは個人差がありそうである。

4.2.2　普遍文法（UG）のパラメータの再設定

　SLAにおいて原理とパラメータからなるUGがどの程度使えるかという議論は，まだ決着を見ていないことは第2章で述べた。UGに直接アクセスするにしろ，L1から間接的にUGにアクセスするにしろ，どの言語にも共

通の文法とされる原理にアクセスが可能だとすれば，SLA で考慮すべきは，言語により設定が異なるとされるパラメータの習得である。パラメータは，通常，選択肢は二つで，どちらかに設定しなくてはならない。L1 と L2 で設定が異なれば，L1 の影響が出ることが予測できる。FLA では，パラメータの学習原理として，部分集合原理（Subset Principle）が作用していると考えられている。これは，様々な言語の，ある言語的特徴を部分集合と上位集合の関係で見る。部分集合とは，多くの言語にあてはまるもの，ありふれたものである。言語学的には，これを無標（unmarked）と言う。上位集合は多くの言語には見られない稀な特徴で，有標（marked）のものである。Berwick（1985）によると，FLA において，子どもの最初の仮説は，無標の部分集合に設定される。そして，自分の母語で何ができるかという情報を含む周囲からのインプット，つまり肯定証拠を受けることにより，目標言語の領域が部分集合なのか，上位集合まで拡大すべきかを決めるのだと考えられている（図 8 参照）。

図 8　FLA におけるパラメータの学習原理

　一方，L. White（1989b, 1990）は，SLA においては，FLA と同じ学習原理はあてはまらず，初期設定は常に L1 だとしている。よって，L1 と L2 の集合が同じ場合は正の転移が起きるが，異なる場合は負の転移が生じることが予測できる。L. White は，英語を母語とするフランス語学習者とフランス語を母語とする英語学習者を対象に，SVO の語順の文の副詞[2]の位置について調べている。英語もフランス語も，(1)のように，SVO 文の文末に副詞を付加する SVOA 文が可能である。しかし，(2)の SVAO 文のように，動詞と目的語の間に副詞を挟む文は，フランス語では可能だが，英語では非文法的である。

英語／フランス語学習者の産出例
(1)　SVOA　(S：主語　V：動詞　O：目的語　A：副詞)
　　　a.　Mary ate her dinner quickly.　（英語）
　　　b.　Marie a mangé le dîner rapidement.　（フランス語）
(2)　SVAO
　　　a.　＊Mary ate quickly her dinner.　（英語）
　　　b.　Marie a mangé rapidement le dîner.　（フランス語）
　　　　　　　　　　　　　　　　　　　　　（L. White, 1989b, pp.136-137）

　L. White（1989b）は，文法性判断テストなどにより，副詞の位置に関する知識を調べている。その結果，英語話者がフランス語を学ぶのは比較的容易だが，フランス語話者が英語を学ぶのは難しいことが報告されている。このパラメータに関しては，フランス語が上位集合で，英語が部分集合である。英語話者がフランス語を学ぶ場合，図9のように，肯定証拠があれば領域を広げることができ，習得が容易だとされている。反対に，図10のように，フランス語話者が英語を学ぶ場合は，適用領域を狭めなくてはならないが，そのためには否定証拠が必要である。否定証拠がなければ，上位集合に含まれる非文法的な文を英語で生成してしまうことになる。しかし，自然環境でも，また教室環境でも，否定証拠はそれほどあふれていないので，習得が困難だと考えられる。

　このことから考えると，L1 と L2 が異なるからと言って，双方で負の転移が起きるわけではなさそうである。習得が難しいのは，L1 の方が L2 より広い領域で適用でき，否定証拠により狭めなくてはならない場合だと言える。どちらの言語の文法が上位集合を形成しているのかを決定するには，生成アプローチの SLA の研究成果を見なくてはならない。Schachter（1992）は，SLA のプロセスだと考えられてきた「転移」は行動主義の名残りの用語で，転移という現象があるのではなくて，学習者の仮説検証過程における

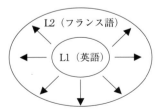

図9　L1 が部分集合で L2 が上位集合の場合（肯定証拠が必要）

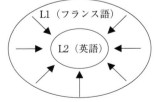

図10　L1 が上位集合で L2 が部分集合の場合（否定証拠が必要）

UG の制約であるとしている。つまり，学習者が言語の規則に関して仮説を立てる際に，どのような仮説を立てるか（＝ L1），そして，それが正しいかどうかをどうやって確かめるか（肯定証拠か否定証拠か）は，パラメータから見た L1 と L2 の関係に左右される。

4.2.3　言語の類型的普遍性から来る難しさ

言語学には，言語類型論という，世界中の様々な言語を比較してそれらのデータに基づいて普遍性を見いだし一般化しようとする学問がある[3]。現存する言語には，人間共通の経験とそれを表現するための意味機能や，認知処理的な難しさなどから来る類型的普遍性（typological universals）があるとされる。そして，言語には，含意的階層（implicational hierarchy）が存在する。これは，ある言語に P という特性が備わっていれば，必ず Q という特性も備わっているが，その逆はあり得ないとされる。P とは，多くの言語には見られない有標（marked）の言語特性で，Q とは，多くの言語に見られる普遍的なもので，無標（unmarked）のものである[4]。

言語習得においては，L2 が Q の特性しか持たない時，学習者が P を含む文法が成立するという仮説を立てることはないこと，また L2 が P と Q の

図 11　類型的普遍性による含意的階層

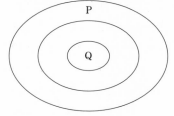

表 7　英語関係代名詞の接近度階層（Doughty, 1991）

1．主語	The girl who was sick went home.
2．直接目的語	The story that I read was long.
3．間接目的語	The man who[m] I gave the present to was absent.
4．前置詞の目的語	I found the book that John was talking about.
5．所有格	I know the woman whose father is visiting.
6．比較級の目的語	The person that Susan is taller than is Mary.

両方を含む場合，Ｑが先に出現するか，ＰとＱが同時に出現するという予測が成り立つ（J. Hawkins, 1987）。類型的普遍性で含意的階層が見いだされているのは，関係代名詞である。英語の場合は，無標のものから，表7の通り，主語→直接目的語→間接目的語→前置詞の目的語→所有格→比較級の目的語の順になる。学習者が，もし所有格の関係代名詞を生成できるようなら，それより難易度の低い関係代名詞，たとえば，主語や間接目的語の関係代名詞も習得していると見なすことができる。このように，ある言語形式に階層が存在し，L1もL2も有標の言語形式を含む場合，習得が容易だと考えられている。しかし，L1が有標の言語形式を含まない場合，習得が困難だとしている。

4.2.4　普遍の発達段階におけるL1の影響

　第3章で，FLAとSLAに共通で，SLAの自然習得と教室習得にも共通する普遍の習得の発達段階があることを述べた。現在のSLAでは，習得の道筋（route）は変えられないと考えられている。では，普遍の発達段階がある中で，L1の影響をどのようにとらえればいいのだろうか。

　英語の否定文や疑問文の習得には，普遍の発達段階があるが，L1が何語であるかにより，いずれかの段階にとどまる時間の長さが異なることが明らかになっている。たとえば，動詞の後に否定形を置くノルウェー語の話者も，動詞の前に否定形を置くイタリア語やロシア語の話者も，L2としての英語の発達段階で第1段階とされる "I not like that." のような文を生成する。しかし，イタリア語やロシア語話者の方がこの段階に長くとどまったということである（Ortega, 2009）。また，フランス語話者が英語の疑問文を習得する場合，第5段階の助動詞と主語の倒置をする際に，下記のaとbの文が混在する段階があった（Lightbown & Spada, 2006）という。集中的に疑問文を含む指導を行った後，学習者は主語が代名詞の場合は，助動詞と主語の倒置をするようになったが，主語が具体名詞の場合には，倒置できない段階が存在することが明らかになった。したがって，発達の道筋は普遍的でも，L1の言語的特徴により，一つの段階にいくつかの下位段階が存在し，それぞれの発達段階を通過する速さに違いが出ることが指摘されている。

例　a.　Where can I buy a bicycle?
　　b. * Why fish can live in water?

　日本語では，前述のように，Huter（1996）は「新しいの車」のような誤りは，FLA にも起きる発達上の誤りだと見ている。形容詞による名詞修飾ができるのは，処理可能性理論（Kawaguchi, 1999; Pienemann, 1998）によると，発達 5 段階のうち第 5 段階だと見なされている。実際には，「大きい車」「きれいな女の人」など，形容詞 1 語が名詞を修飾する文は，初級の早い段階で導入されており，教室内のドリルや筆記のテストを見る限りでは，教師はその段階で学習者は習得したものだと思いがちである。しかし，中国語話者には上級になっても発話や作文で「新しいの車」のような誤りがしばしば見受けられる。中国語では，修飾語をつける場合，名詞の前に「の」にあたる「的」を付加するが，その影響が出ていると考えられる。だが，この「の」の挿入による誤りは，欧米語を L1 とする学習者にも起きる。以下は，オーストリア人（L1: ドイツ語）の上級学習者の作文に見られた誤りである。

例　義理としがらみを優先するの日本社会は，人間の心と心のつながりの重
　　要性を忘れている。
　　友情とは，利害や損得のないのことだろう。　　　　　　　（小柳 2006）

　このように，処理可能性理論が予測する発達段階において，FLA の子どもにも，また L1 の異なる L2 学習者においても共通の発達途上の誤りがある。Pienemann（1998）が提示する発達段階は，それぞれの段階に特徴的な言語構造が表出した時点，すなわち，習得が開始した時点で段階を決めている。もし，正確さも評価して，第 5 段階の言語構造をマスターした，その上の段階があるとするなら，中国語話者は第 5 段階を通過するのに時間がかかると言えるだろう。

　日本語学習者の誤りは，学習初期の段階よりも，学習が進んで発話が長くなるほど誤用が多くなる（石田 1991；田丸，吉岡 & 木村 1993）ことが報告されている。いろいろな言語形式を習うほど，新たな文法知識の再構築や，言語処理スキルの自動化が必要になってくると思われる。処理可能性理論に基づく研究は，自発的なスピーチからデータをとっており，筆記の文法テストなどでは表出しない自然な言語処理における習得段階を示していると考えられる。また，学習者の U 字型発達曲線からすると，初級では，学習者の

内在化した知識としては未分析のまま正しく使われていた可能性があるが，学習が進んで，逆行期に入っていると考えることもできる。処理可能性理論から言えることは，普遍の発達段階においては，L1が何語であれ習得の順序は変わらないが，ある段階を通過する速さに，L1による違いが出るということである。

4.2.5　語用的転移

L2の習得は，形態素や統語を習得することにとどまらない。社会的なコンテクストにおいて適切に言語を使うにはどうしたらいいかという語用的な知識も必要である。そのようなL2の知識の習得を扱う分野を中間言語語用論（interlanguage pragmatics）と言う。（Kasper & Rose, 1999, 2002等を参照されたい。）L1で発話行為（speech act）[5]をどう行うかに関する知識は，L2に負の転移をすることがある。これが語用的転移（pragmatic transfer）である。日本語のFLAでは，子どもは幼い頃から言われる前に相手の気持ちを察することが社会化のゴールとされ，英語圏の子どもに比べると，親からのインプットの中で多くの間接表現を聞いていた（Clancy, 1986）。したがって，日本人が英語で発話行為を行う際には，日本的な言語行動のパターンが出るのではないかと想像がつく。日本人留学生がアメリカ人の家で「何が飲みたいか。」と聞かれて，日本式の遠慮で「何もいらない。」と答えたら，一人だけ本当に何ももらえなかったというような話が，異文化コミュニケーションの失敗例でもよく使われる。

Clancy（1990）は，日本語のFLAにおいて，相手の気持ちを察する，調和を保って社会に順応するというような文化的な価値が，間接表現を好む日本語のコミュニケーション・スタイルに反映されており，L1としてもL2としても，日本語の伝達能力の習得で考慮すべき点だとしている。Beebe, Takahashi & Uliss-weltz（1990）は，「断り」の場面で日本人の英語学習者に語用的転移があるかどうかを調べている。質問用紙に状況説明があり，会話の「断り」がブランクになった談話完成テストにより，日本語母語話者と英語母語話者の断りの形式を比較した。その結果，たとえば，要求に対して目上の人に断る場合，アメリカ英語では，言い訳をする前に，"I'm sorry." など，できないことに残念な気持ちを表してから断るのに対し，日本語は，

残念な気持ちを述べずに言い訳をする傾向が強い。その代わりに，言い訳をする前に相手の状況を察する思いやりの気持ちを表している。そして，日本語のパターンはそのまま日本人の英語の断りのパターンに反映されていた。また，生駒＆志村（1993）では，英語話者が日本語で断りを言う場合に，「できません。」のような直接的な表現を使用するなどの転移が見られたことを報告している。（日本語に関する中間言語語用論研究のまとめは，清水2009を参照のこと。）

　L2における中間言語の語用的知識の発達過程や転移の研究は，SLAにおいては後発の分野である。というのも，SLAがどちらかというと心理言語的な理論のもとに発展してきたために，形態素や統語に関心が向けられる傾向が強かったからである。しかし，中間言語語用論の研究も盛んになってきており，伝達能力の習得を考える上で今後はもっと重要になるだろう。文法の転移と同様，語用的転移もL1とL2の距離だけでは予測できない。学習者が目標言語の文化をどうとらえているかということも関与する。情報過多なこの時代，ステレオタイプができあがっている可能性もある。また，教科書でコミュニケーション・パターンのバリエーションが紹介されているかなども影響するだろう。一つのパターンしか提示されていないと，それを多用してしまうおそれがある。さらに，学習者の日本語の熟達レベルが低ければ，対話相手との関係や発話行為の状況によって，ことばの使い方に変化を持たせるのは難しいだろう。語用的転移も様々な要素が絡み合って起きるようである。

註
1. SLAはL3やL4の習得であってもL2として研究されてきたので，転移もL1とL2の間の問題としてとらえられてきた。近年は「第三言語習得」がSLAと区別して論じられることもあり，ある言語をモノリンガルがL2として学ぶ場合と，バイリンガルがL3として学ぶ場合の比較が主な研究テーマとなっている。
2. SOV文の副詞の位置は，UG理論の動詞繰り上げ（verb raising）パラメータにおける格付与の隣接性（adjacency）条件の習得に関するものである。詳細は，L. White（1989a, b）を参照のこと。
3. 言語類型論に基づき，世界の言語と比較して日本語の特徴を明らかにしようとしたものに角田（2009）があるので，参照されたい。
4. UGで分析しても，言語類型論で分析しても，有標性に関しては同じ結論に至る（L. White, 1989c）。ただ，パラメータによる有標，無標は二者択一だが，言語類型論では，関係代名詞のように二つ以上の階層をなすこともある。また，

UGでは Chomsky の理論に基づき説明がつくパラメータしか扱っていないが，言語類型論に基づく普遍性は，すべての言語領域を扱っている。

5. 発話行為（speech act）とは，発話により謝罪する，断りを言う，頼む，言い訳をするなどの言語機能を果たす行為のことである。

教室における SLA

第 5 章　SLA から見た教室環境

▶本章の概要

　FLA と同様，SLA においてもインプットは不可欠である。しかし，FLA において親が子どもに話しかけるようにただ簡略化して語りかけるのが有効なのではなくて，インターアクションにより意味交渉（お互いを理解し合うまで対話する）を行うことにより学習者言語が発達すると考えられている。教室では，文法的に正確なインプットを提供できる教師の役割は重要だが，教師と学習者の間では意味交渉は起こりにくい。そこで，インフォメーション・ギャップを利用した学習者間のペアワークやグループワークが必要になる。また，言語を産出する機会も SLA には欠かせない要素である。

　キーワード：ティーチャー・トーク，インプット，インターアクション，タスク，意味交渉，アウトプット

5.1　自然習得 vs. 教室習得

　伝達能力を重視してコミュニカティブに言語を教えるという考え方は，言語教育界にかなり浸透してきたと思う。今では，どんな教え方をしていても，説明も含め目標言語をできるだけ多く使う，学習者の発話にコメントしたりほめたりする，学習者同士でインターアクションをさせるなど，教室内でコミュニケーションを図る努力がなされているのではないだろうか。日本語学習者の多くは，学習目標として「日本語が話せるようになりたい。」と言う。また，相も変わらぬ日本の英会話学校の繁盛ぶりを見ていると，多くの日本人が，学校の文法教育というよりは，母語話者と実際にことばを使う練習をすることを求めているように思える。第 2 章で触れたように，FLA

と同様，SLA でもインプットやインターアクションが重要だと考えられているが，教室は SLA から見て，本当に好ましい環境なのだろうか。目標言語環境で生活していれば，インターアクションの機会は，教室の外の方がずっと多くあふれているはずだ。ここでは，まずインプットやインターアクションの質について，自然習得環境（naturalistic acquisition）と教室習得環境（classroom acquisition）を比較してみよう。

表8　自然習得と教室習得のインターアクションの比較

(Lightbown & Spada, 1999 に基づく)

	自然習得	教室習得
誤りの訂正	稀。学習者のスピーチの正確さに関する指摘はほとんどなし。（むしろ失礼だと考える。）意味が通じれば誤りに寛容。	誤りは頻繁に訂正される。意味あるインターアクションより正確さが優先されることが多い。
言語の質	学習はステップ・バイ・ステップには起こらない。いきなり様々な語彙や文法にさらされる。	構造的に簡略化された言語が教師や教材により与えられる。易しいものから難しいものへと順序だて，コンテクストから遊離して言語項目が教えられることが多い。
インプットの量	毎日何時間ものインプットを受ける。学習者に直接向けられるものもあるが，周りでただ聞こえているだけのインプット量も多い。	学習は1週間にほんの数時間に限られている。
母語話者の割合	母語話者に囲まれている。	教師が唯一の母語話者であることが多い。
談話の型	様々なタイプの談話（挨拶，ビジネス，議論，友人との会話等）。文字言語との接触（お知らせ，新聞，ポスターなど）もある。	教師が質問して学習者が答えるという限られた教室談話。書き言葉は内容よりも言語項目を提示するために選択されることが多い。
話すプレッシャー	言語能力に限界があっても何とかして質問に答えたり，情報を得たりする必要がある。	最初から正確に言語産出しなくてはならないというプレッシャーがある。
インプットの調整	1対1の会話では，学習者にわかるようにことばが調整される。しかし，大勢の中では調整がなされず，学習者が理解するのは困難がともなう。	教師は指示を出すのにしばしば学習者の母語を使う。目標言語を使う場合は学習者が理解できるように簡略化する。

現在は言語の教え方は多様化しているので，教室習得環境とひとくくりにするのは難しいが，典型的な語学の教室ということでまとめると表8のようになる。自然習得では誤りを直してもらえることはあまりないが，教室習得の利点として，誤りの訂正の機会があることがあげられるだろう。また，いきなり目標言語のあらゆる言語的特徴にさらされる自然習得と異なり，教室では，教師が，学習者に対して使う言語や教材の内容を学習者のレベルに合わせて調節しているので，ステップを踏みながら徐々にレベルを上げていくことができる。したがって，インプットの量や接する談話の種類の豊富さでは，自然習得環境にはかなわないが，教室ならではの利点もありそうである。教室で真の意味でSLAが起こっているかどうかという観点から，教室におけるインプットやインターアクションの役割を次節で考えてみたい。

5.2 教室におけるインターアクション

5.2.1 インターアクションの役割

フォーリナー・トークによるインプット

FLAの養育者言葉（caretaker speech）（Ferguson, 1977）の研究に影響を受け，SLAでも母語話者（NS）から非母語話者（NNS）への語りかけ，いわゆるフォーリナー・トーク（foreigner talk）が研究され，その特徴が明らかにされるようになった。両者とも，大人のNS同士の会話と比較すると，「簡略化した言語使用域（simplified register）」を用いているという共通点がある。フォーリナー・トークには，養育者言葉と同様に，話すスピードが遅いこと，基礎語彙が使われること，短めの文が多く複文が少ないことなどの特徴がある。（日本語のフォーリナー・トークについても，志村（1989）が同様の結果を見いだしている。）このような研究の流れを受けて，Krashen（1980）は，親などの大人が子どもと接する時に，自らのスピーチの文法を自然に簡略化して話しかけ子どもの理解を助けているように，フォーリナー・トークの使用はSLAにおいても学習者の理解を助けていると考えた。こうして，Krashenは，「理解可能なインプット」の役割を強調し，学習者の今いるレベルよりやや上の文法項目一つを含むインプット，つまり「i + 1」を理解する時，言語が習得されるという「インプット仮説」を打ちだしたのである。

インターアクションにおける意味交渉

　SLA にインプットが必要なのは事実だが，インプット仮説では NS 側の役割が強調されていて，NNS 側の努力は見落とされていた。この頃，Wagner-Gough & Hatch（1975）や Hatch（1983）は，統語の発達はインターアクションの結果として起こるという見解を示した。つまり，NS との会話は，NNS がすでに知っている文法項目を練習する場所なのではなくて，むしろ，インターアクションの中でメッセージを伝え合うやりとりの中から中間言語文法が発達すると考えられたのである。こうして，中間言語文法の発達にインパクトがあると考えられるインターアクションが重要視されることになった。

　この路線の研究において，Long（1980, 1981）は，NS—NS 間の会話より NS—NNS 間の会話に頻繁に起こる会話的調整（conversational adjustments）の特徴を見いだし，明確化要求（clarification requests），確認チェック（confirmation checks），繰り返し（repetitions）などが多く起きること，つまり，この意味交渉（negotiation of meaning）が，言語の簡略化以上に SLA に寄与しているのではないかと考えた。（会話的調整については，以下の日本語の例を参照のこと。）よって，Long は Krashen のインプット仮説の修正版とも言えるインターアクション仮説を提示し，インターアクションによって学習者に理解可能になったインプットが習得を起こすのではないかと考えたのである。しかしながら，もしこの仮説が真実で，意味交渉が SLA に重要だとしても，いざ実際の語学の教室に目を転じて考えてみると，真の意味でのインターアクションが教室でどこまで可能かは疑問に思うかもしれない。教室におけるインターアクションについて，明らかにされていることを次節でもう少し詳しく見ていこう。

　　日本語の意味交渉の例（Iwashita, 1999, pp. 37-38）
　　（1）　確認チェック（confirmation check）
　　　　A：G
　　　　B：G はどこ？
　　　　A：B の次。
　　　　B：B の次？
　　　　A：はい。
　　　　B：G はなんの？
　　　　A：G は 3 人は車の前に立っています。
　　　　B：車の中？
　　　　A：車の前？

(2) 明確化要求（clarification request）
　　A：ええと，その木の間に女の子が泣いている。
　　B：<u>なにがありますか</u>。
　　A：泣いてる女の子。
　　B：<u>何をしていますか</u>。
　　A：それで泣いています。
(3) 語彙の修正（lexical modification）
　　A：トラックがありますか。
　　B：おもちゃ。
　　A：<u>おもちゃ？</u>
　　B：あの，<u>こどもが遊ぶもの</u>。
(4) 統語の修正（syntactic modification）
　　A：男の人，おとこのっこは子どもは，うん，と，とまり，とまる，
　　　　したいです。
　　B：<u>とまる？</u>
　　A：<u>とまりたいです</u>。

5.2.2　教室談話の特徴

ティーチャー・トーク

　インターアクション仮説によると，学習者は，インターアクションにより
インプットを受ければ受けるほど，多くの言語を習得することが予測できる
が，教室ではそのような機会が多いのだろうか。外国語学習の教室で行われ
るインターアクションの基本は，多くの場合，教師 vs. 学習者で行われるも
のである。教師が学習者に語りかけるティーチャー・トークは一般的に以下
のような特徴がある。

(1) スピーチの速度は遅めである
(2) 話者のプランニングによるものかもしれないが，ポーズがより頻繁に現
　　れ，また長めである
(3) 発音は誇張，もしくは簡略化傾向にある
(4) 使用語彙が基本的である
(5) 従属節化の度合いが低い
(6) 質問文より多くの平叙文，陳述文が使用される
(7) 教師はより頻繁に自己反復をする傾向がある　（Chaudron, 1988, p.85）

　フォーリナー・トークでは，NS が NNS と母語で話すのに慣れていない
場合は，NNS につられて非文法的な文を発することがあると言われている。
しかし，ティーチャー・トークにおいては非文法的な発話は稀である。語学
の教室において，教師は言語能力に限界がある学習者にわかりやすく話しか
ける一方で，明確に教材を提示していかなければならない。つまり，教師に

は非常に要求度が高い仕事が課せられていると言える（Chaudron, 1983）。

教師主導のインターアクション

教師主導の教室の談話構造では，意味交渉の量という点でかなり制約がある（Stevick, 1976, 1982）。Faerch（1985）は，伝統的な語学のクラスでは，言語について話し合う「メタ・トーク（meta talk）」，つまり文法について話し合うことが大部分であって，真の意味でのコミュニケーションの機会は非常に制限されているとしている。R. Ellis（1985）やChaudron（1988）は，教室の談話分析研究をまとめて，教室のインターアクションの多くはIRF型，つまり先導（Initiate），反応（Response），フィードバック（Feedback）の連続からなることが多いことが問題だと指摘している。これは，教師が質問して，学習者が答え，それに教師がなんらかのコメントをするというパターンである。そこでは，教師と学習者間で真の情報のやりとりはほとんどない。たとえば，教師は（教師という性格上ある程度仕方がないことかもしれないが）答えがわかっていることをしばしば質問する。教師は学習者のアクセントや誤りに慣れているので，改めて正しい発話を引きだすために明確化要求をする必要性があまりない。学習者は毎日の教室の談話構造に基づいて，または他の学習者の反応を観察することにより，何が起こっているのか大体わかってしまう。教師は一人の学習者が正しく答えられない場合はすぐに他の学習者を指名してしまう。このようなことからわかるように，教師と学習者間には相互を理解しようとする必要性がなく，意味交渉があまり起こらないのである。

教師の質問行動

教師の質問のタイプは，2種類に大別することができる。Long & Sato（1983）は質問のタイプを提示質問（display question）と指示質問（referential question）に区別している。提示質問というのは，教師がすでに知っている情報を求めるものである。指示質問というのは，教師が知らない新しい情報を求めるものである。当然，提示質問では意味交渉の必要性がない。Long & Sato（1983）とPica & Long（1986）は教室外の自然習得環境のフォーリナー・トークと教室のティーチャー・トークを比較し，語学教

師は提示質問をより多く使っていることを示した。したがって，教師の質問行動を改善すれば，すなわち，より多くの指示質問を授業に組み込むことにより，教師主導のインターアクションの質が高められるはずである。実際，Brock（1986）は，語学授業に指示質問を取り入れるように訓練された教師は，その数を増やすことに成功したこと，また，指示質問に対する学習者の反応も提示質問に対する反応より統語的にずっと長く複雑になったことを報告している。また，J. White & Lightbown（1984）は，学習者が答えられない時に，教師が単に質問を繰り返しても学習者から正しい反応を引きだせないことを示し，同じ質問の繰り返しよりも，学習者が意図することをはっきりさせるように不明な箇所について明確化要求する方が有効なテクニックだとしている。さらに，Pica et al.（1989）は，NNS は NS に発話の内容について明確化要求をされると，自分のアウトプットを訂正する傾向があることを示した。また，イマージョン教室の観察データから，Lyster & Ranta（1997）は，明確化要求や繰り返しを含む教師の訂正を求めるフィードバックに反応しようとする学習者の動きを確認している。したがって，この結果を語学の教室に適用するとしたら，教師はより多くの指示質問をすることに加えて，明確化要求を使用することにより，意味交渉の機会を増やすことが潜在的に可能だということになる。

学習者の立場

　教師が最も有効な質問テクニックをすべて使ったとしても，教師の努力のみでは不十分である。学習者もまた同様に明確化要求をして，教師の発話を正確に理解しようと努めなくてはならない。しかし，実際には学習者が助けを求めたり明確化要求をするのを回避する傾向が見られるのはなぜだろうか。それは，そのような試みが，自分の言語能力のなさを露呈することになったり，もしくは，教師と生徒という対等ではない力関係から，丁寧さや協調の原理[1] に反するのではないか，教師の知識や専門性への挑戦ともとられかねないのではないか，という不安を抱いているからである（Pica, 1987）。そこで，学習者にとって自分の言語を産出するのに適切な，不安の少ない環境を提供することができるグループワークやペアワークが重要になってくる。Long（1983a）や Pica（1987）は，教師主導の文法レッスンで

は，教師が文法的に正確なインプットを提供できるという利点を維持することも重要だと認めている。その一方で，教師主導型の教室談話に不足しがちなインターアクションの意味交渉の機会を補充するために，小グループによるコミュニカティブ・タスクの使用を勧めているのである。

5.2.3　グループワークの意義

　初期の研究（Long et al., 1976）で，グループワークは，教師主導型より多くのインターアクションの機会を作りだし，また，より多様な言語の使用を促進することが，すでにわかっていた。Long & Porter（1985）は教育的観点から，語学の教室においてグループワークを用いる五つの利点をあげている。それは，(1)言語の練習機会を増やす，(2)学生の対話の質を改善する，(3)個別指導を促進する，(4)活動的で情緒的に安心できる雰囲気を作りだす，(5)学習者の動機を高める，という5点である。

　1980年代のSLAの教室研究は，インターアクションにおいてインプットがどのようにして理解可能になるのかという研究課題を追求するために，グループワークに関心が集まっていた。グループワークを行う際に教師が心配なことは，学習者から発せられた非文法的な文を，他の学習者が聞いてしまうことであった。しかしながら，学習者間のインターアクションは，教師主導型のインターアクションと同程度に文法的であり，学習者は互いの誤りを訂正することができることも明らかになった。たとえば，Burton & Samuda（1980）は，教師に指示されなくても学習者が仲間の誤りをうまく訂正していたことや，学習者は他の学習者が誤って言ったことを繰り返すことはなかったことを示した。さらに，Pica & Doughty（1985）とDoughty & Pica（1986）は，教師主導の場合と小グループの場合を比較し，小グループにおける非文法的な発話の量は，教師主導の場合と同程度にすぎないことを示した。

　したがって，Porter（1986）は，話す機会をより多く提供できる，意味交渉を促進する会話的調整の特徴が多く現れる，といったグループワークの利点は，たとえ非文法的なインプットを耳にするという弱点があるとしても，それを上回るものだと論じている。実際，Varonis & Gass（1985）は，NNS—NNS間の談話をNS—NS間，NS—NNS間の談話と比較して，NNS—NNS間の談話には意味交渉のような問題解決のプロセスがより多く起こ

ることを示した。それから，Rulon & McCreary（1986）は，学習者間のインターアクションには意味交渉だけではなく，内容の交渉，すなわち，レッスンで話し合われているトピックの内容の交渉も起きていることを示した。つまり，語学の授業の流れにおいて，口頭もしくは文字で提示されたインプットの内容そのものの理解を，学習者間で確かめ合い，明確にしようとする努力がなされていたのである。よって，学習者が，教室で教師から，または教材から，あるいは教室の外でNSから文法的なインプットを受けている限り，グループワークの使用は意味交渉の機会を与える点で言語習得に有効だと言える。

5.2.4 『インターアクション仮説』の証明

インターアクション仮説の検証方法

Krashen のインプット仮説は，心理言語的なプロセスの説明が不十分なので，実験による証明が不可能であるという批判（Faerch & Kasper, 1986; Gregg, 1984; McLaughlin, 1978 等）を受けた。それで，Long（1985a）は，インターアクション仮説を検証するための3段階の方法を，以下のように提案した。

1. (a)言語的／会話的調整が　(b)インプットの理解を促進することを示す。
2. (b)インプットの理解が　(c)習得を促進することを示す。
3. (a)言語的／会話的調整が　(c)習得を促進すると推論する。

（Long, 1985a, p.398）

これに基づき，80年代のインプット／インターアクション研究が目ざしたのは，まず，第1のステップとして，インターアクションがあれば，SLAに必要な意味交渉が起きていること，つまり会話的調整の特徴（明確化要求，確認チェックなど）が多く現れていることを示すことだった。そして，第2のステップとして，そのような特徴が多く現れた時に，インプットの理解が高まることを示そうとした。さらに，第3のステップとして，理解が高まった時に，言語習得が進むことを証明しようとしたのである。

インターアクションにおける意味交渉の頻度

インターアクション仮説を証明する第一歩は，インプットを理解可能にすると推定される意味交渉の会話的調整の特徴がどんな時に現れているかを見

極めることであった。教師主導では意味交渉の機会が制限されたように，対話相手がいさえすれば常に意味交渉が起きるというわけではない。それで，どんなタイプのインターアクションを行えば，意味交渉をより多く引きだせるのかを調べる必要があった。インターアクションの手段としてのタスクのやり方を操作することにより，それらの会話的特徴を突き止め，記述しようとしたのである。

　タスクを行う上で重要になるのが，インフォメーション・ギャップを作ることである。なぜなら，インターアクションをする者同士が異なる情報を持っている時に，情報を得たり与えたりする必然性が生まれるからである。タスクの種類としては，情報の流れから，一方向タスク（one-way task）と双方向タスク（two-way task）に分類できる（Long, 1980, 1981）。一方向タスクとは，タスクを行うペアの片方のみが情報を保持している場合である。情報を保持していない片方が一方的に情報を求めるという点で，情報が一方向にのみ流れるタスクである。一方，双方向タスクとは，双方が異なる情報を保持している場合で，タスクを遂行するために相互の情報の交換が要求され，両方向からの情報の流れがあるタスクをさす。またタスクのゴールの性質から，収束タスク（convergent task）と拡散タスク（divergent task）に分類することもある（Duff, 1986）。収束タスクとは，問題解決タスクのように，学習者が共通のゴールを達成しようとするものである。拡散タスクとは，ディベートのように，学習者が独立したゴールを目ざすものである。

　このようなタスクに関する研究を概観し，Pica, Kanagy & Falodun（1993）は，潜在的に言語習得に効果があると見られるタスク要素の特徴を以下のようにまとめている。

1. インターアクション参加者の関係：インターアクション参加者がそれぞれタスク達成において，情報の異なる部分を保持していて，それを交換するか，もしくは操作する必要があること。
2. インターアクション参加者の情報の必要度：インターアクション参加者の双方が相互に情報を要求し提供し合うこと。
3. ゴールの志向性：インターアクション参加者が同一，もしくは収束的ゴールを目ざしていること。
4. 結果のオプション：このゴールを達成しようとする際に出てくる結果はただ一つであること。

（Pica, Kanagy & Falodun, 1993, p.17）

したがって，このような特徴を備えたタスクを用いることにより，インターアクションの次のステップであるインプットの理解が高まり，さらには言語習得も進むことへの証明につなげようとしたのである。

インターアクション研究への批判

　タスクを用いたインターアクション研究が盛んになる一方で，会話的調整の存在が必ずしも意味交渉が起こっていることの証拠にはなっていないという批判もあった。たとえば，Aston（1986）やCameron & Epling（1989）は，会話的調整の数は，単にコミュニケーションの挫折の数を反映しているにすぎず，会話的調整によりコミュニケーションの挫折が解決したことを表しているわけではないとしている。よって，意味交渉を示す会話的調整の特徴が現れても，必ずしも理解可能なインプットにつながらないのではないかと見たのである。また，B. Hawkins（1985）は，学習者は実際に理解していなくても，一見適切な反応を示すことができることを示した。それから，Ehrlich, Avery & Yorio（1989）は，タスク遂行に成功した学生ペアは，実はある時点で意味交渉をあきらめたペアであったとしている。というのも，談話に深く埋め込まれたコミュニケーションの挫折はほとんど修復できなかったので，細部にこだわってそれ以上意味交渉を続けるよりは，タスクの次の段階に進んだ方がタスクをやりとげることができたのである。

　さらに，スピーキングは思考が言語により表出する認知過程であると見る社会文化理論の見地からの批判もあった。Brooks & Donate（1994）やPlatt & Brooks（1994）は，コミュニカティブ・タスクにおける学生間のインターアクションを調べた。彼等は，意味交渉が情報移転の過程だと見る相互交流論者の見解は，社会的，認知的視野が欠如していると論じている。彼等のデータは，学生が情報を移転させるだけでなくて，声に出して考え，タスク遂行中のそれぞれの時点の小さいゴールを設定したり，自分のもしくは相手の言ったことにコメントしたりしていることを示している。さらに，学生はジェスチャーや視線を使ったり，様々なイントネーションを使って単語を繰り返したりして，ペアが共同でどう問題に対処するかというストラテジーを発達させていたこともわかった。たとえば，地図合わせの問題解決タスクの間に，あるペアは国名のような一般的な情報から始めて，都市名のよ

うな具体的な情報へ移るというストラテジーを見いだした。言語運用能力の低い学生はL1を使っていたが，これは彼等にとってタスクのゴールを目ざして声に出して思考する唯一の方法だった。したがって，Platt & Brooks (1994) は，口頭によるインターアクションは相互交流論者が主張してきた以上にもっと複雑なものだと述べている。相互交流論者が主張する，いわゆる「習得を促進する環境（acquisition-rich environment）」を作りだす条件は，タスクの要素を操作することにより，あらかじめ外から決められたものである。しかし，中間言語文法を発達させている学習者の内面において何が起きているかということは，その時点では，重要視されてこなかったのである。外からのみ学習者の行動を観察すると，素早く反応できる学生は，タスクで成功するかもしれないが，実際には必ずしも中間言語文法が発達していないということがあるかもしれない。したがって，Foley (1991) は，学習者自身による認知面への働きかけを，タスク中心のアプローチに組み入れていく必要があると説いている。これは，後で述べる，インターアクションの認知過程に着目したアウトプット仮説や第6章「教室指導のSLAへのインパクト」へとつながっていくものである。

　インターアクション研究に関しては，ほかにも，談話分析の立場から，NSとNNSのインターアクションがモノリンガルの話し手と下手な外国語の話し手の間に起きるものと見なされ，インターアクションに参加する者同士の社会的な関係が無視されているという批判もあった[2]。

意味交渉とインプットの理解

　インターアクション仮説を証明するための第2のステップは，インターアクションにより調整されたインプットを受けた結果，よりよい理解が得られることを示すことであった。いくつかの研究が会話的調整と理解を結びつけようと試みている。たとえば，Pica, Young & Doughty (1987) は，学習者の理解において，前もって簡略化されたインプットと，インターアクションにより調整されたインプットを比較した。その結果，インプットがあらかじめ簡略化された場合より，むしろインターアクションを通して調整された場合の方が，学習者はよりよい理解を示すことがわかった。ただ，インターアクション中の意味交渉の会話的調整のみが理解を起こしたのか，インターア

クションが結果としてインプットを受ける時間を引き伸ばしたことが理解につながったのかは曖昧である。Pica（1991）は，さらに研究を続け，その後，意味交渉が直接理解を促進するというより，意味交渉のプロセスにおいて引き起こされる繰り返し，言い換えといった余剰的な情報が，理解を助長しているのではないかと述べている。

インプットの理解と習得

さらに第3のステップとして，理解と習得の因果関係を示さなくてはならない。Gass & Varonis（1994）は，NNS の中間言語文法の発達におけるインプット，インターアクションと，アウトプットを結びつける方法を提示した。タスクは，ペアの一方が物が設置されたボードを持ち，それを描写する文を与え，もう一方は物が何も置かれていないボードを持ち，描写文に従って物を置いていくものである。理解は物を正確にボードに置くことができるかどうかで測られた。

表9　Gass & Varonis（1994）の実験デザイン

	最初の描写文	調整済みのインプット（8ペア）				未調整のインプット（8ペア）			
タスクⅠ（NSが描写）	インターアクションの有無	○（4ペア）		×（4ペア）		○（4ペア）		×（4ペア）	
タスクⅡ（NNSが描写）	インターアクションの有無	○（2）	×（2）	○（2）	×（2）	○（2）	×（2）	○（2）	×（2）

実験の第1段階では，NS がインプットとしてある描写文を与え，NNS がボード上に物を置いていった。NS—NNS の 16 ペアのうち，半分には調整済みのインプット，すなわち簡略化された描写文を与え，残りの半分のペアには簡略化していない未調整の描写文を与えた。そして，二つのグループは，それぞれ，その後インターアクションが許されたグループと許されなかったグループに分けられた。その結果，NS とのインターアクションが許された NNS は，インターアクションのなかった NNS より正確にボードに物を置くことができた。つまり，Pica, Young & Doughty（1987）と同様に，

インターアクションの結果，よりよい理解が得られたと言える。

　第2段階では，同様のタスクにおいて，今度は反対にNNSがNSへ描写文を与えた。第1段階と同様，ペアによりインターアクションの有無があった。その結果，第1段階でインターアクションが許されていたNNSの方がNSに，より的確な描写文を与えることができた。しかしながら，最初にあらかじめ調整されたインプットを受け，インターアクションが許されなかったNNSは，たとえ第1段階で理解がよくても，第2段階でNSにあまりうまく描写文を与えることができなかった。したがって，Gass & Varonisは，未調整のインプットの方が調整されたインプットより優れているのではないかと論じている。これは，未調整のインプットの方が，談話の結束性や明確なトピック化において，内容的に洗練されたものだからではないかと考えられる。さらに，NNSはNSが使用した描写のパターンを自らのその後のスピーチに取り込むことができたことが示されている。したがって，Gass & Varonisは，インターアクションにより調整されたインプットが，学習者の中間言語と目標言語との間のギャップを埋めるのを助け，言語産出にも有効だったとしている。

　しかしながら，NNSがNSの描写文を短期記憶に頼って模倣したのか，本当に中間言語文法知識を作り上げたのかは，はっきりしない。Gass & Varonisは，SLAにおけるタスクの持続効果を調べるテストを行わなかったので，前者があてはまる可能性も否めない。さらに，Gass & Varonis（1994）で問題となったのは，第2段階のタスクで，インターアクションがあっても，NSがボードに正確に物を置くことができなかったことである。つまり，NSのよりよい理解へと結びつかなかった点である。しかし，この問題については，Doughty（1996）とPolio & Gass（1998）が同様の実験計画を用いながら，被験者の数を増やしたり，タスクをもっと複雑にしたりするなどの改良を試みて追検証を行い，インターアクションがあった場合の方がない場合よりもNSの理解も高まったことを示している。

　インプットと習得の直接の関係を見いだそうと試みたもう一つの研究にLoschky（1994）がある。彼は，NSの描写に従い，NNSが部屋の絵の中に物を置いていく理解タスクの中で，インターアクション群と非インターアクション群とを比較している。これは，日本語の存在文を用いた実験であっ

た。インターアクション群は，必要に応じて明確化要求や確認チェックをするよう言われ，また，理解（物の配置）の正確さについてフィードバックを受けた。一方，非インターアクション群は，インターアクションを行わないで，メッセージの余剰的特徴を含むあらかじめ修正されたインプットを受けた。その結果，インターアクション群は，非インターアクション群と比べると，インプットを受けた直後の理解度は優れていたことがわかった。しかし，この実験では，タスク遂行中の理解度とタスク完了後の語彙識別テストと文解釈テストの伸びとの間に何ら相関関係を見いだせなかった。この実験結果はさらに Pica, Young & Doughty（1987）の結果を支持するものであるが，やはり，理解と言語習得の直接の因果関係を示すことはできなかった。また，Loschky は，インプットと言語習得の直接の関係を検証したとしているが，言語産出テストをしていないので，本当に学習者が文法を内在化したかどうかは証明されなかった。

「インターアクション仮説」実証研究のまとめ

　以上のように，1980 ～ 1990 年代のインターアクション仮説の証明は未完に終わっている。そもそも，Krashen（1980, 1985）は「i + 1」のインプットを受ける時，学習者は言語を習得すると主張していた。言い換えるなら，「i + 1」の「1」とは，習得の次の候補である言語的要素でなくてはならない。インターアクションの意味交渉の機会ができるだけ多く生成されるように，コミュニカティブ・タスクをどんなにうまく操作しようとも，インターアクションを通してある言語形式の習得が起こったことを証明するのはかなり困難なように見える。この種の研究では，表出した言語形式を長期にわたり追跡調査をする方法上の難しさもある。それに，インプットと習得の関係は，それまで考えられていた以上にずっと複雑なようであった。よって，Swain（1985）は，理解可能なインプットだけでは不十分で，相手に理解可能なアウトプットを産出することが言語習得に不可欠だと見ている。彼女は，カナダのイマージョン・プログラムの生徒の言語運用能力を測定し，目標言語に 7 年も浸った後，理解力や談話能力に関しては NS 並みの能力を身につけたにもかかわらず，文法や社会言語的能力は NS には程遠いレベルであったと報告している。これは，イマージョンの教室では言語を産出する機

会がほとんどないという事実からすれば納得がいく。L. White（1987）はまた，学習者に必要なのは理解可能なインプットではなくて，学習者が自分の中間言語と目標言語との間のギャップに気づくことができる「理解不可能なインプット（incomprehensible input）」であるとしている。要するに，インプットが習得の必要条件であることは間違いないが，インプットのみで中間言語発達の全過程を引き起こし完結させるのは不可能だと言える。

5.2.5　アウトプット仮説

　上述のように，インターアクションにより調整されたインプットが習得に至るにはもっと複雑なプロセスがありそうである。そして，インターアクションの過程を完全に理解する上で，アウトプットの役割も認識しなくてはならない。

強要アウトプット

　アウトプット仮説では，学習者は，自分の発話が誤りであることを示す否定的フィードバック（negative feedback）により修正を強要されると，意味を正確に伝えようとしてアウトプットを調整すると予測できる。これが，いわゆる「強要アウトプット（pushed output）」である。コンテクストの知識や一般常識などの他の要素が補助的な役割を果たす理解においては，文法知識は重要な要素ではない（Flynn, 1986; Sharwood Smith, 1986; L. White, 1987）。したがって，Swain（1993）やKowal & Swain（1994）は，強要アウトプットは学習者をインプットの意味的処理から統語的処理へと移行させるのに有効だと論じている。Pica et al.（1989）の研究では，NSが明確化要求をしてコミュニケーション上の問題があることを示した場合，NNSは自分のアウトプットを修正していたことがわかった。強要アウトプットを引きだす技術として，自分の理解が正しいかどうか相手に確認する確認チェックは，正しい言語形式がNSの側から提供されるので，NNSの文法発達にはそれほど有効ではない。しかし，相手に意味を明らかにすることを求める明確化要求のようなオープン信号は，NNSの側でアウトプットが訂正されるという点で，確認チェックより有効だと言える。さらに，Pica et al.（1989）は，NNSによる修正（repair）は意味的なものより，むしろ

形態素や統語に関係していたことも報告している。

　同様に，Gass & Varonis（1989）では，NNS の談話において，自由会話より絵のタスクにおいてより多くの修正が起きていることがわかった。すなわち，学習者は答えの決まっていない自由会話に比べると，より詳細な情報が求められる絵のタスクにおいてアウトプットを強要されたのである。また，学生ペアで協力し合って修正された正しい言語形式は，その直後のみならず，談話の後の方でもしばしば現れた。これらの研究は，言語習得が実際に起こったことを示したものではないが，学習者はインターアクションにおいて意味の明確化を強要された時，メッセージを伝えるためにアウトプットを調整することができると言えそうである。

アウトプットの機能

　Swain（1994, pp.1-2）は強要アウトプットの三つの機能を次のように提案している。

   (1) 気づき（noticing）の機能：アウトプットが気づきを生じさせると仮定する。つまり，目標言語を（声に出して，もしくは半ば声に出して）産出する際に，学習者は言いたいことと言えることのギャップに気づき，それが彼等の知らないこと，もしくは部分的にしか知らないことを気づかせることへとつながる。
   (2) 仮説検証（hypothesis testing）の機能：言語を産出することが言語学習過程に役立つもう一つの方法は，仮説検証を通してである。つまり，アウトプットを出すことは理解可能性，または言語的適切さについての仮説を試す一つの方法なのである。
   (3) メタ言語的（内省的）機能：学習者が自分の目標言語使用について内省するにつれ，アウトプットがメタ言語的機能を持ち，学習者が言語知識をコントロールし内在化することを可能にする。

　Swain & Lapkin（1995）は，英語を母語としフランス語を学ぶ学生に，フランス語で新聞記事を書かせ，その編集過程において考えていることをフランス語または英語で声に出すように言い，そのトランスクリプトを分析している。この分析データによると，学生は実際のところ，言語的ギャップを認識し，誤りを訂正するために自らの文法知識を探ったり，規則を適用しようとしたりしていた。このことから，Swain & Lapkin は，アウトプットはギャップを明らかにし，内的な認知過程を活性化するのに役立つとしている。同様に，Swain & Lapkin（1998）は，フランス語の再帰動詞の文法

レッスンを5分やった後で，学習者のペアに半分ずつ異なる絵を持たせて，二人で順番を並べ替え物語を完成させるというタスクをやらせ，そのトランスクリプトの中から，ペアの会話における言語関連エピソード（language-related episode）（Swain & Lapkin, 1995）を特定した。言語関連エピソードというのは，学習者が産出しようとする言語について話したり，言語使用を問題にしたり，自分もしくは相手の誤りを訂正するというような一種のメタトークである。そして，ペアの会話における言語関連エピソードとタスク後に行った再帰動詞のテストのスコアとの関係を分析した。その結果，言語関連エピソードは事後テストに効果をもたらしていることがわかり，この種のダイアローグが仮説を形成，検証したり，規則を新たなコンテクストに拡大したりする内的過程を活性化しているのではないかとしている。また，Lyster & Ranta（1997）は，教室観察のデータ分析において，訂正を促すフィードバックやそのフィードバックに対する学生の反応を見いだし，内容中心（content-based）の語学教室においても，意味交渉だけでなく言語形式の交渉も行われていると述べている。

　Swain（1993）は，アウトプット仮説をインプット／インターアクション仮説に相反するものだとは見ていない。インプットとアウトプットの間のつながりを作りだす補完的なものだと考えている。Swain は，アウトプット仮説においてインターアクション中の学習者の認知過程にも注目し，教室習得研究における言語形式の指導（formal instruction）の効果を検証する研究（次章を参照）に結びつけたのである。今日の言語形式の指導は，もはや文法教育を唯一の目的としていない。一方で，教室における流暢さや伝達活動を重視していたコミュニカティブ・アプローチは，正確さの価値を再評価している。したがって，アウトプット仮説は，インターアクションの研究と言語形式の指導の研究を結びつけたと言える。

改訂版「インターアクション仮説」

　このように，相互交流的アプローチによる研究は，インターアクションにおける学習者の認知の役割も視野に入れるようになっている。インターアクション仮説を提唱した Long（1980）自身も，改訂版のインターアクション仮説（Long, 1996）の中では，アウトプットや認知過程も考慮に入れたもの

に再定義している。

> ……意味交渉，特に母語話者もしくは言語能力がより高い対話相手による相互交流的調整を引き出す交渉作業が習得を促進する。なぜなら，そのような意味交渉がインプットと学習者の内面の認知容量，とりわけ選択的注意とアウトプットを生産的な方法で結びつけるからである。
>
> (Long, 1996, pp.451-452)

5.3 インターアクション研究の新たな展開

5.2.4 で論じたように，インターアクション仮説の検証においては，3 段階に分けて実証する方法で，インターアクションにより理解可能になったインプットが習得に寄与していることを証明しようとしていた。そのような 80 年代，90 年代の研究は，インプットが習得を起こしたという証明にはなかなか至らなかった。何よりも問題だったのは，インターアクションが習得に結びついたという直接証拠が得られなかったことである。しかしながら，その後，直接証拠を示す研究が登場している。Mackey（1999）は，第 3 章（3.2.1）で紹介した Pienemann, Johnston & Brindley（1988）による英語の疑問文の普遍の発達段階を用いて，インターアクションにより学習者の発達段階が上がったことを示して，習得への直接のインパクトを証明したのである。

Mackey は，大人の中級の英語学習者を対象に，学習者と母語話者をペアにして，物語完成タスクや絵描写タスクなどを行う会話のやりとりにおいて，学習者の英語の疑問文の発達段階の変化を調べている。タスクによる処遇（treatment）は 3 回行い，事前テストと 2 回の事後テスト（処遇の 1 週間後と 4 週間後）を行った。また，テストによる練習効果が出る可能性があるため，処遇を受けずにテストのみを受ける統制群を設け，ベースラインデータとした。その結果，インターアクションにおいて未調整のインプットを受け，意味交渉を行ったグループは，あらかじめ簡略化されたインプットを受けたグループや統制群より，疑問文の発達段階の伸びが大きかったことが明らかになった。また，処遇でターゲットとされた疑問文において，発達段階が適切であった学習者に最も効果があったことも示された。簡略化したインプットを受けたグループは，インターアクションをしても，処遇の効果は見られなかった。つまり，インターアクションにおいて，学習者が能動的

に意味交渉のプロセスに関わることが，習得につながるカギだということである。

　インターアクションが習得にインパクトをもたらすことは，過去の研究を総括したレビュー論文（Keck et al., 2006; Mackey & Goo, 2007）でも明らかにされている。語彙はインターアクション直後のテストで効果が見いだされているが，文法に関しては直後より遅延テスト（＝持続効果を測るために時間をおいて行われるテスト）の方が効果が大きかったことが示されている。さらなる検証が必要だが，インターアクションを行った場合，文法習得に対する効果が現れるまでには，少し時間がかかる可能性があるというのは特筆すべき結果である。さらに，教室の外でペアでインターアクションさせるような，いわゆる「実験室」と，実際の教室環境とでは結果が異なるのではないかという疑問の声（Foster, 1998）もあったが，Gass, Mackey & Ross-Feldman（2005）は，実験室と教室を直接比較する研究を行い，どちらの環境も同程度に意味交渉が起きていることが示された。意味交渉の頻度に影響するのは，環境ではなく，ペアの間で情報交換が必要かどうかといったタスクの特徴であることも明らかになっている。いずれにしても，インターアクション仮説は実証されたと言える。

　教室のインターアクションにおいて教師に期待されることは，学習者の誤りの訂正，すなわち否定的フィードバックを与えることである。したがって，インターアクションの研究は，フィードバックをはじめとする指導の効果を調べる研究にもつながっている。また，そのような研究では，アウトプットの「気づき」機能のように，学習者の認知面を考慮することが求められている。したがって，今では相互交流論の研究が，認知的アプローチの研究に統合されて，教室習得研究のベースになる理論（Interactionist-Cognitivist）として新たな展開を見せている。次章では，学習者の認知過程に着目しながら，教室指導がSLAにどのようなインパクトをもたらすことができるのかを考えてみたい。

註
1.　丁寧さの原理（Leech, 1983）とは，社会的な人間関係の中で，敬意や礼儀を言語でどう示すかという考え方である。また，協調の原理（Grice, 1975）には，会話に参加している人は，会話の目的やゴールが達成できるようにお互い協力し

ようという姿勢を示さなくてはならないという原則があるとされている。

2. Firth & Wagner（1997）や Wagner（1996）が，談話構造を分析してインプット／インターアクション研究を批判している。これに関しては "The Modern Language Journal"（1997）の 81（iii）号が，Firth & Wagner に対する Long（1997a）の反論も含み特集を組んでいる。

～コミュニカティブ・アプローチ～

　現在の言語教育において，コミュニカティブに教えるという考え方はかなり浸透しているように思われる（Rollmann, 1994 参照）。今や，教室でインターアクションの機会があるという意味では，あらゆる教え方が，コミュニカティブ・アプローチの仲間と言ってもいいほどだが，この教授法の発展の経緯をここでまとめておきたい。

　行動主義を批判した Chomsky の言語理論は言語学や心理学に大きな影響を与えたが，言語の分析は表層の言語形式に限られたため，やがて，言語の機能や伝達場面も分析すべきだという動きが起きた。イギリスでは，Halliday（1970）が機能言語学（functional linguistics）を提唱し，言語形式そのものの中に社会で果たすべき伝達目的が含まれているので，機能面の分析も重要だと唱えた。また，アメリカでは，Hymes（1972）が，やはり，言語使用の知識や能力も必要だとして，伝達能力（communicative competence）ということばを初めて用い，社会言語学が盛んになった。さらに，その頃，イギリスやヨーロッパでは，ヨーロッパ共同体の政治的経済的な相互依存が強まり，言語運用能力を身につける言語教育の需要が高まった。

　このような背景の中から，学習者の目的やニーズに応じた伝達能

力をつけることを目標としたカリキュラムを作ろうとするように
なったのである。コミュニカティブ・アプローチは，特定の学習理
論を基盤としたわけではないが，認知心理学の考え方にある程度影
響を受けている。たとえば，コミュニケーションをともなう活動，
意味のあるタスクを達成するための言語使用，学習者にとって役に
立つ意味ある言語活動が，学習過程を刺激し，学習を促進すると考
えられた。コミュニカティブ・アプローチのシラバスや教材は，イ
ギリスの言語教育の専門家からの提案に基づいているものが多い。
日本でもコミュニカティブ・アプローチと言う場合は，イギリス系
の理論（Breen & Candlin, 1980; Brumfit, 1984; K. Johnson & Morrow,
1981; Wilkins, 1976 等）であることが多い。アメリカではナチュラ
ル・アプローチがコミュニカティブ・アプローチと同義語のように
使われるが，発端は異なる。Krashen 自身は，特に中級以降はイ
ギリスのコミュニカティブ・アプローチと方法論上何ら変わらない
ことを認めている。SLA において 80 年代にインターアクション研
究が盛んになったので，この教授法の妥当性は，後から SLA 研究
の実証により支えられたと言える。

　コミュニカティブ・アプローチのシラバスは，概念・機能シラバ
スである。シラバスの選定においては，学習者のニーズに応じて概
念や機能が選別される。また，Brumfit（1984）は，グループワー
クがコミュニカティブ・アプローチには不可欠な要素だと見なして
いる。そのために，「インフォメーション・ギャップ」（K. Johnson
& Morrow, 1981）を作りだし，異なる情報を持つ相手とのコミュ
ニケーションの必要性を生みだそうとしている。それで，ゲームや
ロールプレイ，シミュレーション，プロジェクトワークなどの活動
が多く取り入れられた。教室では，実際のコンテクストの中で，本
当のコミュニケーションの手段として，目標言語を使わせようとし
ている。規則の提示に関しては，演繹的でも帰納的でもいいとして
いて，あまりこだわっていない。学習者の L1 も必要があれば積極
的に使ってもいいという考え方である。コミュニカティブ・アプ
ローチでは，言語形式の正確さよりも，意味を伝えることが重視さ

れる。よって，過度な誤りの訂正は行われない。

　このアプローチでは，学習者のニーズが重視されるので，すぐに役に立つことが習え，学習者の興味を引きだし，学習意欲を高めることができる。一方，コミュニカティブ・アプローチは，文法を系統だてて導入することや学習内容の段階的な導入が難しいと批判される。また，何をもって「コミュニカティブ」と言うかには様々な解釈や誤解もある。文法問題をペアワークでやらせて，コミュニカティブだと見なしているケース，教師がコミュニカティブだと思って学習者にやらせても，実際にはそれほどコミュニケーションが生じていなかったり，教師が使ってほしい言語形式を学習者が使わなかったという教師のフラストレーションが報告されている。コミュニカティブ・アプローチは，文法かコミュニケーションか，あるいは正確さか流暢さか，という振り子の間で，常に揺れ動いてきたと言える。

　日本語教育では，田中（1988）に「日本語教科書としてコミュニカティブ・アプローチによるものは1冊もない。（p.215）」との記述があるが，その後は日本語教育においてもコミュニカティブ・アプローチを応用した様々な教材が出版されている（小柳 1998a 参照）。

▶**本章の概要**

　教室指導は習得の発達段階を変えることはできないが，習得のプロセスを加速化させることができること，また正確さを促進し最終的には高い言語運用能力を身につけさせられることが，自然習得にはない強みである。しかしながら，意味やコンテクストを無視した文法指導では習ったことをすぐに忘れて使えず，意味重視でコミュニカティブに教えるだけでは正確さが身につかない。SLAに有効な指導とは，学習者が意味を処理する過程で教師が適宜言語形式にも注意を向けさせるやり方（Focus on Form）だと考えられている。Focus on Formが目ざすのは，正確さ，流暢さ，複雑さがともなった伝達能力の習得である。

　　キーワード：教室指導，Focus on Form，否定的フィードバック，明示的 vs. 暗示的，伝達能力，正確さ，流暢さ，複雑さ

6.1　教室指導の効果に関する研究の始まり

　外国語を勉強しようと思い立った時，今では様々な辞書や自習教材が街にあふれていて，独習も可能だ。しかし，初めての外国語や，今まで学習した言語と系統の全く異なる言語を始めようという場合，やはり教室で教師に手ほどきをしてほしいと思う人も多いだろう。その時，授業に期待していることの一つは文法を教えてもらうことではないだろうか。Rutherford（1987）は，文法に関する概念は時代によって，また教授法によって異なるけれども，文法を教えることはおよそ2500年にわたり言語学習における主要な関心事であったと述べている。教室のSLAにおける文法の役割を考える場合，ここでもまたKrashenに言及しなくてはならない。SLAにおける文法の役割に関する議論に火をつけたのは，Krashenの習得／学習仮説（ノン・インターフェース仮説）である。Krashenは，伝達活動において意味

を処理することにより習得した暗示的知識（implicit knowledge）と，伝統的な文法学習によって得た明示的知識（explicit knowledge）を区別し，これらの二つの知識につながりはないとしたのである。つまり，従来からの文法学習を否定した考え方である。

Krashen が提唱した教授法としてのナチュラル・アプローチは，北米でオーディオリンガルや文法訳読法に代わる方法として広まった。しかし，このノン・インターフェース仮説は物議を醸すことになり，様々な批判が起きた。2.3.2 で言及したスキル習得理論は，宣言的知識（＝明示的知識）が練習により手続き的知識（＝暗示的知識）[1] になるとしたので，Krashen とは異なり，二つの知識にインターフェース（接点）があるという考え方である。また，スキル習得理論より少し弱いインターフェースの立場で，教室指導は間接的，補助的な役割を果たすとする見解もある。いずれにしても，SLA 研究においては，80 年代は，「教室指導は SLA に違いをもたらすか」が大きな研究テーマになった。つまり，教室指導を受けている学習者に言語習得が起こっていることを証明しようとしたのである。

6.2　教室指導の効果

6.2.1　習得過程へのインパクト

教室指導の効果を見いだすために，自然習得者と教室学習者の比較が，80 年代にいくつか行われた。初期の研究では，ドイツの Felix（1981）等が，ドイツで外国語として英語を学ぶ高校生と，英語を L2 とする自然習得者を比較した。アメリカの Wode（1981）は，英語の習得に関して，子どもの L1 の習得，外国語としての英語学習者，大人の L2 自然習得者を比較した。調査したのは，関係代名詞や否定文，疑問文などである。その結果，言語の発達段階には明らかに類似性があることがわかった。つまり，L1 でも L2 でも，また外国語環境（EFL）でも第二言語環境（ESL）でも，同様の発達過程をたどるということである。よって，SLA においても普遍的な言語の処理能力や，生得的な言語学習ストラテジーがあるのではないかと考えられるようになった。

Pica（1983）は自然習得環境，教室習得環境，その両方の機会がある混合環境の学習者を比較した。英語を習得中のスペイン語話者 18 人について，

一人あたり1時間の発話データをとり，分析した。すると，どの環境グルー
プも，英語の形態素について先行研究で見いだされている習得順序
（Krashen, 1977）と，高い相関関係があることがわかった。すなわち，どの
環境においても共通の自然な習得順序が存在していたのである。ただ，Pica
は，-s や -ing のように，言語形式と機能の関係が明らかな，つまり，易し
い文法においては，教室指導の利点があるようだとしていた。

　Pica（1984）は，さらに，学習者のL2がどれほど目標言語に近いかを調
べるために TLU（target-like use）分析（目標言語への近さを見る使用の分
析）も行った。従来の研究で多く使われたのは，SOC（Suppliance in
Obligatory Context）分析（義務的文脈における使用の分析）で，ある言語
形式を使わなければならない義務的文脈で何％正しく使われていたかを見る
ものであった。Pica が用いた TLU 分析[2]では，使う必要のない箇所に使っ
てしまった場合も含めて分析している。その結果，教室環境と混合環境の学
習者は形態素を過剰使用する傾向が見られ，反対に自然習得では，-s や -ing
を省略しがちであることがわかった。特に教室環境では，過剰般化（例：過
去形を使うべき文脈ではあるが，不規則動詞にも -ed をつけてしまう）や，
過剰使用（例：使わなくていい文脈で使う）の誤りが多かったことが指摘さ
れている。混合環境の学習者は，熟達度が低い場合は自然習得に近い言語運
用をするが，高くなると，教室環境に近くなることが示された。これに関連
して，Lightbown（1983）等のフランス語圏の英語学習者に関する研究で
も，オーディオリンガルの集中練習では，ある形態素が導入されると，過剰
使用が始まるが，時間と共に過剰使用は減少し，結局は自然習得順序は変え
られなかったとしている。

　Pienemann（1984）等は，ドイツ語をL2として自然習得するイタリア人
の子どもに対して，文法指導を行った。3.2で言及したように，Pienemann
等は，ドイツ語の語順に発達段階を見いだしたが，この発達段階の2と3の
レベルの子どもに段階4の教室指導を2週間行ったところ，段階3の子ども
は4へ移行したことが報告されている。自然習得なら数か月かかるところを
2週間で上のレベルに進めたのである。しかし，段階2の子どもに変化は見
られなかったことから，指導のタイミングが重要だと考えられるようになっ
た。Pienemann は心理言語的に「レディネス」ができている場合にのみ，

教室指導は有効だとしている。(Long, 1983b のまとめも参照されたい。) 以上のようなことから，教室指導は，自然な発達段階や発達順序，つまり習得の道筋（route）を変えることはできないと考えられている。しかし，指導のタイミングが合えば，習得をスピードアップさせることができると言える。

6.2.2　L2 の最終到達度へのインパクト

　教室指導を受けることにより，学習者をより上のレベルへ導けるのかという研究もなされている。Pavesi（1986）は，イタリアの高校生（平均4年の英語学習）とエジンバラの19〜50歳のイタリア人労働者（滞在3か月から25年）の英語を比較した。調べたのは，関係代名詞で，4.2.3 で言及したように，関係代名詞の習得には，一番易しい無標の主語の関係節から，一番難しい有標の比較の目的語の関係節まで，有標性の階層がある。この調査により，教室指導を受けている高校生の方が有標のものを多く使用する傾向が見られたことが示された。Pavesi は，調査対象だった高校生の方が教育レベルが高いことを差し引いても，教室指導は，言語レベルを引き上げることができるとしている。

　また，Zobl（1985）もフランス語話者の英語の所有形容詞の習得について，同様の結果を得ている。有標なのは，his mother, her father のように有生の名詞（人）につく場合で，無標なのは，her hand, his car のように無生の名詞（物）につく場合である。Zobl は，有標の言語データにさらされると，無標の言語形式の習得も促進するが，無標データのみにさらされると，無標のものにとどまるのではないかとしている。Doughty（1991）も，米 ESL の学習者の関係代名詞の習得において，有標の言語形式を教えると，その効果は無標のものにも波及するとしている。Zobl（1985）は，学習者には投射装置（projection device）があって，規則を一つ習得すればそれに関連する他の規則の習得までも引き起こすのだとしている。

　では，自然習得環境には有標の言語データのインプットはないのだろうか。もし，そのようなインプットがないのであれば，言語使用においてはあまり必要ではない言語形式だとも考えられる。自然習得環境で，なぜ有標の言語形式の習得が進まないかを考えさせてくれる研究がある。Schmidt & Frota（1986）のダイアリー研究である。Schmidt は自らのポルトガル語学

習の日記をつけ，NS とのインターアクションを録音した。そして，第三者
である Frota と共に，それを分析したのである。その結果，インプットに含
まれていなかった言語形式は彼の発話には現れなかったこと，彼が使った言
語形式は，人々が彼に対して使っていることに気づいているものだったこ
と，ずっと聞いていたのに気づかなかった言語形式を教室で習って初めて気
づき，使うようになったことが明らかにされた。つまり，教室指導は学習者
の注意を言語形式に向けさせることができるのである。これは，後に
Schmidt（1990）が「気づき仮説（noticing hypothesis）」を出す基になっ
た。気づき仮説によると，言語習得を起こすには，学習者が言語形式に気づ
くことが大切だとされている。

　80 年代を中心としたこのような路線の研究により，Krashen への批判を
きっかけに起こった「教室指導は SLA に違いをもたらすか」という研究課
題には，答えが出たと思われる。教室習得は，自然な習得順序を変えること
はできないが，習得のスピードを速め，最終的に高い言語習熟度へと導いて
くれると言えるだろう（Long, 1988 のまとめを参照）。しかし，80 年代の研
究は，教室指導のやり方が区別されて研究されてはいなかったので，あるタ
イプの教え方が効果的だったのか，教室指導はただ単に目標言語に接触する
時間を引き延ばしていただけなのか，はっきりしなかった。また，教授法の
比較は 70 年代から行われていたが，教授法という単位の大ざっぱな比較で
は，教授法 A の方が教授法 B より優れているというような，はっきりした
結果は出ていなかった。というのも，それぞれの教授法に推奨される教え方
があったとしても，それを解釈して教室で実践する教師の教え方には，本来
の教授法とは異なる教え方の多くのバリエーションが生まれるという問題が
あったからだ。したがって，もっと小さい単位，つまり指導テクニックのレ
ベルで比較する必要があり，90 年代以降は「どんなタイプの指導が SLA に
より効果的か」という研究課題に，研究の焦点は移っていった。

6.3　教室指導のタイプによる違い

6.3.1　Focus on Form の概念

指導テクニックの比較研究の手法

教室指導のタイプを比較する研究が盛んになり，SLA でも認知心理学の

実験的な手法が取り入れられるようになっている。それはSLAの理論に基づき研究仮説を立て，実験を行い，統計的な手法を用いて分析し，理論の妥当性を検証する実証研究である。指導の効果は，通常なんらかの言語能力に関するテストによって測定される。統計の手続き上，比較する指導のタイプを独立変数（independent variable），その影響により変化するテストの成績を従属変数（dependent variable）とする。何かの指導をする前と後の言語テストのスコアの変化を見ることで，独立変数（指導のタイプ）と従属変数（テストの成績）の間に因果関係がないかを統計分析するのである。独立変数以外に従属変数に影響を及ぼすと考えられる介在変数（intervening variable）は，できるだけ排除するように実験をデザインする。たとえば，学習スタート時に比較するグループの能力に大きな差があったり，母語背景が異なったりすると，それらの要因が結果に影響を及ぼす可能性がある。結果を一般化するためには，介在変数は少ない方がいい。また，時間の経過と共に，学習者の言語能力が自然に伸びたり，実験時の学習ではなくテストの練習効果により言語能力が上がったりすることも考えられるので，実験には，何も指導を受けずにテストのみ受ける統制群を設けることが多い。

この路線の研究では，言語習得とは，言語形式と意味／機能を結びつけていく（＝マッピング）プロセスだと考えている。また，言語学習を，インプットからアウトプットへ至る認知の情報処理のメカニズムでとらえている。

Focus on Form の定義

SLAにおける教室指導のインパクトを差異化して調べるにあたり提唱された概念がFocus on Form（Long, 1991）（以下FonF）である。Long（1988）が指導の効果に関する先行研究を概観した際に，オーディオリンガルや文法訳読法，ナチュラル・アプローチなどの問題点を検証して，SLAを最も促進する指導のタイプとしてFonFが提唱された。FonFとは基本的にはナチュラル・アプローチのように意味のある伝達活動に従事していることが大前提なのだが，適宜言語形式に注意を向けるように，教師もしくは教材により操作することだと考えられている。FonF[3] は以下のように定義される。

Focus on Form をともなうシラバスは，その他のこと——生物学，数学，作業の練習，車の修理，外国語が話されている国の地理，文化等——を教え，意味やコミュニケーションへの焦点を優先したレッスンで，必要が生じた際に，偶発的に学習者の注意を明確に言語要素へ向けるものである。

（Long, 1991, pp.45-46）

Focus on Form とは，いかに焦点的注意資源を割り当てるかということである。注意には程度の段階があって，言語形式への注意と意味への注意は必ずしも互いに排除し合うものではないが，Focus on Form は，意味に焦点を置いた教室学習において，教師および，あるいは一人ないしは複数の生徒により，理解あるいは言語産出にともない認識された問題によって誘発され，言語コード的特徴へ時おり注意をシフトさせることからなるものである。

（Long & Robinson, 1998, p.23）

Focus on Meaning と Focus on FormS

Focus on Form との比較対象として，同時に Focus on Meaning（FonM）と Focus on FormS（FonFS）という概念も生まれた。表10のように，言語教育には三つのやり方が考えられる。一つ目のオプションは FonFS で，構造シラバスなど言語項目を単位として教えていく方法である。FonFS による学習アプローチは統合的である。これは，学習者が個々の言語項目を一つ一つ学び，言語を使う際にはそれらを学習者が足し合わせて，つまり統合して言語運用することが求められているからである。しかし，学習者言語のU字型発達曲線に見られるように，学習者の言語は時には逆行，後退を繰り返し，複雑な発達過程をたどる。また，FonFS はしばしば過剰学習，過剰般化の原因となる（Lightbown, 1983, 1985）が，学習者にはどんな教室指導をもってしても変えられない自然習得順序があるので，非生産的である。したがって，教えた時が習得される時ではないので，習った項目を学習者が統合して運用できると期待するのは難しい。また，オーディオリンガルや文法訳読法に見られるように，言語形式に注意が行きすぎると，意味を処理することができない（VanPatten, 1990）。よって，習得に必要な言語形式と意味／機能のマッピング過程が妨げられる。さらに，FonFS では，教室指導をしても，効果に持続性がないことや，流暢さが身につかないという問題点もある（小柳 1998b）。

　一方，二つ目のオプションの FonM は，意味／機能が重視され，学習者

は理解可能なインプットを多く受け，その内部構造を学習者自身が分析して
いくことが期待されるアプローチである。FonM に関連するナチュラルアプ
ローチやイマージョンでは，学習者が実際に言語を使えるようになったとい
う点で，成果があったが，教室に自然習得に近い環境を作りだしても，大人
の学習者が SLA に成功するには，やはり限界があった。カナダのイマー
ジョン教育の 12 年にわたる調査では，NS と遜色ない理解力や流暢さを身
につけても，正確さに関しては，NS には程遠いレベルにとどまっていたこ
とが報告されている（Swain, 1991）。イマージョンのような環境は，肯定証
拠はあふれているが，否定証拠がなければ習得できない言語形式もある（L.
White, 1991）。また，FonM では，言語形式を正確に習得するには時間がか
かるという問題もあった。

　北米では，FonFS から FonM へと大きく振り子が揺れたところで，中庸
の FonF へと引き戻されたと言える。FonM のように意味への焦点を維持し
つつも，適宜，言語形式へも注意が向けられるようにするのが FonF であ
る。一部の研究者の間では form-focused instruction（FFI）という語が用い
られることがあるが，これは FonF と FonFS の両方を含む概念（Spada,
1997）である。FonFS の中には，従来からの構造シラバスとそれを用いた
教授法だけではなく，機能／概念シラバスのコミュニカティブ・アプローチ
も含まれている。これは，機能をシラバスの拠り所にするといっても，実際

表 10　SLA の基本概念と教授法（小柳 2008: Long & Robinson, 1998 に基づき一部加筆）

指導の焦点	meaning-focused instruction	form-focused instruction (FFI)	
言語処理モード	focus on meaning (FonM)	focus on form (FonF)	focus on forms (FonFS)
関連する教授法	ナチュラル・アプローチ，イマージョン，自然習得環境（母語話者とのインターアクション）	タスク・ベースの教授法（TBLT）内容中心の教授法	構造シラバス 文法訳読法，オーディオリンガル，直接法，TPR 機能／概念シラバス，コミュニカティブ・アプローチ
学習のアプローチ	分析的 (analytic)		統合的 (synthetic)

には言語形式を機能で置き換えただけのシラバスであることが多いので，FonFS に分類されている。しかし，コミュニカティブ・アプローチでは，伝達場面の中で，習った言語形式を統合するところも教室で練習する。その意味では，伝統的な文法訳読法などとは一線を画する。それで，FonF との区別をよしとしない研究者もいるからか，FFI が用いられることもある。しかしながら，FonF と FonFS では学習のアプローチが分析的か，統合的かという点で大きな違いがあり，この区別は重要であると考える（小柳 2008）。よって，本書では，FFI ではなく，FonF と FonFS を用いることにする。

Focus on Form の役割

FonF が目ざしているのは，あくまでも伝達能力（communicative competence）の習得であるが，FonFS や FonM のように正確さと流暢さのどちらかを犠牲にするのではなくて，両方を同時に伸ばそうとするものである（Doughty, 1998）。また FonF は分析的なアプローチとされるが，これは学習者自身がインプットを分析して言語形式と意味・機能の関係を発見していくプロセスを重視しているからである。FonF は，教室指導において以下のような役割を果たす。

(1) 有標の言語形式の指導の効果は，関連する無標の言語形式にまで波及する
(2) 自然環境では見落とされがちな，意味的に不透明な言語形式，伝達価値が低い言語形式に気づくことを助ける
(3) プランニングの時間を与えることで，複雑な構文や，発達順序において上の段階の言語形式を引きだすことができる
(4) タイミングが適切な指導は発達順序において上の段階へ進むのを加速化させたり，新しい規則の適用範囲を広げたりする
(5) フィードバックや理解不可能なインプットを提供することにより，学習者の誤った規則がそのまま定着するのを防ぐ

(Long & Crookes, 1993 に基づく)

FonF が提唱された当初は，FonFS と FonM の問題点を間接証拠に FonF が SLA を促進するとされていたのだが，今では直接的な実験証拠が蓄積されている。先行研究をまとめると，次のようなことがわかっている（Long & Robinson, 1998 のレビューを参照）。文法規則を提示され，コンテクストから遊離した文法練習を行うタイプの明示的学習（explicit learning）

（=FonFS）では，易しい規則に関しては最も効果的だが，その効果は多くの場合，持続しない。難しい規則に関しては，大規模な過剰般化が起き，効果が見られなかった。また，意味を処理することが第一で，偶発的／付随的（incidental）に言語形式を学ぶことが期待される暗示的学習（implicit learning）（＝ FonM）では，学習は断片的にしか起こらず，学習速度も遅い。しかし，その暗示的学習の中で，意味への焦点を維持しながら，ある言語形式が際立つようになんらかの適切なテクニックを取り込み，学習者の注意が言語形式に向けられるような操作をした場合，つまり FonF が，最も SLA に効果があるとされている。FonF は FonFS よりは学習速度が遅いが，FonM よりは速く，しかも FonFS と異なり効果が持続することが期待できる。また，FonF では，易しい規則でも難しい規則でも過剰般化を最低限に押さえられると考えられている。

6.3.2 Focus on Form のテクニック

FonF は教授法ではなくて，もっとミクロ・レベルの指導テクニックである。Long（1991）の定義にあるように，学習者は言語以外を学習目標とするコースで，意味のある活動を行っていることが前提である。よって，FonF の提唱者（Long, 2000; Robinson, 2001a, b 等）は，タスク・ベースの教授法（Task-based Language Teaching）（後述のコラム(6)参照）も提唱している。科学や歴史などの教科を目標言語で学ぶイマージョンも，FonF テクニックを取り込むことなどで，FonM を FonF に変えることは可能である。FonF は，しばらくは様々な解釈があり，実験においては，研究者の定義が一致していないという問題点があった。しかし，Norris & Ortega（2000）や Doughty（2003）が，FonF の要件を明確にしている（表11 参照）。

FonF が本来目ざしているのは，Long（1991）の定義にあるように，暗示的 FonF である。表11 の条件を満たした学習をデザインすることが必要である。教師による言語学習への介入は，自然で，認知のプロセスを阻害しないものでなくてはならない。教師は，まず，ある言語形式が使われる自然な状況を作りだす工夫をする必要があるだろう。インプットは簡略化するのではなくて，精緻化したインプットを使用すべきだとされている。簡略化したインプットは理解は助けるが，習得にはつながらないからである。音声によ

表 11　インストラクションの構成概念の操作上の定義

（Norris&Ortega, 2000 に基づく，Doughty, 2003）（筆者一部補足）

指導の タイプ	操作上の定義 [4] （先行研究の記述に基づく）
明示的	規則説明（宣言的/メタ言語的）をする，または言語形式に注意を向け規則にたどりつくように指示する。（明示的指導）
暗示的	規則説明をしない，または言語形式に注意を向けるように指示しない。
FonM	L2 の目標項目に多く触れさせる，またはタスクによる体験学習。しかし，学習者の注意を意味から言語形式にシフトさせる試みは行わない。
FonF	言語形式と意味の統合。以下の特徴を含む。 　(a)　言語形式以前に意味活動に従事するタスクをデザインする。 　(b)　タスク中の L2 のある言語形式使用の必然性，ナチュラルさを追求する。 　(c)　教育的介入が自然である。 　(d)　L2 の心的過程（例：気づき）が記されている。 　(e)　学習者のニーズ分析により目標言語形式を選択する。 　(f)　中間言語の制約を考慮する。
FonFS	上記(a)–(d)のいずれも備えていない，およびある特別な方法 （例：文法説明，機械的ドリル）をもってしか学習者の注意が学習目標の構造に向けられないもの。

るインプットでは，意味交渉においてアウトプットを出したりフィードバックを受けたりしながら，相手との相互理解を深めていくことが必要である。文字によるインプットにおいて，易しく簡略化して書きおこしたテキストでは，理解のヒントとなる談話マーカーや余剰情報が省略されることが多く，かえって習得の機会を奪っていることが指摘されている（Yano, Long & Ross, 1994）。本物のテキストの使用が難しいレベルの学習者には，難しい単語をパラフレーズしたり，異なる表現で情報を繰り返したりして精緻化したテキストを与える方が SLA には効果的である。

否定的フィードバック

　第5章で述べたように，今ではインターアクションを通して意味交渉を行うことにより，習得が促進されることが明らかになっている（Goo & Mackey, 2013; Keck et al. 2006; Mackey & Goo, 2007）。インターアクショ

ンにおいて，教師に期待されることは否定的フィードバックを与えることである。教育現場では「誤りの訂正」ということが多いが，SLA においては否定的フィードバック（negative feedback），あるいは訂正フィードバック（corrective feedback）として研究されている。否定的フィードバックは，表 12 のように，インプットを提供するものとアウトプットを誘導するものに大別できる。もう一つの区分は，誤りをはっきり指摘するか，それとなく誤りがあることを知らせるかの違いで，前者を明示的フィードバック，後者を暗示的なフィードバックという。

表 12　否定的フィードバックの分類
（Adams, Nuevo & Egi, 2011, p.44 に基づく，小柳 2016a 訳）

インプット／アウトプットの区別	フィードバック	NNS の誤りに対する NS のフィードバックの例	明示的／暗示的の区別
インプット提供	明示的訂正	No, it's not goed—went.	より明示的
	リキャスト	John went to school.	より暗示的
アウトプット誘導	メタ言語的フィードバック	-ed is for past tense of regular verbs, and "go" is an irregular verb.	より明示的
	抽出	John….?	
	反復	John goed to school?	
	明確化要求	Pardon?	より暗示的

　FonF で推奨されているテクニックとしてあげられるのは，リキャスト（recast）と明確化要求である。リキャストとは，学習者の発話の意味や全体構造は維持しつつ，誤りの部分のみを訂正して，自然な形で学習者の発話を繰り返すタイプのフィードバックである。第 1 部の FLA の第 4 章（4.4.2）で，FLA において親は子どもの誤りを訂正しないという定説が崩れたことに言及した。FLA では，大人ははっきりと子どもの誤りを直すことはないが，暗示的な形での否定証拠は存在すると考えられるようになっている。それで，SLA でも，暗示的な誤りの訂正が有効なのではないかと考えられるようになった。もし，暗示的なフィードバックが SLA に効果があるのなら，タスクのような教室活動を行っている際に，コミュニケーションの流れ

を断ち切らずに，自然な反応としてフィードバックを与えられることになる。同様に，明確化要求も暗示的にアウトプットを引きだすフィードバックで，学習者から強要アウトプットを多く引きだせるとされている。明示的なフィードバックは，FonFS の文型練習や文法ドリルをやっている際には適しているが，FonF においては，せっかくのコミュニケーションの流れを止めてしまうおそれがある。

(1) リキャストの例
　　学生：昨日，リサさんに新宿に会いました。
　　教師：ああ，新宿で会いましたか。
　　何をしましたか。
(2) 明確化要求の例
　　学生：昨日，リサさんに新宿に会いました。
　　教師：えっ，昨日，リサさんに，なに？
　　学生：リサさんと新宿で会いました。
　　教師：そうですか。何をしましたか。

　否定的フィードバックの中ではリキャストの研究が盛んだが，リキャストが学習者に誤りの訂正だと認識されているのか，その曖昧性について批判されてきた。リキャストはコミュニケーションにおける単なる反応，あるいは，同じことの別の言い方が提示されただけだと誤解されるのではないかというのである。たとえば，Lyster & Ranta (1997) は，リキャストに対して学習者がそれを繰り返したり，なんらかの反応を示した発話を「アップテイク」として教室談話を分析している。そして，フランス語のイマージョンの教室ではアップテイクがあまり見られないことから，リキャストは学習者に活用されていないと主張したのである。

　それに対し，心理学の「プライミング効果」を用いて，リキャストが習得を促進していることを示した研究もなされている。プライミングとは，先行して受けた刺激（プライム）の影響を受けて，後続の刺激（ターゲット）に対する反応が変化することである。母語話者の日常会話でも，だれかが受身の構文を用いると，それに続く会話の中で，受身を使った本人，場合によっては会話のほかの参加者も影響されて，受身を使い続けるというような現象が起きるとされている。McDonough & Mackey (2006, 2008) は，タイの英語学習者を母語話者とペアにしてインターアクションを行い，事前テストと事後テストの実験デザインで，英語の疑問文の習得への効果を調べてい

る。以下の会話(3)では，疑問文の発達の第3段階である文に対して，第5段階のリキャストを受けている。その直後には，学習者はリキャストを繰り返しているが，その後また疑問文を産出した時には，第3段階に戻っている。一方，会話(4)では，リキャストされた後に，学習者は "yeah" としか反応していないが，次に別の疑問文を産出する時には，リキャストされたものと同じ第5段階の疑問文を産出している。これがプライミング効果である。

　実際，事後テストにおいても，プライミング効果が見られた学習者は疑問文の発達段階が上がっていたのに対し，リキャストを繰り返しただけの学習者には発達段階に変化が見られなかったことが明らかになっている。第5章で，インターアクションによる意味交渉が，習得を促進するが，その効果は処遇直後ではなく少し時間が経って現れることに言及した。リキャストの研究でも，処遇直後の事後テストより1か月程度時間をおいてからの方が，指導の効果が顕著になる傾向が見られた。したがって，暗示的な指導の効果を調べる場合は，処遇直後だけではなく，遅延テストを行うことが重要になるだろう。

(3)　リキャスト直後に繰り返しをともなう場合
　　　NNS: where you live in Vietnam?　　　　　　　　　　　　（段階3）
　　　NS:　where did I stay in Vietnam?　　　　　（リキャスト　段階5）
　　　NNS: where did you stay?　　　　　　　　　（繰り返し　段階5）
　　　NS:　I started in Hanoi and went down the coast to Hui and Danang
　　　　　　and I ended in Saigon
　　　NNS: where the event take place?　　　　（段階3　誤りは未訂正）
(4)　リキャストの後にプライミング産出がある場合
　　　NNS: why he get divorced?　　　　　　　　　　　　　　　（段階3）
　　　NS:　why did he get divorced?　　　　　　　（リキャスト　段階5）
　　　NNS: yeah
　　　NS:　because he knew his wife was having an affair so he didn't want
　　　　　　to be with her anymore
　　　NNS: so where did Mr. Smith live?　　　　　　　　　　　（段階5）
　　　NS:　with his friend
　　　　　　（McDonough & Mackey, 2006, pp. 710-711：日本語部分は筆者訳）

　このようなテクニックだけでなく，前述の表11の要件を満たせば，教師がオリジナルの FonF のテクニックを考えることもできる。FonF のテクニックは，心理言語的に見て妥当性のあるものでなくてはならないと考えられている。つまり，学習者には，言語学習において注意や記憶などの認知的

制約があるので，学習者の認知過程を邪魔するものであってはならない。言語学習の認知のメカニズムについては，第7章で詳しく扱う。（FonF 研究のまとめは Doughty & Williams, 1998; Long & Robinson, 1998; 小柳 2002, 2016b を参照されたい。）

6.4 日本語習得における Focus on Form

6.4.1 Focus on Form の対象となる言語形式

教室指導の効果がある言語形式

日本語の教室では FonF をどのように取り入れられるだろうか。まず，FonF の対象となる言語形式は，指導の「浸透性（permeability）」があるものにすべきである。つまり，指導の効果が見込めるものである。従来の構造シラバスにある文型や文法すべてに FonF が必要なわけではない。学習者にとって，いつも習得上問題となるような言語形式を選ぶべきである（小柳 2002, 2016c; Koyanagi, 2016）。

長沢（1995）は，日本語の学習環境別に文法能力を比較している。調査対象は，イギリス在住の全日制日本人学校に通う 8 ～ 10 歳の日本人の子ども（L1 モノリンガル），イギリス現地校に通いながら週末に補修校で日本語を学習する子ども（日英バイリンガル），イギリスの大学で日本語専攻の 2 ～ 3 年生（L2 学習者）である。先行研究により習得が難しいとされる 10 項目を選んで，絵を用いた文完成テストで日本語能力を調べた。その結果，三つのグループに共通の習得順序は存在しなかったが，文法項目によりグループ間の違いが見られた。たとえば，バイリンガルはモノリンガルに比べ，敬語と使役の正答率が低かったが，これは日本語での日常生活が限られたイギリス在住のバイリンガルにとっては，特に敬語のインプットが不足しているからだと考えられる。しかし，授受表現はモノリンガルよりバイリンガルの方が発達していた。長沢は，一般にバイリンガルの方が抽象的，多角的思考力や文法的な認識が早くから発達するとされているので，有利だったのではないかと見ている。全体のスコアの得点はモノリンガル，バイリンガル，日本語学習者の順であったが，日本語学習者の優れた点もあった。日本語学習者は動詞の自動詞，他動詞で特に他のグループより得点が低かったが，授受表現では他のグループより高い正答率を出していた。これは，だれの立場から

見た恩恵の授受かというような判断をともなう日本語の授受表現について，すでに認知能力の備わった大人の学習者には，授業で体系的に学べるという教室学習の利点が現れたのだと思われる。以上のことから，教室指導により特に効果がある言語形式があると言える（小柳 2002）。

教室指導のタイミング

さらに，教室指導は，学習者の発達段階とタイミングが合致した時に，その効果を最大限に引きだせる。第3章（3.2）で Pienemann（1998）に基づく日本語の発達段階を紹介したが，処理可能性理論（Processability Theory）は大きな枠組みになるだろう。たとえば，Kawaguchi（1999）は，名詞の省略傾向が発達段階と連動していることを示している。日本語では，主語や目的語など，言わなくてもわかるものは省略する傾向があるが，適切なコンテクストで省略できるようになるには，段階を経る必要がある。Kawaguchi のデータでは，学習者の言語が単文産出段階にある場合は，過剰に名詞句を使用するか，反対に過剰に省略する傾向があり，曖昧でわかりにくい文を生成している。それが，等位節や従属節の段階では，指示対象が同じなら省略し続ける傾向があった。これは，NS なら談話の中で再度名詞句を導入して，指示対象を相手に思い起こさせているのとは異なる点である。関係節が作れるようになる段階では，NS の使用に近づいてはいるが，受身や埋め込み節において不適切な名詞句の省略が見られた。田中（1996, 1997）も，視点の統一ができないために，受身を含む複文でねじれ文を産出する習得上の問題点を指摘している。複文の主節と従属節の主語が異なる場合に，どちらかの主語を省略して，解釈に誤解を生んだり，主語を統一した複文が作れても受身が正確に使えないためにねじれ文を生成することがあるようである。したがって，適切な名詞句省略には，統語の十分な発達が前提条件だと言える（小柳 2002）。

(1)＊友だちは春休みに旅行しないかと聞いて，私はお金なしひまもないと答えた。　　　　　　　　　　　　　　　　　　　　　　（第三段階）
(2)　私は春休みに旅行しないと聞かれて，お金もひまもないと答えました。
　　　　　　　　　　　　　　　　　　　　　　　　　　　（第四段階）
　　　　　　　　　　　　　　　　　　　　　　　　　　　（田中 1996）

言語形式と意味／機能のマッピング

　習得が難しい日本語の言語形式の中で，話者の視点や態度はキーワードになると思われる。前述の長沢は Kuno & Kaburaki（1977）を引用して，日本語は，描写する出来事に対する話者の態度を表す際に，形態素や統語レベルで表現することが英語よりずっと多く，習得上も問題になるのではないかとしている。田窪（1997）によると，日本語では話者の視点がしばしば表層構造レベルで文法的に符号化されるのに対して，英語では視点は副詞や挿入句で表し，表層構造では命題そのものを問題にする傾向が強いという。SLA が言語形式と意味，機能のマッピングのプロセスであると考えると，FonF は日本語においていっそう重要になってくると思われる（小柳 2002）。特に言語類型的に，日本語と異なる言語を母語とする場合は，マッピングの言語処理過程で，認知的な制約を受けることが考えられる。この問題については次章でまた取り上げることにする。Doughty & Williams（1998）は，マッピングの例を英語の受身により示しているが，日本語の例（小柳 2002）と共に以下に示しておく。日本語でも英語のような中立的な受身が可能だが，日本語に典型的な，不快感を表す受身を例にあげた。

(1)　英語の受身（Doughty & Williams, 1998, pp.244-245）
　　　例　A. The bill was paid by the company.
　　　　　B. The wallet was stolen.
　　　　　C. The data were collected and analyzed.
　　　　　D. Spare toilet paper is stored here.
　　　　　E. A mistake is made.
　　　言語形式：［NP―主題］［助動詞＋他動詞の過去分詞（by + NP―動作主）］
　　　意味：出来事（動詞で表された行為），実体（名詞の語彙的意味）および
　　　　　　意味関係（動作主，主題）
　　　機能：主題（theme）が話題（topic）である（A, B），動作主がわからない
　　　　　　（D），動作主が重要でない（C），または動作主に言及したくない（E）。
(2)　日本語の受身（小柳 2002; 庵他 2000; Makino & Tsutsui, 1986; Maynard,
　　　　　　　　　　1990 に基づく）
　　　例　1. 直接受身
　　　　　A. 山田さんは佐々木さんにだまされた。
　　　　　2. 間接受身
　　　　　B. 私は妹にお菓子を食べられた。
　　　　　C. 私は雨に降られた。
　　　　　D. 年齢を聞かれると，29 歳と答えることにしている。

言語形式：[NP—主題]は／が[NP—動作主／出来事]に[V 語幹＋(ら)れる]
　　　　　動詞は自動詞も可能。
　　　　　他動詞の直接目的語は受身の直接目的語としてとどまる。
意味：出来事（動詞で表された行為），実体（名詞の語彙的意味）
　　　および意味関係（動作主，主題）
機能：主題は出来事に影響を受ける人物 X。動作主は出来事に関わる人
　　　物 Y（例外 C）。X は他者（Y）の行為により被害を被る，また
　　　は不快な経験をしている（A, B, C），もしくは主節と従属節の主
　　　語を統一するため複文において使用する（D）。

　田中（1996, 1997）は，受身に関して，日本語教育において迷惑な気持ち
を表す場面における練習が不足しているのではないかと指摘している。この
ように，日本語では形態素や統語レベルで話者の視点や態度を表現すること
が重要なので，コンテクストを重視し，言語の意味や機能を表現するのに適
切な言語形式を学習者が発見するプロセスを重んじる FonF を追求すること
は，日本語習得研究においても意味があると思われる。

6.4.2　日本語の実験研究

　日本語に関する実験例は少ないが，指導の効果を調べる研究はどのように
行われるのか，アメリカの大学で行われた実例を紹介しておこう。（詳細は
小柳 1998b, Koyanagi; 1999 を参照されたい。指導の効果に関する日本語の
研究のまとめは小柳 2002 を参照のこと。）以下は，実験計画を立てた当時，
SLA 研究でタスクは多く用いられていたものの，何かの言語形式が習得さ
れたというような実証がなかったことから，文法とタスクの融合を図った指
導の SLA へのインパクトを調べようとしたものである。

指導の手順

　なんらかの言語形式を使うことが必須であるようにタスクをデザインする
ことも，FonF の一つの方法である。これを「タスクの言語形式必須性
(task-essentialness)」(Loschky & Bley-Vroman, 1993) と言う。教師が注
意を向けてほしい言語形式をあらかじめタスクに含んでおけるので，言語産
出タスクよりも理解タスクにおいて，言語形式の必須性を実現しやすい。し
かしながら，インターアクション仮説の証明が完結しなかったように，イン
プットのみで習得を起こすことは不十分なので，強要アウトプットを出すこ

とも習得には有益だと思われた。本実験では，理解タスクのみを行ったインプット群と，前半，理解タスクを行い，後半に産出タスクも行ったアウトプット群を比較した。さらに，アウトプットの質を比較するために，オーディオリンガルの機械的な練習を行ったドリル群を置いた。そして，これらの三つの実験群を，全く指導を受けなかった統制群と比較した。

　インプット群とアウトプット群のタスクは道順を言う，機械の使い方を説明するといった内容のものであった。インプット群は，テープを聞きながら，絵を見て正しいものを選ぶなどのタスクを行った。アウトプット群は，インプットのタスクに加え，学習者が一人ずつ教師とインターアクションを行いアウトプットを出すタスクも行った。言語産出においては，正しい文が出てこなかった場合は，明確化要求により強要アウトプットを出し，それでも訂正されない場合はリキャストを行った。この間，教師とインターアク

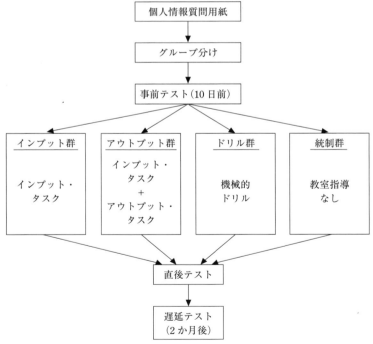

図 12　小柳（1998b）の実験デザイン（小柳 1998b に基づく）

ションを行わない残りの学習者は，インプット・タスクと同様，道順などの絵から正しいものを選ぶタスクを行った。いきなりアウトプット・タスクを始めると，表出する言語形式のコントロールが難しいが，理解タスクを先行させることで，学習者の注意を目標言語形式に引き留めておこうとしたのである。ドリル群はタスクに準じた文を用いて，代入練習や文変換練習などを行った。実験群の指導は，どのグループも 50 分のセッションが計 6 回行われた。

指導の対象項目

目標言語形式は，日本語条件文「と」である。日本語の条件文には「と」「ば」「たら」「なら」があり区別が難しいが，特に「と」は時間順序制限（Inaba, 1993）とモダリティー制限（稲葉 1991）を受けるため，習得が難しいと考えられる。時間順序制限とは，前件が後件に先行して起きるというもので，英語の条件文はこの制約を受けない。モダリティー制限は，後件に命令，禁止，忠告，勧誘，希望などの意思表現をとれるかどうかで，四つの条件節の意味領域は微妙に異なる。「と」の場合は，意思表現をとることはできず，事実文や判断文のみ可能である。

(1) 時間順序制限
　＊日本へ行くと，妹を連れて行きます。
　＊日本へ行くと，ニューヨークの本屋でガイドブックを買います。
　　日本へ行くと，富士山が見られます。
(2) モダリティー制限
　＊ケーキを作ると，友だちにあげようと思います。（意思）
　＊日本に留学すると，友だちによろしく言ってください。（依頼）
　　ケーキを作ると，子どもが喜びます。（事実）
　　日本に留学すると，日本語が上手になりますよ。（判断）

指導の効果の測定

指導の効果は，文法性判断テスト[5]，聴解テスト，口頭産出テスト，筆記産出テストにより測定され，指導前（事前テスト），直後（直後テスト），2 か月後（遅延テスト）の変化を調べた。ここでは，自発的な言語産出を測った口頭産出テストの結果を紹介する。テストは，LL 教室で，OHP で絵を提示することにより時間をコントロールし，考える時間を与えないようにし

た。作った文は，各自テープに録音させた。

結果

　言語産出テストを分析した結果，指導直後はインプット群，アウトプット群，ドリル群ともスコアが上昇していた。しかし，タスクを行ったインプット群とアウトプット群が両方共，2か月後もスコアを維持していたのに対し，ドリル群はスコアが下がっていた。つまり，意味を処理することが最優先であったインプット群は，発話をしていないのにもかかわらず言語産出ができていたが，最も言語産出量が多かったドリル群は，自発的に文を作る能力を持続していなかったのである。流暢さは，機械的ドリルのようにただ何度も文を言わせるだけで培われるものではなく，意味を処理する中で言語形式にも注意を向けなければ身につかないと言える。インプット群とアウトプット群の差が出なかったのは，アウトプット群で，一人一人の学習者がアウトプットを出した機会は少なく，多くの時間はインプット群と同様，他の学習者のアウトプットを聞いて，絵に印をつけるような作業を行っていたためだと思われる。

　このような実験研究は，一つだけで即座に教授法が確立できるわけではない。時には反証例が出ることもあり，その原因を突き止めなければならない。海外（JFL 環境）で言えたことが国内（JSL 環境）にあてはまらない場合，大学生の学習者には一般化できても小学生の学習者にはあてはまらない場合，ある言語形式ではうまくいったが他の言語形式ではうまくいかない場合などが出てくる可能性もある。このような実証例を蓄積することにより，言語学習のメカニズムを解明し，理論構築することが SLA 研究のゴールである。そして，このような実証を重ねた暁には，教授法への示唆が得られることが期待される。

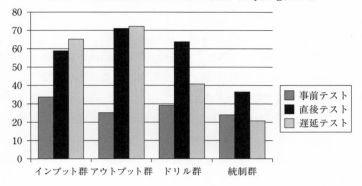

図 13　口頭産出テストのスコアの変化（Koyanagi, 1999）

表 13　LSD（最小有意差）法による多重比較結果（Koyanagi, 1999）

グループ内のテスト間比較					
インプット群	事前テスト	<	直後テスト	=	遅延テスト
アウトプット群	事前テスト	<	直後テスト	=	遅延テスト
ドリル群	事前テスト	<	直後テスト	>	遅延テスト
統制群	事前テスト	=	直後テスト	=	遅延テスト
各テストのグループ間比較							
事前テスト	インプット群	=	アウトプット群	=	ドリル群	=	統制群
直後テスト	インプット群	=	アウトプット群	=	ドリル群	>	統制群
遅延テスト	インプット群	=	アウトプット群	>	ドリル群	=	統制群

6.5　教室習得研究の今後

　教室習得研究，特に教室指導の効果について，Norris & Ortega（2000）により20世紀の研究の総括がなされたので紹介しておく。彼等は，1980年から1998年に刊行された実験研究の論文の中から，一定の基準を設けて49本の論文を選び，表11にある定義に基づき，実験群の指導のタイプを分類し，効果の大きさを測る効果量（effect size）を算出して，メタ分析[6]を行った。その結果，教室指導の効果を以下の順序で示している。

　　　明示的 FonF ＞ 明示的 FonFS ＞ 暗示的 FonF ＞ 暗示的 FonFS ＞ FonM

この結果によると，FonF と FonFS の差よりも，明示的，暗示的の差の方が大きかったことがわかる。つまり，FonF の提唱者が理想とする暗示的

FonF の効果が、理論上考えられているほどに、実証上はまだ十分に確立されなかったということである。しかしながら、Norris & Ortega は、暗示的指導の効果を調べた研究自体、数が少ないこと、また、暗示的指導の効果を、紙と鉛筆による文法性判断テストなど、明示的知識に有利なテストで測るというミスマッチの問題も指摘している。効果量を求めるには、本来、統制群と実験群の比較で数値を求めるので、処遇（treatment）を受けずに事前／事後テストのみを受けた純粋な統制群がベースラインデータとして必要である。しかし、そのような研究が少なく、一つの実験の中で最も教師の介入度が低いグループを対照群として比較せざるを得なかったことも、問題点としてあげている。よって、Norris & Ortega は、上記の結果も、この時点で SLA が定義されている範囲内の結果だと限定してとらえるべきだとしている。

　Long（2015）は、Norris & Ortega に含まれた研究は、Norris 等により後から FonF ／ FonFS や明示的／暗示的に分類されたもので、実験を実施する時点で厳密に指導テクニックが定義されていないという問題点もあげている。その後、Goo et al.（2009）が、より厳しい論文の選択基準を設定し、Norris & Ortega 以降に刊行された論文を含めたメタ分析を行った。全体的には Norris & Ortega の結果を支持する結果になったものの、直後テストでは暗示的指導も効果量が大きかったことが明らかになっている。また、明示的／暗示的フィードバックの効果に関するメタ分析を行った結果、暗示的フィードバックの方が効果が持続することが示されている（Goo & Mackey, 2013; Li, 2010; Mackey & Goo, 2007）。先行研究は、比較的易しい言語形式を扱ったものが多く、難しい言語形式についてもっと調べる必要がある（Long, 2015）ことも指摘されている。

　また、Koyanagi（2016）も、日本語の習得研究について 1990 年から 2012 年 7 月までに刊行された国内外の論文から 14 本を選定し、Norris & Ortega に倣ったメタ分析を行い、同様の結果を得ており、上述の問題点は日本語の研究にもあてはまる。さらに、日本語の実験研究では、実験研究の数自体が少なく、ほとんどが海外で行われたもので、日本国内の研究があまりなかった。海外で SLA 研究を行う場合と日本国内で行う場合には、それぞれに一長一短がある。海外では、教室外での母語話者との接触が限られるので、そ

のような要因はコントロールしやすいが，上級の学習者のデータを集めるのが難しい。一方，国内では初級から上級まで多くの学習者がいるが，学習背景や教室外での母語話者との接触時間は様々で，それらの要因をコントロールするのが難しいという問題はある。日本語の教室指導の効果の実験は，ほとんどが海外で行われたということもあり，初級学習者を対象にしたものが多い。しかし，中上級になっても習得が難しい言語形式は存在するので，教室指導がどのようにインパクトを与えられるのかを調べる必要があると思われる。

　上述のように，FonF というより，明示的指導の暗示的指導に対する優位が結果として出ているが，近年は，明示的学習と暗示的学習の比較が，教室習得研究の一つの大きな研究テーマになっている。なぜあるタイプの指導／学習が効果があるのかを考えるには，学習者の習得のメカニズムを理解しておくことが不可欠である。よって，次章では，SLA において学習者の頭の中で何が起きているのか，すなわち認知的なメカニズムについて議論した上で，明示的学習 vs. 暗示的学習の問題を再考することにする。

註
1. 宣言的知識（declarative knowledge）と明示的知識（explicit knowledge），および手続き的知識（procedural knowledge）と暗示的知識（implicit knowledge）は，本章ではほぼ同義語として扱っている。これらの知識を支える記憶の研究では，宣言的記憶（declarative memory）と顕在記憶（explicit memory），および手続き的記憶（procedural memory）と潜在記憶（implicit memory）の厳密な対応や関係は，研究者間でまだ見解が分かれているようである。
2. TLU 分析の方法はいくつかあるが，Pica（1984）が用いた計算式は，以下の通りである。TLU ＝ $\frac{B}{A + C}$（A：義務的生起文脈　B：正用の数　C：使う必要のない箇所の誤用）
3. Focus on Form という用語が定着する以前は，formal instruction, form-focused instruction, grammar instruction など，様々な用語が用いられてきた。特に紛らわしいのが form-focused instruction（FFI）であるが，これは FonF と FonFS の両方を含む（Spada, 1997, p.73）。
4. 操作上の定義（operationalization）とは，心理学の実験で人間の手で操作できるレベルの具体的な記述による定義のことである。たとえば，pp.137-138 にある FonF の定義は抽象的で，実際にどのように行えばいいのかわかりにくい。しかし，表11 の操作上の定義を見れば，実際に FonF と FonFS をどう区別すればいいのか，どのように FonF をデザインすればいいのかなどがわかるだろう。
5. 文法性判断テストは，もともと NS の直観的な文法知識（暗示的知識）を測るテストとして使われていた。しかし，これを L2 の学習者に使った場合，何を測っているのか，信頼性のあるテストなのかといった議論が絶えない。当てずっ

ぽうで答えてしまうことも考えられる。そこで，文法的，非文法的の選択肢に加えて「よくわからない」という選択肢を加えることもある。また，誤りの箇所に下線を引かせたり，誤りの訂正を求めることもある。しかし，それは明示的，宣言的な文法知識を誘発しているとも考えられ，直観のテストなのかは疑わしくなる。直観で答えさせるためにテープを聞かせて考える時間をコントロールすることもあるが，それでは聴解力という新たな要素が加わってしまう。それで，今では，言語運用能力を見ようとする教室習得の研究では，文法性判断テストの使用を勧めない研究者も多い。（文法性判断テストの妥当性に関する議論の詳細はSchultze（1996），Paolillo（2000）等を参照されたい。）

6. メタ分析とはオリジナルの研究者の実験データの解釈に基づく文献レビューではなくて，論文中に開示されている実験の客観的な統計データを基に，第三者が再評価して，ある分野の研究成果を客観的に検証するものである。

▶コラム：言語習得と外国語教授法(5)　　Column

〜伝達能力とは何か〜

　SLA には，Chomsky 路線の生成アプローチの研究のように，言語知識（linguistic competence）のみを扱い，そのような知識の習得を SLA と見なす路線の研究もあるが，認知的アプローチの教室研究では，伝達能力（communicative competence）の習得をもって習得と見なす。研究においては，どのような立場をとって研究するかにより，SLA の定義も収集すべきデータも異なってくるので，どのような理論の枠組みを用いるかを明確にする必要がある。教育の実践においては，教師が学習者に身につけさせたい言語能力とは何かを理解し，そのような能力を培う教室指導とはどんなものか，またそのような学習の成果を測るのはどんなテストかまでを考えた，一貫性のある言語教育が求められる。

　実際に使える言語運用能力，伝達能力をつけることを学習目標にすることに異論はあまりないと思うが，伝達能力とは何かをここで考えてみたい。「伝達能力」という語は，Chomsky が言語能力

(competence）と言語運用（performance）を区別し，言語の表層構造の理想化された規則や文法知識のみを研究対象としていたのに対し，Hymes（1972）が社会言語学的な立場から実際のコミュニケーションを効果的に行うために必要な能力があると説いたことに由来している。言語教育においては，Canale & Swain（1980）および Canale（1983）の定義がよく知られている。これによると，伝達能力は文法能力，談話能力，社会言語的能力，および方略的能力からなるとしている。文法能力とは語彙，形態素や統語の知識，文レベルの文法の意味的側面，音韻の規則などが含まれる。談話能力は，一文レベルを超えた話し言葉や書かれたテキストの文同士の関係，すなわち，結束性，一貫性のある意味のまとまりを形成する能力とされる。社会言語的能力とは，ジェスチャーなど非言語的な伝達手段なども含み，文化や場面に適切なコミュニケーションができる能力である。方略的能力とは，コミュニケーションの挫折が起きた時に言い換えたり推測したりすることにより，会話を維持する能力のことである。初期の定義では，方略的能力は，コミュニケーションの挫折を修復する補償ストラテジー（compensatory strategy）に限定していたが，後に，Swain（1984）は，コミュニケーションの効果を高めるストラテジーも含んだものに再定義している。

　Canale & Swain（1980）の「伝達能力」の定義は，コミュニカティブ・アプローチと共に広まり，これを念頭に教材やシラバスが組まれるようになった。しかしながら，言語処理は心理言語的なプロセスであるのに，この定義には心理言語学的な視点が欠けていた。たとえば，同一人物でも場面により文法の正確さにばらつきがあったり，文法知識はあるのに言い間違えたりする現象が説明できない。また，伝達能力の四つの構成要素がそれぞれ独立して存在するかのように説明されており，実際の伝達場面で四つがどのように機能して伝達行為を行うのかも明確でない。

　今では，言語テスト理論の分野から，心理言語的な側面を考慮した伝達的言語能力（communicative language proficiency）のモデ

ル（図14）も提案されている。Bachman（1990）は，方略的能力を伝達能力の中枢に据えていて，これを，場面や状況を判断し，心理状態，生理的なコンディションを考慮しながら，自分の持ち得る常識や言語能力と照らし合わせ，どのように伝達行為を実行するのか計画し実行するメタ認知的ストラテジーだとしている。認知的にいうと，状況や知識を評価して，伝達行為において何を優先するのか，とにかく意味を伝えればいいのか，もしくは間違えても少し上の文法構造にチャレンジする余裕があるのかを決定するところである。何を最優先にするのかというのは，何に注意を向けるかということであり，その注意の分配を支配しているのは作動記憶である。（作動記憶については，次章で詳しく議論する。）したがって，伝達能力の向上を図る言語指導において，教師が学習者の習得過程および言語使用における認知のメカニズムを理解しておくことの意義は大きい。

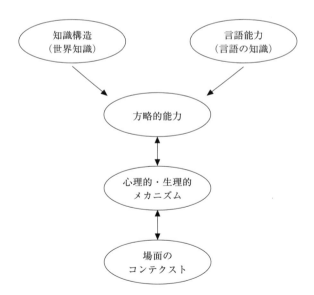

図14　伝達的言語使用における伝達的言語能力の構成（Bachman, 1990）

Bachman (1990) は，さらに，言語能力 (language competence) が何から構成されるのかも明らかにしている。Canale & Swain では，社会言語的能力や談話の能力は，文法能力とは別のものとして扱っていたが，広い意味では形態素の規則も談話の結束性もすべて言語形式の規則である。よって，言語能力を，この構成能力 (organizational competence) と社会的文化的コンテクストの中で適切に言語使用を行える能力である語用的能力 (pragmatic competence) から構成されるものとして定義づけをしている（図15参照）。このモデルは本来，言語テスト理論において提案された伝達的言語能力の定義であるが，教育現場では，教師一人一人が，学習者が習得すべき言語運用能力はどんなものか，そのために教室指導はどうあるべきか，到達ゴールの言語運用能力をどう測るかという明確なビジョンを持つことが必要であり，SLA 理論からの示唆は，そのような教師の判断の拠り所になると思われる。

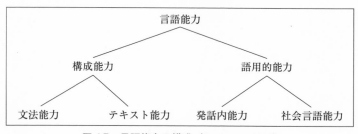

図15　言語能力の構成（Bachman, 1990）

　Focus on Form が目ざしているのも伝達能力の習得である。コミュニカティブ・アプローチが導入されてからは，日本語教育でも正確さと流暢さのバランスをどう保つかということがしばしば議論になった。妥協策として，初級では正確さを重視し，中級以降で流暢さを重視するというような提案がなされることもあった。しかし，Focus on Form は最初から正確さと流暢さのどちらも犠牲にせずに，両方を同時に伸ばそうとしている（Doughty, 1998）。さらに，最近はこれにもう一つ複雑さが加わっている。複雑さには，複文が使えるといった構文的な複雑さと，抽象語彙や使用頻度の低い

語彙が使えるなどの語彙の多様性や洗練度が含まれる。学習者は易しい構文と語彙を使って，正確に流暢に話し続けることができるかもしれないが，習得段階を上げるという意味では，複雑さという観点も重要である。SLA や応用言語学の研究では，CAF（C: Complexity, A: Accuracy, F: Fluency）という枠組みで学習者の言語運用を評価することが多くなっている（R. Ellis & Barkhuizen, 2005 参照）。このような分析は膨大な時間がかかるので，教育実践に取り入れるわけにはいかない。願わくば，研究における CAF の評価と，教室評価で使われるレベル別の言語能力の特徴が一致することが望ましい。しかし，教育現場の教師は，学習者の言語運用にはこのような三つの側面があることは知っておくべきだろう。

第7章 言語習得のメカニズム

▶**本章の概要**

　どんな教室指導が有効かという問題は，言語習得においてインプットを受けアウトプットを出す情報処理過程で学習者の頭の中で何が起きているか，つまり認知のメカニズムと関連づけて説明されなくてはならない。学習者には注意や記憶といった認知資源の制約があり，それを考慮した上で，習得の認知過程に合致したやり方で言語学習を促進すべきである。また，言語運用は思考などと並んで高次で複雑な認知スキルだと考えられており，認知的な観点から言語能力とは何か，また，そのような能力はどうやったら習得されるかをとらえ直す必要がある。

　キーワード：認知，情報処理，注意，記憶，宣言的知識，手続き的知識，明示的学習，暗示的学習

7.1　SLA における意識，注意，記憶

7.1.1　「意識」に関わる論争

　言語習得を促進する教室指導とは，学習者の認知過程に合致していて，そのプロセスを活性化するものでなくてはならない。認知を考える上で，意識や注意，記憶といった用語がキーワードとなる。教室習得研究では，Krashen 以来「意識」という用語が議論に上ってきた。習得は意識的であるべきか，無意識，または潜在意識的に起きるものかという問題である。意識の定義など理論上の不備から Krashen は批判を受けたが，「意識」という語は，生物学的に覚醒している状態の意識から，哲学的な思索にふけるレベルの意識まで，日常生活でも使用範囲の広い用語である。認知心理学者の苧阪（1994）は，図 16 のように，認知過程に関わる意識の働きには三つのレベルがあるとしている。また，Tomlin & Villa（1994）も，「意識（consciousness）」は，アウェアネス（awareness），知覚（perception），意図（intention）な

どを含み，広い意味で使われている語で，SLA 研究の拠り所とするのは不適当であると見なしている。21 世紀は脳科学の時代だと言われるが，その究極の目標が「意識の解明」と言われているほど，「意識」は大きな概念である。したがって，現時点では，認知心理学や SLA の実験で直接扱える科学の対象にはなり得ないと考えられている。

　Focus on Form（FonF）以前に，学習者が意識的に言語形式に注意を向けることを意味する「意識化（consciousness raising）」（Rutherford & Sharwood Smith, 1985; Sharwood Smith, 1981）という用語が使われたことがあった。しかし，学習者の意識は教師が操作できるものではないので，Sharwood Smith（1991, 1993）自身が，後に用語を「インプット強化（input enhancement）」に変えている。これは，学習者の注意が言語形式に向くように，インプットの質を高める操作をするという教師側の試みを強調した用語である。「インプット強化」の定義は一見 FonF に似ているが，FonF は言語以外を目的としたコースの中で意味活動を行うことが前提となっている点で，シラバス・デザインをも示唆するより大きな概念だとされている。FonF の枠組みにおいては，インプット強化も指導のテクニックの一つとして見なされ，特に，視覚的に文字言語の一部を強調したり，イントネーションなどで特定の言語形式の部分を強調する試みのことをさすようになった。また，意識化は，文法問題をペアワークで行うという Fotos & R. Ellis（1991）や Fotos（1993）で使用された FonFS の意識化タスクをさす語として限定して用いられている（Doughty & Williams, 1998）。

自己意識：対象が自己に向かう意識，自分が今何を考えているのかが自分でわかる状態（自己認識ができる）

アウェアネス：特定の対象や事象に向かう意識，刺激を受容している状態，注意に基づく刺激選択性

覚醒（arousal/vigilance）：目覚めた状態

図 16　三つの意識（苧阪 1994, P.13）

7.1.2 注意と記憶の役割

意識の代わりに教室習得研究で現在論じられているのが，注意や記憶である。FonF も，言語形式に注意を向けさせることを意味する。言語習得過程では，音の流れとして入ってくるインプットの中から注意を向けられた言語の断片が取り込まれることが，習得の第一歩である。この SLA の最初の段階を「気づき（noticing）」と言う。Schmidt（1990）の「気づき仮説（noticing hypothesis）」に基づくものだが，当初，学習者が意識的に言語形式に気づくことが重要で，そのためには，言語報告できるレベルのアウェアネスが必要だとされていた。よって，実験では，気づきを測る手段として，規則に気づいたか，それはどんな規則だったかを学習者に尋ねるために，学習者が言語課題を行いながら，考えていることを声に出して言ってもらう思考表出（think aloud）法や，課題を終えた後の質問紙による調査が行われた。このような見解に基づく「気づき」は，潜在意識的にも気づきが起きると見ていた Tomlin & Villa（1994）等と見解が分かれ，Krashen の仮説と同様，SLA において意識やアウェアネスなどの心理的特性の定義に関して混乱を招いた（Robinson, 2003）。

また，それらが気づきの測定としては信頼性のあるデータではないことが指摘された（Jourdenais, 2001）。学習者は必ずしも一貫性のある報告をしていないこと，頭の中で起こっていることをことばにして表現する能力には個人差があるなどの問題があり，気づきの指標として用いるには適切ではないと考えられるようになった。それで，Schmidt（2001）や Doughty（2003）は，「気づき」を再概念化し，気づきの対象は UG の原理や文法の規則ではなくて言語の表層構造で，表面に現れた言語表現，あるいはもっと小さい単位の動詞の末尾などに，集中的に注意を向ける必要があるとしている。

Robinson（1995）は，「ノン・インターフェース仮説」や「気づき仮説」の意識の論争による混乱を避けるため，「気づき」を「短期記憶における検出とアウェアネスをともなうリハーサル（復唱）（p.296）」だと再定義していた。Robinson（2003）は，どのタイプの学習でも短期記憶におけるリハーサルと長期記憶への統合のプロセスが必要だという点で，言語学習における記憶の重要性を説いている。規則が提示され，それを適用する練習を行うタイプの言語学習，つまり明示的学習（explicit learning）は，概念駆動

（conceptually driven）型の学習で，短期記憶においては精緻化リハーサル
（elaborative rehearsal）が必要である。精緻化リハーサルとは，習う項目の
それぞれを関連づけたり，イメージ化して情報を付加していくタイプのリ
ハーサルである。一方，規則を提示されずに，コンテクストの中で用例に多
く出会うことにより言語を学ぶ暗示的学習（implicit learning）は，データ
駆動（data-driven）型の学習で，維持リハーサル（maintenance rehearsal）
が必要である。維持リハーサルとは，忘れないように声に出して，あるいは
心の中で復唱することである。どちらのタイプの学習も，リハーサルを繰り
返すことでアウェアネスが生じ，それが一定のレベルを超えると，長期記憶
に統合されると考えられている。

　Robinson（1997）は，FLA は，暗示的学習への依存が強く，大人の SLA
は明示的学習への依存が強いという傾向があるという点で，大人と子どもは
異なるとした「根本的相違仮説」（Bley-Vroman, 1989）を支持している。一
方で，どちらのタイプの学習共，短期記憶におけるリハーサルと長期記憶へ
の統合のプロセスが関わり，注意やアウェアネスが必要という意味で，同一
のシステムが機能しているので，二つのタイプの学習は根本的には同じだと
している。これを「根本的類似仮説（Fundamental Similarity Hypothesis）」
と言う。この二つの仮説は相反するものではなくて，相互に補完し合う仮説
だと見ている。また，Robinson（2003）は，認知心理学で使われる潜在記
憶（implicit memory）の測定方法の方が，気づきに敏感だとしている。前
章（6.3.2）で紹介したプライミング効果は，暗示的学習の気づきを反映した
ものだと言える。

　これまでの実証を見る限り，学習が起こるには，少なくとも高次レベルの
アウェアネスが必要だとされている（Schmidt, 2001）。規則を提示されてメ
タ言語的な練習をする FonFS のような学習では，規則に気づいたか，それ
はどんな規則だったかと質問されて答えられる学習者がいるのは，ある意
味，当然と言えば当然である。しかし，暗示的学習でも，規則は提示されな
いものの，意味活動に従事する中で，FonF のテクニックにより注意が誘発
され，維持リハーサルが行われてアウェアネスが生じていると考えられる。
しかし，そのような暗示的学習のアウェアネスは，SLA 研究で十分に調べ
られてこなかったという問題が残されている。

7.2 言語の認知的処理

7.2.1 言語学習のプロセス

SLA には様々な理論やモデルが存在し，それらを統合して SLA のプロセスとしてまとめるのは難しいが，Gass & Selinker（2001）に基づいて，習得過程のおおよその共通理解をまとめておきたい。（図 17 参照。）

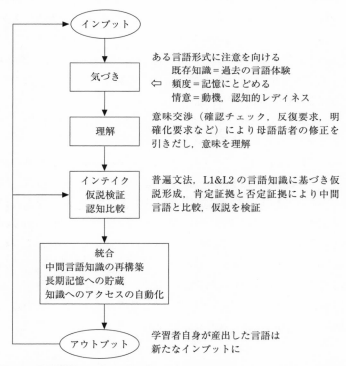

図 17　言語習得のメカニズム（Gass, 1997; Gass & Selinker, 2001 に基づく）

気づき

習得の第一歩は気づきである。気づきが起きるかどうかは，様々な要素の影響を受ける。インプット中のある言語形式の頻度や卓立性（目だっているかどうか），過去の言語経験や，学習者個人の認知的レディネスやインプットの処理能力などが関わってくる（Skehan, 1998）。また，タスクの認知的

要求度が高いほど，つまり頭を使うタスクほど，認知資源（注意や記憶）が集約され，言語形式へ注意が向きやすいと考えられている（Robinson, 2001a, b, 2003）

理解

学習者が気づいた言語形式がすべて習得されるわけではなく，言語形式の意味が理解されなくてはならない。インプットは意味あるコンテクストの中で提示され，メッセージ全体のおおよその意味はこれより前に理解されている必要があるが，この段階では，注意を向けた未知の言語形式の意味の見当をつけなくてはならない。そのために，意味交渉により相手から修正を引きだし，意味を理解する必要がある。

インテイク

気づいて理解されたインプットのみが習得に使われるインテイクになる。インテイクは仮説検証（hypothesis testing）のプロセスでもある。学習者は，UG，あるいはL1やL2の言語知識に基づき文法についてなんらかの仮説を形成している。仮説を確かめるためには，学習者には目標言語で何ができるかという情報である肯定証拠（positive evidence）と，何ができないかという情報である否定証拠（negative evidence）が必要である。インプットの中から肯定証拠を見つけだしたり，相手からのフィードバックにより否定証拠を得たりしながら，自らの中間言語と目標言語とを比べている。これを認知比較（cognitive comparison）と言う。

統合

仮説検証のプロセスを経て，正しいと確認された仮説は，文法知識として中間言語の中に統合される。その際，必要に応じて既存の中間言語文法の知識を再編成する必要がある。これを認知的には再構築（restructuring）（McLaughlin, 1990）と呼んでいる。この再構築された中間言語文法の知識は，情報検索が素早くできるコンパクトな形で長期記憶に保存されなくてはならず，そして，その知識へのアクセスが自動化（automatization）（McLaughlin, 1990）されて初めて，流暢な言語運用ができるようになる。

アウトプット

アウトプットは習得の成果が外に現れたものであるが，必ずしも中間言語の文法知識そのものの表出ではない。アウトプットは，伝達場面において，伝達目的を達成する言語運用でもあるので，そのようなプレッシャーの中では，文法知識があっても，素早く検索できず，流暢に使えない場合もあり得る。また，誤った文法知識が形成されていた場合は，相手からフィードバックを引きだし，新たなインプットとして役に立てることもできる。このようなアウトプットを出すプロセスを繰り返すことで，文法知識は自動化される。

言語習得が起きる場所

このような言語習得の作業を頭の中で行っているのは，作動記憶（working memory）[1] である。従来，記憶は，短期記憶と長期記憶の二重貯蔵庫でとらえられていたが，今では，情報を保持し，保持内容を統合して情報処理を能動的に行う記憶として，作動記憶の概念が導入されている（Baddeley, 1986）。情報処理を行いオンラインで言語運用を行う一方で，インプット中の新情報を取り込んで保持し，既有知識も用いながら言語データを分析し，中間言語文法を構築していく，まさに言語習得のワークスペースである（Doughty, 2001）。作動記憶と長期記憶の関係は，認知心理学ではまだ研究の余地が多く残されているようである（苧阪 2000 参照）。SLA の文献（Doughty, 2001 等）では，注意を向けることにより活性化された長期記憶の部分集合だ（Cowan, 1995）とする立場がとられている。（小柳 2001, 2016d 参照。）

7.2.2　言語処理のメカニズム

学習者が L2 を使うということは，伝達場面において言語運用を行っているわけであるが，一方で頭の中では言語学習も進んでいる。よって，学習者の言語使用の認知過程においては二つの側面を考慮する必要がある。前節では，言語学習のプロセスを見てきたが，言語使用における理解と産出の言語処理（language processing）のプロセスも見てみよう。

言語処理モード

FonF の概念は，当初は指導テクニックをさす用語として提案されたが，今では言語処理モードを表す用語としても使われるようになっている。ヒトの言語処理のデフォルト値（初期設定値）は，FonM である。つまり，メッセージ全体の意味を理解するために言語を処理するのである。よって，言語学習を起こすためには，FonM モードを適宜 FonF モードにスイッチさせる必要がある（Doughty, 2001 参照）。FonF モードとは，言語形式と意味，機能の同時処理を起こすことである。学習者は自分で辞書や文法書を調べるなどの FonFS を行うことはできる。しかし学習者が自分で言語形式と意味／機能の同時処理をすることは，コンテクストが明らかな場面や，タスクの認知的要求度が適切であれば可能ではあるが，FonM モードから FonF にスイッチするのはそれほど容易なことではない。そこで，教室指導により認知的な介入をする意義があるのである。

言語処理のモデル

図 18 は，最近 SLA でしばしば引用される Levelt（1989, 1993）の言語処理のモデルである。これは，本来 NS の言語産出のモデルとして作られたものだが，de Bot（1992）が L2 にも適用して以来，L2 の言語産出のみならず，理解も含む言語処理のモデルとして使われるようになった（例：de Bot, 1996,「アウトプット仮説」; Doughty, 2001,「Focus on Form」; Gass & Selinker, 2001; Nation, 2001,「語彙習得」; Pienemann, 1998,「処理可能性理論」）。図 18 では，段階を踏んで言語産出や理解のプロセスが流れているようであるが，実際の流暢な言語使用では，音韻レベルから談話レベルまですべての階層の処理がほぼ同時に瞬時に起きている。言語処理のシステム全体は手続き的知識（procedural knowledge）に支えられて動く。手続き的知識とは，"knowing how" に関するスキル的な知識である。一方，宣言的知識（declarative knowledge）とは，"knowing what" に関する知識，事柄に関する知識である。唯一の宣言的知識が心的辞書で，ここに語彙が貯蔵されている。語彙は，辞書的な意味だけでなく，どんな語と結びつくかなど文法的な情報も含む。また，会話なら左側の産出のプロセスと，右側の理解のプロセスがほぼ同時に動いている。よって，教室でもこの言語処理のシステ

ム全体を動かすような指導が必要である。

　言語理解においては，インプットは音韻解析，語彙選択，文法解析を通じて解読され，さらに談話や百科事典的知識も使って理解される。言語理解においては，矢印が双方向にあるように，インプットから情報を取るボトムアップと，長期記憶にある知識を使うトップダウンの両方の処理が行われる。このプロセスにおいて，心的辞書に対応するL2の見出し語がない場合，新たな見出し語が形成される。また，言語学習のためには，瞬時単位で

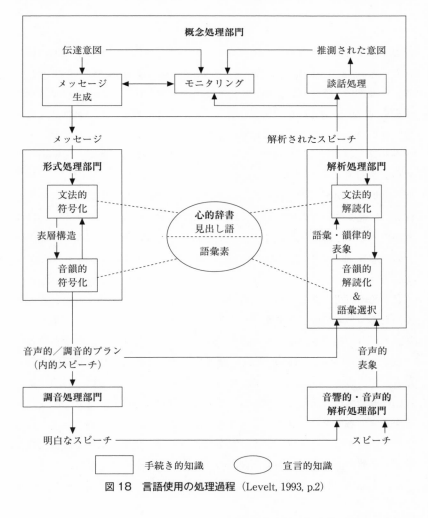

図18　言語使用の処理過程　（Levelt, 1993, p.2）

インプットと心的表象（中間言語知識）とアウトプットの認知比較がなされる。言語産出においては，発話行為の概念的内容がプランニングされ，それが命題として符号化され，形式処理部門へ送られる。そこではメッセージの文法的，音韻的符号化を行ってから，調音処理がなされて，外にスピーチとして出される。また内的スピーチプランは概念化処理部門に戻され，モニターが働く。言語産出のプロセスでも，発話意図とインプット，アウトプットとの認知比較が起こっている。

言語処理と言語学習

　このような言語処理も言語学習のための処理も，作動記憶で認知的に行われている。L2 の言語処理システムが，その時点の能力では対処不可能と判断した場合に，言語学習が始まる。スピーチの流れから言語の断片に選択的注意を向け，抽出されたインプットがインテイクである。この選択的注意を促す時点や上記の認知比較は短期的，瞬時的に起きるので，教育的介入を行うチャンスがある。たとえば，フィードバックを与えることで，認知過程への介入を行うことができる。一方，新しいインプットの内在化，マッピング，分析や再構築など，長期記憶への統合のプロセスは，継続的で，しかも自動的に起きているので，外から直接そのプロセスにアクセスすることはできない。しかし，選択的注意や認知比較のプロセスに働きかけることで，統合のプロセスにも影響を及ぼすことができると考えられている（Doughty, 2001 を参照）。

　日本語の習得に関しては，学習者は日本語固有の処理手順を自動化する必要がある。日本語固有と考えられるのは，少なくとも英語と比較すると，日本語が話者の視点や態度を形態素や統語レベルで符号化することが多いという点である。Levelt（1989）は，言語処理手順はどの言語にも普遍的なものだとしているが，de Bot（1992）のバイリンガル・モデルでは，言語による違いは概念処理の段階に現れるとしている。概念処理においては，伝達ゴールを設定するマクロ・プランニングの段階があり，これはどの言語にも共通である。しかし，ミクロ・プランニングの段階で，話者の伝達意図の精緻化を図る必要があり，これが言語固有のプランニングが必要な部分だとされている。よって，日本語習得の場合，話者の視点や態度を形態素や統語レベル

で符号化するには，この段階で処理されなくてはならない（小柳 2002,
2016d）。つまり，教室指導では，概念処理の段階，つまり，そのような気
持ちを表現しようとする場面をできるだけ多く作りだして練習させなけれ
ば，言語産出のプロセスを自動化することはできないと言える。

7.3　明示的学習 vs. 暗示的学習

　第 6 章の終わりで述べたように，近年の SLA 研究においては，明示的学
習と暗示的学習の比較が関心を集めている。第 6 章では主として明示的指導
と暗示的指導という語を用いたが，これは教師の視点から見た用語である。
明示的学習と暗示的学習はあくまでも学習者の内的な学習メカニズムから見
た用語である。たとえば，教師が明示的指導をしているつもりでも，提示さ
れた規則が難しくて使うことができず，学習者にとっては暗示的学習になる
ことがあり得る。反対に，教師が暗示的指導をしていても，規則が易しけれ
ば，ある時点で学習者が規則に気づき，それを適用して練習したとしたら，
気づいた時点から明示的学習になることもある。よって，認知心理学の暗示
的学習の実験では，フォローアップインタビューで，途中で規則に気づいて
それを適用したと答えた参加者は，データから除外するということも行われ
るほどである。

　SLA では暗示的指導の効果が十分に検証されていない（Norris & Ortega,
2000）と指摘されたが，認知心理学でも，暗示的学習の研究の歴史は比較的
浅いとされる。たとえば，Berry（1998）は，Reber（1967）が暗示的学習
の研究を始めた頃は，ほとんど注目されなかったが，今では多くの関心を集
めていると述べていた。また，本格的な研究が始まった当初は，暗示的学習
の定義などで研究者の間で見解の一致が見られないなどの問題を抱えていた
（Frensch, 1998 参照）。

　SLA において明示的学習と暗示的学習に関心が集まっている背景には，
認知心理学の記憶の理論である「転移適切性処理の原理（Principle of
Transfer Appropriate Processing）」（Morris, Bransford & Franks, 1977）
が SLA にも適用されるようになった（Hulstijn, 2002; Segalowitz, 2003 等）
ことがある。本章の 2.4.3 でも言及したように，この原理は，記憶に覚え込
ませる方法と，テストで記憶から取りだす方法が一致しているほど，テスト

の成績がよくなるというものである。これを SLA にあてはめると，規則が
提示され，それを適用しながら演繹的に学ぶ明示的学習は，文法のペーパー
テストに有利だと考えられる。一方，意味あるコンテクストの中で用例に多
く出会うことにより学んでいく暗示的学習は，自発的な言語産出やスキル
ベースのテストに有利だと考えられる。言語運用は本来，暗示的なものなの
で，そのような運用能力の習得には暗示的学習の方が有効だろうという予測
が成り立つ。したがって，暗示的学習の効果を調べることは，追求する価値
がある重要なテーマだと見なされるようになったのである。（明示的／暗示
的学習の詳細は，小柳 2016a, 2018a を参照のこと。）

7.3.1 暗示的学習と手続き的知識

　Doughty（2003）は，Norris & Ortega（2000）のメタ分析を受けて，言
語スキルは複雑な認知スキルであり，そのような手続き的知識は暗示的学習
においてのみ発達すると論じている。図18 にあるように，言語処理システ
ムの各部門を連動させて動かすシステムは，かなり複雑な認知処理をともな
う。Berry（1994）や Doughty（2003）は，認知心理学の複雑な認知スキル
の習得に関する研究を概観して，そのようなスキルの発達において，正確さ
と流暢さは，暗示的学習の産物として習得されるとしている。また，学習過
程では，手続き的知識がまず発達し，宣言的知識が生まれるとすればその後
だとしている。課題をどのように遂行したかを後でだれかに伝えるように，
という指示がなければ，宣言的知識が発達しないままに終わることが多いと
も論じている。さらに，明示的学習は，規則的構造が明瞭，単純でない場合
は，弊害になるとしている。よって，言語学習のデザインから宣言的知識，つ
まり文法説明は一切排除すべきだという強い立場をとる研究者（Doughty,
2003; Long & Robinson, 1998）もいる。
　第 2 章で紹介した SLA の様々な理論やモデルの中では，用法基盤的アプ
ローチが暗示的学習のメカニズムを最も説明し得ると考えられている。この
理論では，インプットから始まるボトムアップ処理で習得をとらえ，言語学
習は意識的な努力の結果ではなく，用例を蓄積しながら，インプットから意
味あるパターンを抽出していくプロセスだと見ている。また，パターンが抽
出され，規則性のある言語行動が見られたとしても，その根底に，必ずしも規

則があるわけではないと考えられている（Bybee, 2008; Lieven & Tomasello, 2008）。L2 で暗示的に言語が習得されることは，6.3.2 で紹介したリキャストの実証研究でも示されている。

　用法基盤的アプローチにおいては，L1 も L2 も基本的には同一の暗示的学習メカニズムが習得に関わっていると考える。プライミング効果に示されるように，大人の学習者でも暗示的学習をすることは可能である。しかし，L2 は L1 並みの高い熟達度に到達することは難しく，個人差も大きい。つまり，大人の L2 の暗示的学習には限界もあるのである。その一因として，先行する L1 の経験を通して学習された注意により，L2 で気づかれにくい言語形式の学習がブロックされる（N. Ellis, 2006, 2008）からだと考えられている。4.2.1 で紹介したように，実際，形態素としての過去形を持たない中国語の話者は，過去形を持つ言語を L1 とする話者より，習得が遅れる（N.Ellis & Sagarra, 2010a, b, 2011）ことが示されている。したがって，このような言語形式に対して学習者の注意が向けられるように，Focus on Form を実現する教育的介入をする意義があると言える。

7.3.2　言語学習における宣言的知識の役割

　今でも文法説明が重要だと考える教師は多く，それを期待する学習者も依然として多いと思われる。そこで，教師が，言語学習における宣言的知識の役割を科学的に理解しておくことは重要である。1990 年代の SLA 研究（de Graaff, 1997; DeKeyser, 1994, 1995; Robinson, 1997 等）では，規則提示は簡単な規則に関して少なくとも指導直後の効果はあるが，複雑な規則に関しては学習者を混乱させるだけで効果がないという結果が出ていた。また，VanPatten & Oikkenon（1996）は，理解中心のインプット処理指導において，文法説明の後，理解中心のタスクを行ったグループ，タスクのみのグループ，文法説明のみのグループを比較した。指導の効果は，文法＋タスクとタスクのみのグループに同程度に見られたが，文法説明のみのグループは習得への効果がなかったという結果が報告されている。つまり，文法説明そのものが習得を起こすことはなく，文法説明の有無にかかわらずタスクにより習得は起きていたということである。よって，規則提示の効果は，かなり限定的だと言える。

Hulstijn（2002）は宣言的知識（文法説明）に関して，上述の Doughty（2003）等より中立的な立場をとっている。Hulstijn は，暗示的学習を脳の神経ネットワーク形成のプロセスであるというコネクショニスト的な見方でとらえている。そして，明示的学習は，シンボル（概念）やその関係を示す規則の形態をとり，言語報告が可能な意識的，熟慮的なプロセスと定義して，暗示的学習と区別している。この意味において，二つの学習モードはノン・インターフェース，つまり，接点はないとしながらも，明示的モードを使うかどうかは学習者のオプションだとしている。ただし，メタ言語的知識と言っても，詳細な規則の記述ではなくて，概念的な理解でよいとしている。それは，Levelt（1989, 1993）の言語処理モデルを見ても明らかである。宣言的知識からなる心的辞書の語彙には，文法的な意味情報が含まれているが，それは，語彙の品詞が何か，動詞なら名詞をいくつ取るかといった情報のみである。

　一方，DeKeyser（1998, 2001）のように，言語の宣言的知識が練習により手続き的知識に変換されるというスキル習得論による強いインターフェースの立場も存在する。宣言的知識を練習により手続き的知識に変えるというのは誤解を招きやすいが，手続き化，自動化するのは詳細に記述された規則ではなくて，規則適用のプロセスである。言語において，宣言的知識だと思われるものでも，それだけでパフォーマンスができるわけではない。たとえば，「英語の th の発音は歯と歯の間に舌を挟む」という説明を聞いて，そのように発音してみようと試みた時，意識は舌先にあっても声門や口蓋の位置などは暗示的，付随的に習得しているはずで，宣言的知識そのものが手続き的知識に変換されるとは言えないだろう。英語の冠詞の用法について詳細な文法説明を学生時代に何度も聞いた経験があるかもしれないが，かといって，その知識が即座に言語運用する場面で役に立っていたとはあまり思えないのではないだろうか。

　日本語では，Moroishi（1999）が，推量助動詞の区別（〜そうだ／〜らしい／〜ようだ／〜だろう）に関して，文法説明をしてから，意味ある活動を行った方が効果があったとしているが，Moroishi の四つの推量助動詞の個々の言語形式は初出ではない。認知心理学の文献にあるように，手続き的知識が発達してからオプションとして宣言的知識が発達するとすれば，十分

練習を積んだ上で，まとめとして後から文法説明をした方が，学習者の頭が
すっきりと整理されて，定着がよいと考えられる。また，学習者の個人差を
考えた場合，学習のある段階で，文法説明を受けることによって助けられる
学習者も存在するだろう。よって，あくまでも意味重視の伝達活動を行うこ
とを前提に，オプションとして明示的モードを組み込むかどうかを考えてい
くべきであろう。

註
1. 作動記憶（working memory）は「作業記憶」と訳されることもある。最近
では，「ワーキングメモリ」というカタカナ語も使用されている。

▶コラム：言語習得と外国語教授法⑹　　Column

～ Focus on Form とタスク・ベースの教授法～

　外国語教授法は，様々な言語理論や心理学の学習理論などに基づ
いて，提案されてきた。本書で紹介してきたように，言語習得の理
論に影響を受けた外国語教授法もあった。それぞれが当時の理論に
かなったものではあったが，実証された上で提案されたものではな
かった。SLA 研究で有効性が証明される前に，教授法として広ま
り確立したのである。それで，今では SLA の実証を蓄積した上
で，教授法も提案していこうという動きが起きている。それが，
Focus on Form も取り込んだタスク・ベースの教授法（Task-
based Language Teaching, 以下 TBLT）である。TBLT は，語彙
シラバスの提唱者（Willis, 1996）や応用言語学者など（R. Ellis,
2003[1]; Nunan, 1989 等）の提案によるものもあるが，ここでは，
Focus on Form の提唱者（Long, 1985b, 1997b, 2000, 2015; Long &
Crookes, 1992, 1993; Robinson, 2001a, b; Skehan, 1996, 1998;

Skehan & Foster, 2001 等）が提案している TBLT を紹介する。

タスクの定義はいくつかあるが，Long（1985b）は，実生活の経験を強調したタスクの定義をしている。

> 自分，または他人のために，もしくは自由意志で，またはある報酬のために行われる仕事のことをいう。したがって，タスクの例としては，フェンスにペンキを塗る，子どもに服を着せる，用紙に書き込む，一足の靴を買う，飛行機の予約をする，図書館の本を借りる，運転テストを受ける，手紙をタイプする，患者の体重を計る，手紙を仕分けする，ホテルの予約を取る，小切手を書く，通りの行き先を見つける，道を渡る人を助けるなどがあげられる。言い換えるなら，「タスク」の意味するものは，仕事で，遊びで，またはその間に日常生活で人々が行っている 101 の仕事のことである。
>
> （Long, 1985b, p.89）

TBLT では，学習者にとってどんなタスクが必要になるかを分析することが，TBLT 開発の第一歩になる。開発過程には，以下のようなサイクルが考えられる。

TBLT の開発段階
(1) 目標タスクを特定するタスク・ベースのニーズ分析を行う
(2) 目標タスクのタイプを分類する
(3) 教育上のタスクを設定する
(4) タスク・ベースのシラバスの流れを設定する
(5) 適切な教授法を選択しシラバスをカリキュラムに組み込む
(6) タスク・ベースの目標準拠の言語運用テストにより学習者を評価する
(7) プログラムを評価する

（Long, 1997b, 2000）

(1)の段階のニーズ分析は，コミュニカティブ・アプローチでも行われてきたが，このニーズ分析は，学習者のニーズ調査だけでなく，目標言語の使用領域における母語話者の談話の分析や，時には同じ領域でも相手が非母語話者の場合に母語話者の言語が変化しないかを調べることも含まれている。

目標タスクを洗いだしたら，(2)の段階では，どれを優先順位としてコースで扱うかを選定する。その際には，学習者のニーズや習得の発達段階を考慮する必要がある。(3)の段階では教育タスクを導き

だす作業を行うが，教育タスクとは，目標タスクを遂行するための練習として行う下位分類のタスクのことである。

　(1)から(3)の段階で抽出されたタスクでシラバスを作成するのが(4)の段階である。上記の TBLT 提唱者の間では，文法項目や言語機能などの言語項目をシラバスの拠り所としないことで見解は一致している。よって，教師が考えた文法の難易度により項目を並べるのではなく，認知的な複雑さ（task complexity）を基準にタスクを配列すべきだとされている。これは，予備知識の有無，推論をともなうか，時間的，空間的に身近なことか，離れたことか，というような要素を操作して認知的負荷を増していくことにより，注意や記憶の活性化状態を高め，正確さ，流暢さ，および文構造の複雑さに

表 14　TBLT の方法論上の原則（Long, 2015; Doughty & Long, 2003a）

	原則	L2 における実行
活動	1．分析単位としてテキストではなくタスクを用いる	TBLT（目標タスク，教育タスク，タスクの配列）
	2．何かをやることにより学習を促進	
インプット	3．精緻インプット（簡略化しない，生教材のテキストのみに頼らない）	意味交渉，相互交流的な修正，精緻化
	4．（貧弱ではない）リッチなインプットの提供	様々なインプット源にさらす
学習過程	5．帰納的（チャンク）学習を奨励	暗示的インストラクション
	6．Focus on Form	注意：言語形式と機能のマッピング
	7．否定的フィードバックの提供	誤りへのフィードバック（例：リキャスト）誤りの訂正
	8．「学習者のシラバス」／発達過程を尊重	発達上のレディネスに対する教育的介入のタイミング
	9．共同／協力学習の促進	意味交渉，相互交流的な修正
学習者	10．（伝達ニーズにより，また，心理言語面への配慮から）インストラクションを個別化	ニーズ分析，個人差（記憶，適性）や学習ストラテジーへの配慮

同時にインパクトを与えようとするものである（Robinson, 2001a, b 参照）。

(5)の段階では，教室でどのようにタスク活動を行うかを決定する。この中には，教師主導で行うのか，ペアワークにするのかという教室活動の手順や，どのように Focus on Form のテクニックを盛り込んでいくかというようなことが含まれる。

教授法が決定したら，(6)の段階では言語運用能力を測定する方法を考える必要がある。TBLT によるコースでは，従来からの集団準拠の紙のテストではなくて，目標準拠でタスク・ベースのパフォーマンス・テストを用いて学習者の言語運用を図るべきだとされている（具体的な提案は Norris et al., 1998 を参照のこと）。コースが一通り行われたら，(7)の段階でプログラムの評価を行う。必要があれば，前の段階に戻ってプログラムを改善することも可能であろう。

TBLT が目ざすのは，SLA の実証に基づいた心理言語的プロセスを考慮した教授法である。その根拠として次のようなことがあげられている。言語形式の習得順序と指導の順序はほとんど一致していないこと，言語学習は右肩上がりの一直線の発達をするのではなくて，累積的で複雑なプロセスであること，発達段階と指導のタイミングが合っていなければ指導は効果がないが，発達段階に合わせて言語形式を配列するのはほとんど不可能であること，特に初級ではダイアローグやテキストは人工的で，言語的にも機能的にもインプットとしては貧弱なので，習得のレディネスがあるかもしれない言語インプットを受けることができないことなどである（Long, 1997b; Robinson, 2001b 等）。学習環境のデザインにおいては，心理言語的に見て最適な環境を作りだすべきだとして，表14のように方法論上の原則が示されている。（方法論上の原則については本書第 12 章で検討する。TBLT の詳細は，小柳 2008, 2012, 2018b を参照されたい。）SLA の実証に基づいた教授法が考案されれば，教室を短期間で効率よく言語を習得する場所に変えることができると期待できる。

近年，外国語教育では，言語能力の基準として，習熟段階のそれぞれのレベルでできることは何かという観点から，Can-do（「私は〜ことができる」）で能力を記述することが一種のトレンドのようになっている。現行の日本語能力試験は，改定後も「話す」「書く」の言語産出の２技能のテストの導入が見送られたが，国際交流基金は，「聞く」「読む」のみならず，「話す」「書く」のCan-doと，N1からN5のそれぞれのレベルの受験者が，どの程度確信を持って「できる」と答えたかという調査結果を公開している[2]。さらに，国際交流基金は，ヨーロッパ言語共通参照枠（CEFR: Common European Framework of Reference for Languages）（Council of Europe, 2001）の基準を取り入れ，「JF日本語教育スタンダード」を作成，公開している[3]。基本的な考え方は行動中心主義で，言語を使って実際に何ができるようになるかを重視して，レベル毎の学習目標を定めている。具体的な行動としてのCan-doの記述（Can-do statements）は，Long（1985b）のタスクの定義に近いと言えるだろう。

　日本語教育においては，CEFRの行動中心主義の考え方（奥村・櫻井・鈴木2016参照）を取り入れて作成された教科書がある。『できる日本語』シリーズ（できる日本語教材開発プロジェクト編，アルク）の教科書は，各課の目標を行動で示し，具体的にその課でできるようにすべきことを教師，学習者共に意識し，共有できるようにしている。表15は，『できる日本語　中級』のシラバスの中から第1課を抜粋したものである。行動目標が具体的に示されており，その目標に到達するための下位目標も定められている。これは，TBLTでいう目標タスクと教育タスクの記述に近い。学習項目の文型はあくまでも付随的な項目として，表の右側に記載され，従来の文法シラバスのように文型が前面に出ているわけではない。

　TBLTはこれまでのSLA研究の成果を反映させた教授法として提唱されているが，タスクに関わるSLAのすべての問題が解決しているわけではない。タスクの認知的な複雑さを操作したり，タスクの実施手順（プランニングの時間，タスクの繰り返し）を変える

ことで，学習者の言語運用にどんなインパクトが与えられるかな
ど，さらなる研究課題も生まれている。（詳細は，小柳 2013, 2018b
を参照されたい。）今後もいっそう研究が進み，教育現場に還元さ
れることを期待したい。

註
1. R. Ellis（1997a, 2003）は，メタ言語的な練習である FonFS も含め
てタスクとしており，FonF の提唱者とは立場が異なる。また，従来の
コミュニカティブ・アプローチで，文法練習をしてから応用で行うコ
ミュニカティブなアクティビティをタスクと呼ぶこともあるが，この
ようなやり方は Task-supported と見なされ，Task-based とは異なる
としている。
2. 日本語能力試験自己評価 Can-do リストは以下の URL を参照され
たい。https://www.jlpt.jp/about/candolist.html
3. JF 日本語教育スタンダードの説明は，以下の URL を参照された
い。https://jfstandard.jp/summary/ja/render.do

表15 『できる日本語 中級 本冊』(できる日本語教材開発プロジェクト 2013) シラバスの抜粋 (第1課)

課 タイトル	行動目標		できること	学習項目
1 新たな出会い	新しい環境に自分から挑戦して、その環境に自己紹介することができる。	1 見つけた！	興味のあるお知らせの情報を読み取ることができる。	1 ～において/～におけろ 2 ～上（で） 3 ～てほしい/～てもらいたい イベントのお知らせでよく見ることば
		2 こんなときどうする？	参加するイベントの内容を話して友達を誘うことができる。	1 <u>よね</u> 2 ～とか～とか 3 ～だけ/～だけの 友達を誘うときに使う表現
		3 耳でキャッチ	天気予報を聞き取って自分の行動を決めることができる。	1 ～でしょう/～だろう 2 ～から～にかけて 3 ～と、A/V 天気予報でよく聞くことば・表現
		4 伝えてみよう	覚えてもらえるように印象的に自己紹介することができる。	1 ～がきっかけで 2 ～っぽい 3 ～でも（極端な例） 自己紹介で使える表現 性格を表すことば
		知って楽しむ	おしゃべりのきっかけ	

第 8 章　言語学習の開始年齢

▶本章の概要

　FLA の臨界期仮説は SLA にも有効であるが，言語の領域により臨界期は異なるようである。また，母語話者並みのレベルに達する例外的なケースもあるので，臨界期というより，SLA に最適な「敏感期」があるという見解もある。年齢による差は，脳の学習メカニズムの変化や，自我が確立した大人の心理的な障壁などが絡んで現れる。また，第二言語の学習を始めるのに早ければ早いほどいいとは一概に言えない。バイリンガリズムは，認知能力の発達への影響，二つの言語を維持することの難しさ，二つの文化の間でゆれるアイデンティティの確立などの問題が生じる。

　　キーワード：複数臨界期仮説，敏感期，バイリンガル，言語喪失，ことば
　　　　　　　の維持

8.1　年齢と SLA

8.1.1　臨界期仮説

SLA における臨界期仮説

　FLA では，しかるべき年齢で人間環境から隔離されて育った場合，あるいは脳の障害で後天的に失語症になった場合，言語を回復するのが難しかったという事例があった。SLA には年齢がどう影響するのだろうか。最近は日本でも小学校の英語教育の是非が議論の的となっているが，L2 学習のスタートは早ければ早いほどいいのだろうか。FLA の「臨界期仮説」（Lenneberg, 1967）では，言語を習得するのに最適な年齢があり，その年齢を越えると次第に言語を習得するのが困難になるとされていた。Scovel（1969, 1988）は，

この臨界期仮説は SLA でも有効だとしている。年齢の境とされるのは，脳の機能が左右どちらかに固定されていく一側化が起きる時期，思春期あたりである。初期の研究は，発音に関するものが多く，年齢が高くなると母語話者並みの発音を習得するのは難しくなるので，L2 を始めるのは早ければ早いほどいいと言われるようになった。

言語領域による臨界期

その後，「臨界期仮説」に関する研究は，形態素や統語にも広がっていった。そして，Seliger (1978) は，複数臨界期仮説（Multiple Critical Period Hypothesis）を提案し，脳の一側化は徐々に起きるので，言語の領域により異なる臨界期があるのではないかとしている。たとえば，文法と音声では臨界期は必ずしも一致していないのではないかと考えられる。実際，音声にはL1 の影響が残ることが多いが，文法に関しては母語話者のレベルに近づく人はもっと多いのではないだろうか。しかし，発音でも例外的に母語話者並みのレベルに達した大人の学習者がいることが報告されている（Bongaerts, 1999）。よって，「臨界期」よりは少し意味合いが弱い「敏感期（sensitive period)」という語が使われることもある。これは，ある年齢以上になると，L2 で母語話者並みの言語能力レベルに到達するのは絶対に無理というのではなくて，言語習得が比較的容易に起きる時期，言語学習により好ましい時期が人生の中で存在するということである。最近では，臨界期は一般に考えられている思春期よりもっと早くて，6歳でも言語習得が難しくなるケースもある（Long, 1990）と言われており，厳密に何歳というのは難しいようである。

SLA に「臨界期」が存在すると断言できるのか，言語学習開始年齢の違いによる L2 の最終到達度をどうやって決定するのか，学習条件の違いをどうコントロールして実証するのかなど，方法論上の議論は今でも絶えない。たとえば，開始年齢が早いということは，それだけ学習期間も長いのだから，言語運用能力が高いのは当然ではないかと疑問視することもできるのである。（Scovel, 2000; Singleton, 2001; Hyltenstam & Abrahamsson, 2003 のレビューを参照。）

L2学習における大人と子どもの違い

　初期の研究をまとめて，Krashen, Long & Scarcella（1979）は，年齢の影響について，年少の子ども，年長の子どもと大人を比較した結果を学習のスピードと最終到達度に分けて次のようにまとめている。まず，形態素や統語の初期段階では，大人の方が子どもより習得のスピードが速い。これは，大人はすでに認知能力が発達しており，文法を把握する力もあることから，初期段階が早いのはうなずける。また，年長の子どもは年少の子どもより学習スピードは速いが，長期的に見れば，年少の子どもの方が高いレベルに到達する。最終到達度に関しては，0〜6歳で始めると，母語話者と比べても遜色のないレベルに達するケースが多いと言われている。7歳以降になると，音声，形態素，統語，コロケーション（言い回し）において母語話者レベルになるのは難しいが，これには個人差も大きく，母語話者レベルになるような例外もある。

年齢と文法能力の関係

　実際に年齢と文法能力の関係を調べた有名な研究に，J. Johnson & Newport（1989）がある。この中で，韓国人および中国人の米国移住者で5年以上居住している46人について，米国への到着年齢とテープによる文法性判断テストのスコアの関係を調べた。その結果，7歳以前に移住した者の間に違いはなかったが，7歳以降はテストの成績に下降傾向が見られた。よって，この調査から，7歳あたりを境に最終到達度が低くなっていくとしている。ただし，17歳以降に移住した者の間では，年齢は成績の予測因子にならなかったようで，個人差もあるようである。この研究に触発されて，その後も年齢とSLAの最終到達度の関係は研究されているが，相関関係は見られるものの，因果関係を示したものではないというような批判（Bialystok & Hakuta, 1999 等）もある。

　その後，DeKeyser（2000）が，Johnson & Newport（1989）の追検証を行っている。調査は，ハンガリー人の米国移住者57人について行われ，調査当時16歳以上の年齢に達していて，移住後10年以上経過していることが対象者の条件であった。そして，到着年齢と文法性判断テストに加え，言語適性として文法に対する敏感さ（grammatical sensitivity）のテストとの関

係を調べた。その結果，到着年齢が低い場合，言語適性は最終到達度の予測因子にならなかったが，到着年齢が高い場合は，言語適性が最終到達度の予測因子であったことを報告している。つまり，子どもの時に移住した場合は，言語適性にかかわらず，だれでも高い言語レベルに到達したが，大人になると年齢よりも言語適性による個人差が，最終的な到達レベルにつながっているようである。DeKeyser は，臨界期仮説を狭義に解釈し，生得的な暗示的学習のメカニズム，つまりコンテクストの中で用例に多く出会うタイプの学習に頼る場合は，臨界期は存在するとしている。しかし，生得的な言語学習機能を失った後は，より明示的な学習のメカニズムが働くと考えている。

早ければ早いほどいいか？

年齢が上がると，次第に言語を容易に習得できなくなることに異論はないと思うが，遅く始めても母語話者並みの言語能力を習得する人もいる。特に発音は，遅く始めた場合に母語話者レベルになるのが難しいとされるが，発音のみが言語運用能力を測る決め手にはならない。したがって，大人になってからでも，十分な伝達能力を身につけることは可能である。一方で，Harley & Wang（1997）は，幼少の頃から2言語を同時に習得し始めた場合でも，両方が母語話者並みになるケースは非常に少ない点を指摘している。移民のケースでは，調査はL2に関してしか行われていないが，L1が維持されていたかどうかは不明である。若い年齢で移住していれば，L2は習得したかもしれないが，L1が維持されていたかは疑問である。最近では，外国語を早く始めるよりも，母語が確立してから，ある時期集中して言語学習をすることの方が大切だとする意見もある。

8.1.2　年齢による違いが起きる要因

学習メカニズムの変化

FLA の臨界期は，脳の一側化が起きる時期と重なっていることから，脳になんらかの変化が起き，生得的な言語習得能力が失われると考えられている。第2章（2.1.1）で述べたように，大人の SLA に普遍文法（UG）がどれほど機能しているかに関しては見解が分かれる。UG が全く機能しなくなると考える研究者もいるし，少なくとも生得的な言語学習ストラテジーは失わ

れるという見解もある。たとえば，FLA の学習原理である部分集合の原理
（第 4 章，4.2.2 参照）は働かなくなり，UG のパラメータの再設定が難しく
なるのではないかと考えられる。また，子どもの場合は，記憶力，認知能力
が発達していないのがかえって好都合で，記憶のスパンが短いために，小さ
な言語の単位しか覚えていられないことや，自己中心的な言語機能からしか
始められないことが，言語学習にはプラスに働く。ところが，大人は言語の
あらゆる特徴に一度にさらされ，対処できなくなってしまう（Birdsong,
1999 参照）。

　SLA の場合は，脳の学習メカニズムの変化だけでなくて，もっと様々な
要因が絡み合って，年齢による習得スピードや最終到達度に差が出るようで
ある。音声に関しては，子どもはすでに生後 6 か月で，母語の音のみに反応
し，外国語の音を弁別できなくなることを第 1 部で述べた。よって，母語と
異なる音への敏感さは大人になると失われるのは当然である。日本人の帰国
子女でも，渡米年齢 11 歳あたりを境に，英語の L と R の音の区別ができる
かどうかが決まると言われる。発音が母語話者レベルにならないのは，脳の
一側化だけではなくて，神経筋肉運動の弾力性や柔軟性も，年齢と共に衰え
るからではないかとされている。

　それから，言語学習を始める年齢によっては，学習者にはすでに認知能力
が備わっていて，情緒的にも感受性が発達しており，時にはそれが障害にな
ることも想像がつく。Piaget（1972）は，人間の認知的な発達段階を，感覚
運動期（生後〜 2 歳），前操作期（2 〜 7 歳），具体的操作期（7 〜 11 歳），
形式的操作期（11 〜 16 歳）に分けている。感覚運動期は，周囲の環境に順
応しようという時期である。前操作期は，前論理期とも呼ばれ，目前にない
事物や出来事を記憶し，思考する範囲が広がる時期である。具体的操作期に
は実際の事物を対象とした分類や順序づけなどの操作が可能になり，形式的
操作期には，抽象的な思考が可能になると考えられている。大人が初期段階
で習得が速いのは，抽象的，論理的な思考ができるようになっているので，
文法を把握してことばを使うのが上手だからであろう。Genesee（1987）
は，大人の学習者は物事を抽象化，分類，一般化する思考力があり，問題解
決能力において子どもより優れているが，そのような能力の発達と同時に言
語習得装置は機能しなくなるとしている。

心理面の変化

　年齢は心理的，情意的な面からも SLA に影響を与える。たとえば，言語習得において，目標言語の国や人々に対する価値観や感情に自分を同化させようとする感情移入（empathy）をすることが必要だが，年齢が上がるにつれ，目標言語の文化や社会とは社会心理的な距離を作ってしまったり，言語学習にともなう自我（language ego）が形成されてしまう。また，大人になると，L1 社会に帰属していたいという意識が強く，L2 の習得で別の社会に帰属することへの拒否反応が，そのまま言語学習に対する心理的な壁になってしまうことがある。L1 からの転移をわざと音声に意識的に残そうとするケースもあるという。

　以上のような理由から，思春期前後から，FLA と同様，SLA も次第に難しくなっていく。しかし，年齢そのものが決定的要因なのではなくて，年齢にともなう認知能力の発達や個人の心理的，情意的な要因も影響し合って，SLA の学習スピードや最終到達レベルに個人間の違いをもたらす。そのような学習者要因に関しては第 9 ～ 11 章でまた詳しく扱う。

8.1.3　臨界期に関する新たな見解

　SLA における臨界期仮説の妥当性の検証は，常に関心を集めてきた研究テーマである。移住先の国への到着年齢と言語能力の関係について，様々な検討がなされてきた。近年は，以前より洗練された研究方法で厳密に調べられるようになり，若くして移住した場合でも，到達レベルは母語話者並みとは言えないというような研究結果も出てきている。たとえば，Abrahamsson & Hyltenstam（2008, 2009）は，スウェーデン語の母語話者が録音テープを聞いて母語話者だと判定した非母語話者（L1：スペイン語）を対象に，文法性判断テストや録音テープを用いて母語話者と比較している。上述の DeKeyser（2000）の文法性判断テストは，難易度が低くて，参加者の文法能力が適切に識別できていないという批判があったため，この研究では，文法性判断テストの難易度を上げている。また，母語話者が母語話者と間違えるほど，調査対象者の発音は完璧だったわけだが，コンピュータソフトによる音響分析により，厳密に発音やイントネーションを調べたのである。その結果，スウェーデンへの到着年齢が 11 歳以前であっても，それ以降であっ

ても，文法能力や発音において母語話者並みとは言えなかったと結論づけている。

　さらに，Long, Granena & Montero（2018）は，臨界期仮説を検証した先行研究を総括し，SLA において発音，語彙，文法などあらゆる領域で，母語話者並みになるのは不可能ではないかと論じている。よって，今では，L2 学習者の上級の言語能力とは何かという議論も起きている（Hyltenstam, 2016; Malovrh & Benati, 2018; Ortega & Byrnes, 2008 参照）。すなわち，習得のゴールを母語話者と同等レベルにするのが妥当かという問題が指摘されているのである。また，L2 の臨界期を検証した研究は，移住者を扱っており，母語をどれほど維持していたかには関心が払われていない。日本では，早期の外国語教育導入の是非がしばしば議論の的になるので，次節では，年齢の観点からバイリンガリズムを見ていくことにする。

8.2　年齢とバイリンガリズム
8.2.1　バイリンガルの定義

　「バイリンガル」「トリリンガル」というようなことばは，日常会話でも気軽に使われるが，厳密には「バイリンガル」の定義や分類には様々なものが存在する。「あの人はバイリンガルだ。」と言った場合，4 技能すべて，日常会話から学問，ビジネス・レベルまですべての談話領域でモノリンガルの母語話者と同等の言語運用能力を持った人がどれほどいるであろうか。

　まず，バイリンガルの定義として，2 言語の到達度による分類をすることがある。完全バイリンガル（proficiency bilingualism），部分的バイリンガル（partial bilingualism），制限的バイリンガル（limited bilingualism）の 3 種類の分類である。完全バイリンガルは 2 言語共，年齢相応のレベルに到達している場合である。部分的バイリンガルは，1 言語のみしか，年齢相応のレベルに到達していない場合である。制限的バイリンガルは 2 言語共，年齢相応レベルになっていない場合である。完全バイリンガルになるのが，もちろん理想ではあるが，実際は後者二つのケースも多いと思われる。特に制限的バイリンガルは，バイリンガルどころか 2 言語共に問題を抱えてしまうという問題がある。これは，子どもの責任ではないのだが，親の仕事の都合などで，成長期に 2 言語間をさまよった場合である。ある時期，どちらかの言

語でしっかり教育を受けないと，認知能力の発達にも影響を及ぼすことがあり，その結果，抽象的，論理的思考ができないことは，言語の熟達度にも影響を及ぼす。

　ほかにも，バイリンガルの発達過程により，同時発達バイリンガル（simultaneous bilingual）と，継起発達バイリンガル（sequential bilingual）のように分類することがある。前者は，2言語に同時に接触してバイリンガルになる場合である。国際結婚の子どもで親から両方の言語を聞いて育った場合は，これにあたる。後者は，一つの言語が先行し，その上に二つ目が加わる場合である。海外駐在員の子弟で，子どもの時に海外に移り住んだ場合は，これにあたる。また，2言語の使用状況によっては，加算的バイリンガル（additive bilingualism）と減算的バイリンガル（subtractive bilingualism）に分類できる。加算的というのは，L1が確立しているところでL2が加わる場合である。L1で言語も認知能力も発達しているので，L2との接触でL1やL1によるアイデンティティが崩れることはないとされている。減算的バイリンガルとは，2言語環境で生活しても，どちらかの言語が失われてしまう場合である。特にL2環境において，L1やL1の文化がL2より社会的に劣勢だと感じると，L1が失われてしまうことが多い。さらに，バイリンガルの言語能力を区別して，基本的対人伝達能力（BICS: Basic Interpersonal Communicative Skills）と認知学習能力（CALP: Cognitive Academic Language Proficiency）に分けることがある。日常会話のようなBICSは両言語で発達しているかもしれないが，CALPで両言語とも年齢相応のレベルというのはなかなか難しいだろう。

8.2.2　ことばの維持の難しさ

　言語習得と並んで，L1あるいはL2をどれだけ維持し，どれだけ忘れていくかという言語喪失（language attrition）[1]の研究もある。習得する順序とは逆の順序で忘れていくとも言われている。これに関連することばの維持（language maintenance）の問題は，海外に移住した場合のL1の維持の問題もあるし，海外から戻ってきた場合にL2を維持していく難しさもある。子どもは大人より言語を学ぶには有利で，海外に行くと親より早く子どもの方が言語を習得するというのはよく聞かれることである。しかし，子どもは

覚えるのは早いが，忘れるのも早いとされている。よって，移住者の子ども
も，特に7〜8歳までに他国へ移住してしまうと，母語の維持がかなり難し
い。2言語のうち，どちらが優位になるかも年齢との関わりが大きいようで
ある。

　箕浦（2003）は，日本の帰国子女に関して，異文化体験のアイデンティ
ティ形成への影響に関して大がかりな調査報告をまとめている。その中で言
語に関しても触れているが，6歳以前に渡米した子どもは18人中15人が1
年半で英語の方が優位になったことが報告されている。保育園や幼稚園で英
語に浸ると，急速に英語力が伸びるようである。7〜10歳で渡米した場合
は，2年半から3年で日常会話も授業も支障がなくなるが，個人差が大きい
という。兄弟間の使用言語を見ると，8歳以前に渡米した場合は英語への移
行が起こりやすいが，9歳以降になると日本語が維持される傾向が見られ
た。また，9歳以降に渡米した者の中からは，日米語両方に優れた能力を持
つ者が出てくるが，それ以前ではどちらかが失われてしまうことが多いとい
うことである。つまり，箕浦は8〜9歳が言語習得の分岐点でないかと見て
いる。11歳以降になると，はじめの1年は，EFLのクラスでは話すが普通
のクラスでは黙っているという子どもが多く，日常会話で言いたいことが言
えるようになるのに2年程度かかるようである。さらに授業に苦労しなくな
るのが3年目の終わりで，本来の実力を発揮できるのは4年目だとされてい
る。帰国子女は海外に行って，みんな難なく一様に英語を習得してきたと思
われがちだが，実際には英語と日本語の間でかなり苦労している。また，そ
れと同時に，アイデンティティの確立においても難しい問題をはらんでいる。

8.2.3　バイリンガルの言語と認知
バイリンガリズムを説明する理論
　学業期に二つの言語や文化を行ったり来たりしなくてはならない子どもに
とっては，言語能力が学業成績にも影響を及ぼすので，バイリンガリズムは
深刻な問題である。2言語環境にあるカナダでは，バイリンガリズムの研究
が盛んだが，研究初期には，バイリンガルは天秤上で二つの言語のバランス
を取っている状態だと考えられていた。これが，均衡理論（balance theory）
である。2言語を天秤上にかけているので，バイリンガルの言語能力はモノ

リンガルより劣るとされていた。Cummins（1980, 1981）は，これを分離言語能力モデル（Separate Underlying Proficiency Model）と呼び，人間の能力は限られているので，どちらかの言語が優勢になると他方は劣勢になるのだと説明した。このたとえとしてよく使われるのは，頭の中のスペースは限られているので，二つの風船があって，片方がふくらむともう片方はしぼんでしまう状態である。よって，バイリンガルの子どもはモノリンガルに比べると不利だとされた。このように，研究が始まった当初は，バイリンガリズムはかなり否定的にとらえられていたようである。

　しかし，一方で，Cummins（1980, 1981）は，共有基底言語能力モデル（Common Underlying Proficiency Model）を示し，二つの言語の能力を氷山にたとえ，根底にある共有する能力の存在を強調している。氷山は，水面上に出ている氷はほんの一角で，水面下にはどっしりと大きな氷が広がっている。言語も同様に，表面に現れるL1とL2の言語能力は異なるが，共有する部分が根底にあると考えた。つまり，2言語発達において，根底にはどちらの言語においても利用できる共通の言語の土台があると考えたのである。（バイリンガルの2言語の関係については，中島2005のレビューを参照されたい。）さらに，言語能力だけでなくて，認知能力と関連づけるような理論も登場した。それが発達相互依存仮説（Developmental Independence Hypothesis）である。これは閾値理論（threshold theory）（Cummins, 1976）に基づくもので，子どものL1の言語発達が不十分な段階でバイリンガルを強要すると認知的な発達にはネガティブな影響をもたらすが，十分発達した段階でバイリンガルをスタートさせるとバランス・バイリンガルに近づくという考え方である。子どものL2の能力は，L1ですでに発達した言語能力に依存するので，L1が発達しているほど，L2も発達しやすいし，反対にL1の能力が低いとL2も発達しにくいとされている。バイリンガルになるには，L1の閾値，すなわち，L1のある一定レベルの言語能力の土台が必要だということである。

バイリンガリズムの是非
　上述のように，カナダの初期の研究ではバイリンガリズムは否定的にとらえられていたが，今ではバイリンガルの利点も明らかになっている。特に，

カナダのイマージョン教育においては，バイリンガリズムの研究の成果が蓄積されている。第2章や第5章でカナダのイマージョンの問題から「アウトプット仮説」（Swain, 1985）が提唱されるようになったことに触れたが，全体的にはイマージョン・プログラムは成功している。イマージョン教育を受けた学習者は英語（L1），フランス語（L2）共にモノリンガルと比べても遜色のない，場合によってはそれ以上の言語能力を発揮し，認知的にも優れていることがわかっている。カナダではイマージョンを小学校から始める場合と中学校から始める場合があるが，中学から始めても短期に集中的にイマージョンを受ければ，早期イマージョンの学習者にすぐ追いつくという。よって，早く始めればいいというより，ある時期に集中してイマージョンを受けることも重要だとされている（Lazaruk, 2007）。これまでの研究から，2言語のバランスが取れた完全バイリンガルは，モノリンガルと比較すると，分析的な思考や発想の柔軟性，メタ言語的アウェアネス（言語の分析力），コミュニケーションにおける感受性（聞き手のニーズに対する敏感さなど）などを発達させている（Huang, 2017; Lazaruk, 2007）ことが明らかになっている。

　バイリンガリズムという用語は，個人の2言語併用だけでなく，社会的な2言語併用の状況についても用いられる。社会的には，異文化の人々への理解が深まりコミュニケーションを促進するという肯定的な側面がある。グローバル化が進んだ今日の世界では，人口の半分がバイリンガルだと言われるほどである。今ではバイリンガリズムを否定する人はあまりいないと思うが，年少者へのバイリンガリズムとなると，常に議論が巻き起こる。少なくともカナダのイマージョン教育を見る限り，早期にL2が導入されても弊害はないようである。日本でバイリンガリズムというと，英語公用語論がある時期提唱されるなど，日本人の英語教育に関して議論されることが多い。しかし，帰国子女の日本語能力の問題や，海外の日系人の継承語としての日本語教育など，日本語教育でも様々なバイリンガルの問題を抱えている（中島2001, 2016 参照）。近年は，公立の小中学校に在籍する外国人の数の増加に見られるように，日本に定住する外国にルーツを持つ子ども達の日本語教育や母語の維持の問題が生じ，日本語教育で考えるべきバイリンガリズムの問題は今後もっと大きくなっていくことが予想される。（後述のコラム(7)参照）

註
1. 言語喪失（language attrition）は，ここでは，L2との接触環境から離れてしまってL2を忘れてしまう場合を扱っているが，脳に障害を受けて失語症になるケースをさす時にも用いられる用語である。

▶コラム：言語習得と外国語教授法(7)　**Column**

～日本語の年少者教育／バイリンガル教育～

　日本語学習者は，国内外での数の増加のみならず，学習者のタイプやニーズも多様化している。その中でも広がりを見せているのは，初等・中等教育における日本語教育であろう。文部科学省が発表した平成30年度の調査報告によると，日本の小中学校レベルで日本語指導が必要な外国籍の児童生徒数は約4万人，日本国籍の児童生徒数は約1万人にのぼるという。親の仕事の関係で来日した子弟，中国残留孤児やインドシナ難民の子弟は以前からもいたが，最近では中南米の日系人の子弟も多い。これは，1990年に入国管理法が改正され，日系3世までは特別の資格で入国して働くことが認められたことによる。学習者の母語としては，ポルトガル語が最も多く，中国語，フィリピン語，スペイン語がそれに続き，全体の約80%を占めている。地域としては，愛知県が最も多く，神奈川や東京，静岡などにも多いが，学習者は日本全国に広がっている。
　今では日本語教育の専門家が小中学校に派遣されるようになっているが，非常勤として複数の学校をかけ持ちすることも多く，日本語教育の専門家ではない一般教科の教員やボランティアが日本語学習を手助けしているところも多い。一つの学校に日本語指導が必要な児童生徒がまとまった数いれば支援がしやすいが，散在している地域では専門家の派遣も難しくなる。（そのような地域の新潟での

学習支援の事例は，佐々木2018を参照されたい。）また，異文化への適応には比較的柔軟な若い世代ではあるが，自国の言語や文化をどのように維持していくかという問題や，日本語が不十分な場合に学校の教科学習をどのようにこなしていくかというような多くの問題がある。

　中島（2016）は，外国人児童生徒の日本語教育は，通常の日本語教育のように日本語ゼロから初級，中級へと進むような教授法は適切ではなく，子ども達の教室外の体験を通じた自然習得を補強する日本語教育の方法を考えていくべきだとしている。西川他（2015）の調査によると，日本生まれ，日本育ちの外国人の子ども（小学校4年～中学1年）でも，見た目は日本人とは変わらないのに，日常語である和語動詞の語彙力が，モノリンガルに比べ劣っていたという。特に学校生活では使わない家庭場面で使われる語彙が習得されていなかったことが明らかになった。語彙テストの最下位グループにはモノリンガルも含まれるが，その割合は外国人の児童生徒の方がより高かったことも明らかになっている。学校の場での日本語能力の問題は，大人にも把握しやすいが，日常言語としての日本語の習得においてもサポートが必要なことに留意したい。

　さらに，教科学習の手段としての日本語能力も必要になるが，中島（2016）は，そのような日本語の学習言語能力の習得には5年以上かかるという認識が，日本の学校関係者の間であまり共有されていないという問題点も指摘している。指導が必要な児童については，「取り出し」授業と称して，ほかの児童と切り離して第二言語としての日本語そのものを指導する場合もあるが，教科学習へのつなぎとしての日本語指導も考えられている。たとえば，矢崎（1998）は，算数の文章題を読み取る際の外国人児童のストラテジー使用について，テスト時の観察とインタビューの分析を行っている。そして，文章題のパターンを認識し，文の述部に注意を払い，わからないことばを無視しても大意がとらえられるような練習が必要だとしている。また，同時に，教科支援においては各教科のキーワードとなる日本語の語彙の学習を進めるべきだとしている。光元（2014）

は，国語の教科書を「やさしい日本語」によりリライトした教材を事前に取り出し授業で学習し，さらに，在籍学級の授業でリライト教材と教科書を併用して，児童の文章理解を深める試みを報告している。

そのほかにも，朱（2003）は，外国人児童には日本語の習得が急務であるとはいえ，教科学習の支援には学習者の母語を使用することも有効な手段だとしている。たとえば，日本語による教科学習に先行して，母語で新しい教科内容を話し合ったり，日本語と母語の文型の違いに気づかせたりするような支援が行われている。外国人児童にとっては，母語が唯一自分が考えていることをすべて表現できる手段なので，母語によって本来の認知能力を引きだし，日本語の教科学習につなげようとしているのである。これは，日本から再度自国に戻る際には必要なことで，母語の維持にも役立つという効果がある。Noyama（1995）が行った埼玉県大宮の小中学校の調査では，親には自分の子どもに母語も自国の文化も維持してほしいという願いが強く，子どももバイリンガルになりたいという動機づけが高いことが報告されている。

北米では，早くから移民子弟の英語教育で，取り出し授業を行ったり，言語と認知能力を結びつけて発達させるためにイマージョン教育を行ったりして，様々な試みをした歴史がある。よって，海外には事例や研究成果の蓄積があり，学ぶ点も多い。中島（2016）は，バイリンガリズム研究の成果に基づくと，年少者の日本語能力は滞日年数で，母語の保持率は入国年齢で予測がつくとしている。中島＆ヌネス（2011）（中島2016に引用）の調査では，滞日年数2年を過ぎると日常の会話力は年齢に比例して伸びるが，入国年齢が高いほど認知的に高度な会話力が身につきやすいとしている。また，中島＆佐野（2016）は，海外在住の日本人（小学校6年〜中学3年）の英語と日本語の作文能力について調べ，滞在年数が中期（2年半〜7年半）の児童生徒は，現地校で英語の作文能力が伸びると共に，補習校でも適切な日本語の作文指導を受ければ，相乗効果で日英共にバイリンガルとしての作文力が育っていたことを示し

ている。(真嶋 2019 にも定住二世児の言語能力に関する詳細な研究報告がある。)バイリンガリズムでは L1 と L2 の発達が相互依存するとされており,日本語の発達を支える母語の発達,維持についてももっと配慮がなされるべきである。

第 9 章　学習者の認知的要因とSLA

▶本章の概要

　FLA ではほとんどの人が成功するが，SLA では最終到達度において個人差が大きい。言語学習のメカニズムには認知が大きく関わっており，学習者が潜在的に持つ認知能力は習得に影響を及ぼす。言語学習に適した潜在的な認知能力のことを言語適性と言う。言語適性を測るテストは50年代から開発されてきたが，現在では SLA の情報処理の枠組みに合った新たな言語適性の枠組み作りが進んでいる。教室指導のタイプと学習者の認知能力のタイプが合致した時に SLA が最大限に起きると考えられている。

　キーワード：知性，言語適性，作動記憶の容量，情報の処理速度，音韻処理能力，認知スタイル，学習ストラテジー

9.1　SLA における個人差

　SLA において，FLA と並行するような研究アプローチが存在し，FLA と共通の習得順序や発達段階があることを，第2部で見てきた。そういう意味では SLA は FLA との共通点が存在すると言える。しかし，FLA にはほとんどの人が成功するのに対し，SLA の成否に関しては個人差が大きいのも事実である。年齢のほかに，どのような学習者要因が関わっているのだろうか。

　SLA 研究においては，普遍文法（UG）や認知の情報処理メカニズムの普遍性，母語が異なる学習者に共通の発達順序など，普遍性を追求することが多く，個人差の研究は遅れをとっていた（初期の研究のまとめは Skehan, 1989, 1991 参照）。また，言語教育の現場でも，学習者はみな同じだと見なして，だれにでも使える教科書，教材を開発した方が経費や労力の節減になり，また，商業的な面でも大量販売により利益を得られるので，このような SLA 研究の動向は都合がよかったという背景もある。さらに，個人差に関

する研究の多くは，個人差と言語能力や成績との相関関係を調べたにとどまり，理論基盤が弱いという問題があった。また，学習者の心理的特性を定義し，それを測定するテストや質問紙を開発する難しさもあった。さらに，学習者の特性とSLAは複雑な相互作用をすることから，学習者のある一つの特性がSLAを起こしたというような明確な因果関係を見いだすには，方法論上難しい問題が多かったのである。

　近年は，言語学習のプロセスの中で個人差がどう関わっているのか，SLAのメカニズムの中でとらえて再検証する必要があるという声（Segalowitz, 1997; Skehan, 1998; Robinson, 2002a 等）が高まってきた。90年代以降，教室習得の実験研究が盛んになったが，グループ別のスコアの比較において，グループ内の一部の学習者のスコアが伸びただけで，グループ全体で統計上有意と出ることもあり，スコアがあまり変化しなかった学習者のことが見過ごされていたという問題点があった。個人を見ずして，習得の全体像は明らかにならないと考えられるようになり，現在再び個人差研究への興味が再燃している。第9〜11章では，SLAに影響を及ぼす学習者の認知的，情意的な要因などを見ていきたいと思う。

9.2　知性

　IQの高い人は外国語が上手だと言えるだろうか。あるいは，IQが高いことと外国語が上手に話せることは全く無関係だろうか。IQテストは学問的論理能力を測るとされるが，知性（intelligence）は，心理学における従来の概念では「環境適応の一般的能力」と定義されていた。そして，結晶性知能（crystallized intelligence）と流動性知能（fluid intelligence）に区別されることもある。前者は，以前の学習経験を高度に適用して得られた判断力や習慣をさし，語彙，読解や一般情報などに関するテストの成績から類推されるスキルや知識だとされた。後者は，結晶性知能では解決できない新しい状況への適応を要求された時に発揮される能力で，帰納推理や類推など問題解決に関わるスキルをさす。流動性知能は20歳あたりを境に低下するが，結晶性知能は年齢の影響を受けないとされている（Horn, 1982）。心理学の分野で研究が始まった当初，IQテストは，心理測定法において因子分析をして構築され，認知心理学の情報処理モデルに基づいたものではなかったと

いう問題がある。（Sternberg, 2002 のまとめを参照されたい。）

　知性と言語能力に関して，Genesee（1976）がカナダのイマージョン教育において，フランス語の読解，文法，語彙テストと IQ テストとの相関は高かったとしている。しかし，実際の伝達能力や流暢さ，自然習得の成功は予測できなかったようである。知性が学問的論理力だとすると，紙の上での言語テストとの相関はあっても，実際の言語運用能力と IQ は，必ずしも一致しない能力だということであろう。また，知性をどう定義するかということも，しばしば議論になることで，定義により知性と言語能力がどう関わるかという問いへの答えも異なってくると思われる。H. Gardner（1983）は，知性は単一的なものではなく，複合的な構成要素があるとして，多重知性（multiple intelligences）を提唱している。これは，言語，音楽，論理・数学，空間・視覚，身体・運動，対人，自己認識の構成要素からなるものだとされている。そして，いずれかの観点から見れば，人間はだれでも，みな知性があると考える。言語学習においては，それぞれの強みを生かした様々な活動（例：歌を歌う，ことばを聞いたり使ったりしながら体で表現する）を取り入れれば，外国語のコースのどこかでだれもが力を発揮でき，達成感を感じることができるとしている。

　Goleman（1995）は，学問的な IQ と並んで，情意的要因，性格要因などを反映した「こころの IQ（emotional intelligence）」という考え方を提唱していた。近年はこの「こころの IQ」は「非認知的能力」という語でしばしば表現されるが，粘り強く物事をやり通す，リーダーシップが取れる，他者との意思疎通が上手に取れる，向上心があるというような，学問的な能力以外の人格的な性質も人生には重要だと考えられている。一つの言語に習熟するには長年にわたる努力を要し，グループワークが推奨される言語学習にはコミュニケーション力が求められるので，SLA においても必要な能力だと思われる。また，情報処理のアプローチから知性を見て，情報処理速度が，加齢や知性の個人差につながるとされている（Salthouse, 1993, 1994, 1996）。知性を長年研究してきた Sternberg（1983, 1984, 1997）は，知性を，学校教育からどれだけ恩恵を受けられるかという潜在能力を測るものだと定義しているが，言語学習に特化して，言語学習からどれだけ恩恵を受けられるかという潜在能力を測る言語適性テストに知性研究を応用しようとしている

(Grigorenko, Sternberg & Ehrman, 2000; Sternberg & Grigorenko, 2002)。このように，知性をどう定義するかにより，知性のある人が外国語もできるのかという見方もずいぶん変わってくるはずだ。

9.3　言語適性
9.3.1　初期の言語適性テストの開発

　周囲の外国語に長けた人を見て，だれしも言語学習に向いた才能のようなものがあるのではないかと思ったことがあるだろう。学問一般の潜在能力を測る知性ではなくて，言語学習に特化した潜在能力を示す言語適性（language aptitude）の研究も以前から行われている。そもそもの始まりは，第二次世界大戦中のアメリカやイギリスにさかのぼる。当時は戦時中のニーズから，短期間に言語能力を発達させることができる軍隊要員を探しだすことが急務で，言語適性テストの開発が求められたのである。当時はそれほどうまくいかなかったようだが，戦後も，軍隊や政府機関で，言語適性のある人に投資して，短期間に効率よく言語を学ばせようとしたため，研究は引き続き行われた。その時に開発されたのが，現代言語適性テスト（Modern Language Aptitude Test: 通称 MLAT）（Carroll & Sapon, 1959）である。言語適性テストは，このほかに，高校など学校教育の現場で使用するために開発された外国語学習適性テスト（Pimsleur Language Aptitude Test）（Pimsleur, 1966）が有名である。

　MLAT の開発は，テストの項目と教育機関の学期末の成績との相関と項目分析の結果を基に，相関の高い項目を選定し，また項目間で同じ要素を測っていると思われる余剰項目は削除する形で進められた。言語適性の構成要素として，以下の四つが掲げられている。

(1)　音声符号化能力（phonetic coding ability）：音の区切りを見分ける能力
(2)　文法に対する敏感さ（grammatical sensitivity）：文の中である語がどう機能しているかを見つけだす能力
(3)　暗記学習能力（rote learning ability）：音と意味を連想させて覚える能力
(4)　帰納的学習能力（inductive language learning ability）：新しい材料から言語パターンや規則を推測していく能力

日本語でも MLAT や Pimsleur Test に倣って，日本語習得適性テストが作成され，筑波大学などで実施されていたことが報告されている（日本語教育学会 1991）。日本語独自のものとしては，漢字の習得を予測するために，視覚情報を処理する能力を見る図形再認問題や漢字のパターン認識の問題が取り入れられている。

　Gajar（1987）は，MLAT の特に文法に対する敏感さと記憶のテストが，言語学習に強い学習者とそうでない学習者を見分けるよい予測因子だったとしている。MLAT は現在でも SLA の研究ツールとして使われているが，言語適性テストは，次第に教育機関ではあまり用いられなくなっていった。その理由の一つには，コースの始まりから，できる学習者とできない学習者を決めつけてしまうのは民主的ではないという考えが支配したこともあるだろう。海外では，仕事の昇進のために外国語コースの履修が義務づけられているのに，言語適性テストにより語学の才能がないと判断され，外国語コースの受講の機会が排除されたとして，訴訟になったケースもあるという。また，従来の言語適性テストは文法訳読法やオーディオリンガル全盛の時代に開発されて，現在の教授法にそぐわなくなったという問題もある。MLATの開発者の Carroll（1990）自身も認めているが，教授法が多様化し，言語能力の概念も変化しているので，従来のテストでは対応できなくなったのである。さらに，従来の研究は，言語学習の成否を予測することのみに関心があり，学習者の認知能力が SLA にどう関わるのか，そのメカニズムを解明しようという視点に欠けていた（Robinson, 2001c; Sawyer & Ranta, 2001; Skehan, 1998）。そんな折，認知心理学の発展と共に，言語学習も認知の情報処理メカニズムとしてとらえられるようになり，学習者個人の認知能力との関わりをより科学的に解明できるのではないかという期待が高まったのである。

9.3.2　新時代の言語適性研究

コミュニカティブ・アプローチと言語適性

　現在の外国語教授法は，コミュニカティブに教えるという方向に向かっていると思うが，MLAT など従来の言語適性テストはどこまで有効だろうか。Krashen（1981）は，言語適性は "formal instruction"（Krashen の定義する

「学習」，いわゆる伝統的な文法教育）の成否しか予測できないとしていた。しかし，その後は反証が出ている。たとえば，Harley & Hart (1997) は，MLAT や Pimsleur Test の一部を用いて，イマージョン学習の開始年齢と言語適性の関係を調べている。その結果，イマージョンを早く始めた学習者には記憶が重要な成功要因だったが，遅く始めた学習者には言語分析能力が重要だったとしている。よって，コミュニカティブな教室においても，言語適性は予測妥当性があるとしている。Robinson (2002b) も，日本人大学生のサモア語の UG に関する文法学習の研究において，規則を提示され，その規則を適用する練習を行う明示的学習より，用例を多く提示され，それを覚える暗示的学習において，言語適性は重要だとしている。ほかにも，前述のDeKeyser (2000) は，思春期以降にアメリカに移住したハンガリー人の英語の習得において，年齢ではなくて，MLAT の文法に対する敏感さが，英語の習熟度を予測する要素になったとしている。したがって，言語適性は自然習得やコミュニカティブな教室でも重要だと言える。

言語適性の再概念化

　従来の言語適性テストは，文法に対する敏感さなど，今でも予測妥当性がある部分があるが，それだけでは不十分である。学習条件の異なる側面，情報処理の異なる段階で必要になる認知能力を検証し，言語適性を再概念化する必要があるとされた（Robinson, 2001c, 2002a; Segalowitz, 1997; Skehan, 1998, 2002）。特に，情報処理における注意配分や情報の貯蔵，再編成をコントロールしている作動記憶と，情報の処理速度（processing speed）は，新たな言語適性の構成概念に含むべきだと言われている。作動記憶の容量はリーディング・スパン・テスト（Daneman & Carpenter, 1980）により測定される。これは，文を音読させながら文中のある単語を覚えさせておいて，後で覚えた単語を再生させるテストで，情報の保持と処理という二重課題を同時に行う作動記憶の機能を測るとされる。作動記憶の容量は，L1 の読解力との相関が高いことがすでに指摘されている（Carpenter, Miyake & Just, 1994; 苧阪&苧阪 1994）。またL1 で使える作動記憶の容量は，L2 の言語処理にも有効だとされている（苧阪，苧阪& Groner, 2000）。
　L2 の言語能力との関係については，Harrington & Sawyer (1992) が，

ただ数字を覚えるというような丸暗記能力ではなくて，作動記憶の容量が
TOEFL の読解と文法のセクションとの相関が高いことを示している。
McLaughlin & Heredia（1996）や Miyake & Friedman（1998）は，作動記
憶の容量と速度が，言語処理の様々な段階で，学習者が言語データを再編成
できるかどうかを決定するとしている。また，Segalowitz（1997）は，言語
学習における練習が進むにつれて，つまり，流暢さを培う段階で，知覚速度
（perceptual speed）と心理的運動能力（psychomotor abilities）が重要にな
るとしている。

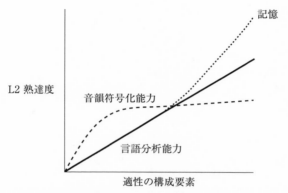

図 19　言語適性要素と熟達度との関係（Skehan, 1998, p.217; 筆者訳）

　Skehan（1998, 2002）は，習得の異なる段階（初級か上級か），情報処理
の異なる側面（気づきか，パターン認知か，統合か）で重要になる言語適性
の構成要素があるのではないかとしている。Skehan（1998）は，例外的に
母語話者並みの言語能力を習得した学習者と，習得に失敗した学習者の事例
研究の総括を行っている。それによると，言語分析能力（language analytic
ability）は常に必要だが，それが決定的要因にはならない。しかし，初期段
階では，特に音韻符号化能力（phonemic coding ability）が重要で，また，
高い習熟度に達するには記憶がより重要だとしている。日本語の学習者を見
ていても，初級でつまずく学習者には，音が聞き取れない，まねをして繰り
返すことができないという問題を抱えている場合が多いように思われる。
Skehan が重要だとする記憶とは，ただ丸暗記するという能力ではなくて，

言語のパターン認識や分析，選択的注意の分配などを担う作動記憶である。
向山（2013）は，日本語学習者（L1 中国語）の言語適性と言語運用能力の
関係について，学習開始から 3 か月毎に 15 か月にわたり調べて，Skehan
の示したモデルを支持する結果を得ている。この研究では，音韻符号化能力
は，音韻的短期記憶を測る非単語再生課題で，言語分析力は MLAT に倣っ
て作成された日本語版の文法的な敏感さを測るテストで，記憶は L1（中国
語）のリーディングスパンテストを使った作動記憶の容量が測定された。

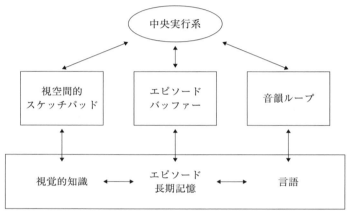

図 20　作動記憶のモデル（Baddeley, 2000: 小柳 2016d 訳）

　新しい言語適性と言われるものは，作動記憶の異なる側面，機能をさして
いることが多い（小柳 2012, 2018c）。図 20 は作動記憶のモデルを示してい
るが，サブコンポーネントの中央実行系には注意制御機能があり，これも新
たな言語適性として注目されている。中央実行系は注意配分を決定する作動
記憶の司令塔のような役割があり，効率のよい注意のシフトを促したり，不
要情報の活性化を抑制したりしている。SLA では，言語形式に注意を向け
ることが重要だとされており，効率よく注意を適切な言語形式に配分するこ
とは，言語習得の要だ（Segalowitz & Frenkiel-Fishman, 2005; Trofimovich,
Ammar & Gatbonton, 2007; Trude & Tokowicz, 2011）と考えられる。ま
た，音韻的短期記憶も，実は作動記憶のサブコンポーネントの音韻ループの
働きに関係がある。音韻的短期記憶は非単語を再生する課題で測るので，外

国語で知らない単語や表現を聞いた時に，すぐそれらを反復できたり，一時的に記憶に留めたりすることができるという点で，習得に重要であることは容易に想像がつくだろう。いずれにしても，言語適性は，言語学習の成否ではなく，習得のスピードを予測するものだと考えられている。

言語適性の生得性

　言語適性は先天的なものか，あるいは経験により後天的に変えることができるのかについては，研究者の間でも見解が分かれる。Harley & Hart（1997）は，言語適性は生涯一定だとしているが，Sternberg は，経験により変えられるとしている。それで，Sternberg 等（Grigorenko, Sternberg & Ehrman, 2000; Sternberg & Grigorenko, 2002）は，情報処理過程の知識習得と同様に，言語学習における発達可能性を測定する，CANAL-FT（Cognitive Ability for Novelty in Acquisition of Language as applied to Foreign Language Test）[1] という言語適性テストを開発している。このテストでは，未知の言語を学習させて，どれだけ学んだかで言語適性を測ろうとしている。過去の言語学習経験があれば，未知の言語の新奇性や曖昧性にも対応でき，言語の学習能力が変化すると考えたのである。Grigorenko, Sternberg & Ehrman（2000）は，外国語を多く学んでいるほど CANAL-FT の成績が高く，それは MLAT の成績とは無関係だったとしている。また，Thompson（2013）は，ブラジル人の英語の L2 学習者と英語の L3 学習者（マルチリンガル）を比較して，L3 学習者の方が CANAL-FT のスコアが高かったことを報告している。一般的に，言語を多く学習すればするほど，言語学習に要する時間は短縮されると言われるが，言語学習の経験が多いほど，言語学習のコツのようなものは体得できるのだと考えられる。

　しかし，言語適性の研究者の間では，言語適性は生得的なもの，あるいは人生の早い時期に決まってしまうものだとする見解の方が大勢を占めている。MLAT を開発した Carroll（1973）も，言語適性は L1 の能力が残ったものだと考えていた。また，Skehan（1989）は，イギリスのブリストル言語プロジェクトにおいて，13 ～ 14 歳時の言語適性が，L2 の到達度よりむしろ，3 歳半の時点の L1 の能力（形態素の豊かさ，名詞節の複雑さなど）との相関が高かったとしている。さらに，Ganschow & Sparks（2001）や

Sparks & Ganschow（2001）等は，アメリカの大学生の外国語学習障害（foreign language learning disabilities）の研究から，母語の言語能力測定も言語適性テストに含むべきだとしている。一般には FLA には個人差はなく，だれでも母語を習得すると考えられているが，実際には音韻的／綴り字的スキルや統語能力に個人差があるという。しかし，学校の教科学習では平均かそれ以上の成績を収めていることが多く，その問題は覆い隠されている。問題は，大学で必修の外国語を履修して初めて表面化するらしい。そのような外国語の学習障害のある大学生は，MLAT で測定した言語適性も低いことが報告されている。したがって，Ganschow 等は，言語適性テストでは母語の能力も測定すべきだとしている。

　その後，Sparks 等（Sparks et al., 2006, 2008, 2009, 2011）は，アメリカ中西部の公立校で大がかりな調査を行っている。6 歳時の L1（英語）の能力と，15 歳時の言語適性，2 年間の L2（スペイン語，フランス語，ドイツ語）学習を終えた 16 歳時の L2 能力との関係を調べている。その結果，L2 の能力における個人差は，L1 の単語／非単語の音読課題やテキスト理解などの読解のテストにより説明できたという。また，そのような読解の能力は MLAT で測った言語適性のスコアにも影響していたことが明らかになっている。Sparks（1995）や Grigorenko（2002）は，L1 の読字障害（ディスレクシア）と L2 の学習障害は，どちらも非効率的な音韻処理という共通の問題に起因するとしていた。読解は一見，音とは無縁のように見えるが，脳の中では視覚的な文字情報は音韻情報に変換して処理がなされていて，音韻処理と大いに関係がある。L1 では音韻処理の問題はリテラシースキルのみに影響するが，L2 では統語や読解，口頭能力に至るまで 4 技能すべてに影響を及ぼし続けるという。

　ほかにもアメリカのミネソタ州のソマリア難民に関する研究（Tarone & Bigelow, 2004, 2005）で，L1 のリテラシースキル，すなわち音韻処理が発達していることが，リキャストの気づきの前提条件になっていたことが示されている。Tarone 等は，L1 のリテラシースキルの発達が音韻処理能力（phonological processing abilities）の発達を促し，さらに単語内部の音韻構造に敏感になることによって，メタ言語的アウェアネスの発達にもつながっているのではないかとしている。このような研究結果を，用法基盤的アプ

ローチの SLA の見解に照らして考えると，音から単語，文へと続くチャンク学習のメカニズムにおいて，音韻処理は，その後の形態素や統語のパターンの発見にも続いていくプロセスだと考えられる。Geva（2000）等は，バイリンガルの「共有基底言語能力モデル」の根底の言語能力が何なのか，これまで明確にされてこなかったが，それは音韻処理能力ではないかとしている。このような先行研究から，L1 の音韻処理能力は言語の基本で，L2 学習を始めるまでに L1 の音韻処理能力を十分伸ばしておくことの重要性が示唆される。

教室指導における言語適性テストの活用

　言語適性を言語学習の成否の予測に用いることへのためらいが教師にあったことを前節で述べたが，言語適性を言語学習をサポートするために活用していくことも考えるべきであろう。前述の Skehan（1998）は，学習の初期段階で音韻符号化能力が重要なカギになるとしている。Doughty（2003）は，教室指導ができることの一つとして，母語に特化した音の分割ストラテジーが定着している大人の学習者のために，L2 の新たな音の分割を可能にする指導を考える必要があるのではないかとしている。日本語は母音と子音の組み合わせからなるモーラ言語であるが，母語が英語のように強勢アクセントを持つ言語の学習者は，日本語の音を分割する作業は難しく，音韻処理がうまくできない場合は，日本語学習に支障をきたすという予測がつく。実際，初級でついていけなくなるタイプの学習者には，音が聞き取れない場合が多い。実際の授業では，発音のみに長い時間をかけるのは難しいが，音韻処理能力[2] を高める個別指導により，救える学習者が初級には特にいるだろうと思われる。

　それとは異なる教室指導の考え方で，学習者の認知能力の強みと指導のタイプをマッチングすべきだという見解もある。Sawyer & Ranta（2001）は，SLA を促進する方法として，学習者を変えるか指導方法を変えるかという二つの選択肢があるとしている。彼等は，学習ストラテジーの研究が SLA へのインパクトを見いだしていない現状を見ると，学習者を根本的に変えるのは難しく，学習者の言語適性のプロフィールに合わせて指導方法を変えることで，指導の効果が最大限になると見ている。このような研究は，認知心

理学，学習心理学の分野ではすでになされており，これを，適性処遇交互作用（Aptitude-Treatment Interaction）（Cronbach & R. Snow, 1977; R. Snow, 1987）と言う。これは，SLA にも過去に試みられた例がある。Wesche（1981）は，学習者を相対的に，記憶力のよいグループと言語分析能力に優れたグループに分類した。そして，それぞれのグループの半分ずつを視聴覚によるクラスと，文法中心のクラスに入れた。すなわち，学習者の中には，適性の強みと合っているクラスに入った者と，合っていないクラスに入った者が存在していた。その結果，言語適性の強みと指導のタイプが合っていた学習者は，言語運用の伸びが大きく，学習者，教師共，満足感が高かったことが報告されている。したがって，学習者の言語適性の長所，短所を明らかにして，学習者の認知能力のプロフィールづくりをして指導に活用することが求められる。

　最近では，教室指導の効果を調べる実験で，言語適性のデータも組み込んで分析が行われるようになっている。たとえば，Mackey et al.（2002）は作動記憶の容量とリキャストの関係を調べている。リキャストのような暗示的指導の効果は，指導の直後ではなく，遅れて現れることが知られているが，Mackey et al. の研究では，作動記憶の容量が大きい学習者にその傾向がより顕著であったということである。また，Mackey et al.（2010）は，作動記憶の容量と修正アウトプットとの関係を調べたところ，作動記憶の容量が大きいほど修正アウトプットも多かったことが明らかになっている。作動記憶の容量が大きい学習者は，コミュニケーションのために言語処理を行うかたわらで，習得のための認知比較を行ったり，発話を再構成したりするなど，作動記憶にスペースの余裕があると言えるだろう。これらの研究は，作動記憶の容量しか測っていないが，言語適性のその他の構成要素も組み込むと，言語処理／学習において，どんな基本的認知能力がどんなプロセスに関わっているかということも明確になることが期待される。

　Robinson（2002a）は，異なる学習条件に必要な学習者の言語適性を特定する理論の枠組みを提案している。リキャストのような Focus on Form の学習に必要な認知能力と，文字言語のインプットによる学習に必要な認知能力は，異なると考えられる。また，認知能力を複合的にとらえるので，どの領域が強いか弱いかにより，学習効果にも違いが現れることが予測される。

たとえば，パターン認識の能力が高ければ，リキャストにより自分の中間言語と目標言語とのギャップに気づくことはできる。しかし，作動記憶が弱いと，リハーサルがうまくできないので長期記憶に取り込むことは難しくなると考えられる。このような分析が可能になれば，指導の効果を見る実験研究の結果を解釈する際にも，新たな知見が得られるだろう。また，教育現場では，学習者個人への細やかな対応も可能になるだろう。

9.3.3 さらなる展開

7.3 で言及したように，SLA 研究において暗示的学習に関心が集まっているが，従来の言語適性テストは明示的学習に必要な基本的認知能力を測っていた（Woltz, 2003）。したがって，言語運用能力に通じるとされる暗示的学習に必要な言語適性は何かということも検討する必要がある。自然習得，すなわち暗示的学習の機会が多いと考えられる移住者に関する研究では，思春期までは言語適性の影響を受けないとする見解もある（DeKeyser, 2000; DeKeyser, Alfi-Shabtay & Ravid, 2010）が，思春期前でも言語適性の影響を受けるとする見解（Abrahamsson & Hyltenstam, 2008）もある。これは適性と言語能力を測るテストが異なっていることが，結果の違いにも表れていると考えられる。教室学習者でも，教室の外で，またコース終了後に引き続き，生活や仕事の実践の中で暗示的学習をしていることも大いにあり得る。そこで，近年は暗示的学習を支える言語適性の研究もなされている。Granena（2013a, b）は，シークエンス学習能力が暗示的学習に必要な基本的認知能力だととらえている。シークエンス学習能力とは，暗示的な帰納的推論を通してインプットからパターンを習得する能力のことである。LLAMA（Maera, 2005）[3] という言語適性テストの中には，音声言語からパターンを見つけだす能力を測るサブテストが含まれている。

さらに，近年はグローバル化が進み，専門的な職務を担う人材には，以前にもまして高度な外国語の運用能力が求められている。学習者がコースを受講できる期間は限られているが，コース終了後も，L2 の能力は，職務の実践を通してさらに伸び続けているはずである。したがって，最終的に高い到達度が見込める人を識別できる言語適性とは何かという研究も進んでいる。アメリカのメリーランド大学では，Hi-LAB（High Level Aptitude Battery）

というテストが開発され，MLAT との差別化を図っている（Doughty, 2019;
Linck et al., 2013）。このようなテストにおいても，やはり習得には暗示的学
習能力が重要になると考えられている。また，SLA が伝達能力の習得であ
ることを考えると，社会言語学的能力や談話能力に必要な言語適性として，
たとえば，コミュニティに参加しようとする開放性（openness）なども関
与している可能性がある（Kormos, 2013）。

9.4　認知スタイル

　学習者の情報処理方式の好みを認知スタイルと言う。たとえば，視覚的な
提示を好むか，聴覚的な提示を好むかといったことがあげられるだろう。こ
れは，学習スタイルの好みにもつながる。SLA で最も研究されている認知ス
タイルは，場独立型（field independence）と場依存型（field dependence）
である。場独立型は，細部を全体から切り離して把握することができ，分析
的思考が得意である。言語学習では文法テストに強みを発揮するが，社会的
スキルは劣っているとされる。一方，場依存型は，細部も全体の中に埋もれ
てしまって見えなくなるタイプで，全体的思考をする。言語学習では，対人
スキル，社会的スキルに優れているため，コミュニカティブなテストに強い
とされる。場独立型を調べるのには，図形埋め込みテストが使われる。これ
は，複雑な図形の中に単純な図形が組み込まれていて，それを時間制限の中
で見つけだすテストである。しかし，このテストについては，場独立型かど
うかを見るテストであって，場独立型でないからといって場依存型だとは決
められないという批判があった。場依存型については，未だに測定するテス
トが開発されていないようである。また，場独立型の学習者が分析に優れて
いるとすると，それは言語適性の文法に対する敏感さと何ら変わらないので
はないかという批判もある（Dörnyei & Skehan, 2003）。
　その他の認知スタイルとして，曖昧さに対する寛容（tolerance of ambiguity）
がある。これは，曖昧さに対して寛容度が高ければ，新しい言語が母語と非
常に異なり，新しい言語データに変則性があったとしても，柔軟に対処でき
ると考えられる。おそらく，バイリンガルや多くの言語を学習した経験があ
る人は，そのような寛容度が高いのではないかと思われる。ほかにも，右脳
人間 vs. 左脳人間，ビジュアル派 vs. オーディオ派，熟考型 vs. 衝動型など

が認知スタイルとして研究されている。しかし，言語学習にどれほどインパクトがあるかは，実証されていないようである。

9.5　学習ストラテジー

どんな教え方をされても，難なく外国語を習得してしまう学習者がいる。それは，教授法というより，学習者の側でなんらかの外国語学習のコツのようなものを持っていると考えられる。そこで，70年代には，『よい外国語学習者とは？』という研究（Rubin, 1975; Stern, 1975 等）が行われ，よい学習者の学習スタイルやストラテジーの特徴を記述し，学習者をその理想像へ近づけようという試みがなされた。以下は，その『よい学習者』の特徴の記述である。

> よい言語学習者は
> 1. 自分なりの学習方法を見つけ，自分の学習を管理することができる。
> 2. 言語についての情報を系統だてることができる。
> 3. 創造的で，文法や語彙を試してみることにより言語に対する感覚（"feel"）を発達させることができる。
> 4. 教室の内外で言語を使う練習の機会を作ることができる。
> 5. すべての単語が理解できなくても，あわてることなく話したり聞いたりし続け，不確実さの中で対処することを学んでいる。
> 6. 記憶術（mnemonics）や習ったことを思いだすなどの記憶のストラテジーを使用することができる。
> 7. 自分に有益な誤りはおかすが，そうでない誤りはおかさない。
> 8. 第二言語を学習する際に，自分の第一言語知識を含む言語知識を使うことができる。
> 9. 理解を助けるコンテクストからのキューを用いることができる。
> 10. 賢い推測をすることを学んでいる。
> 11. 自分の能力以上の言語運用をするために，言語のチャンクをまとまりのある形式的ルーティンとして学んでいる。
> 12. 会話を持続させるコツを学んでいる。
> 13. 自分の能力のギャップを埋める言語産出ストラテジーを学んでいる。
> 14. 話し言葉や書き言葉の様々なスタイルを学び，場面のフォーマル度により言語を変えることを学んでいる。
>
> （Rubin & Thompson, 1982 に基づく）

このような記述を基に，まず，理想的な学習者が用いている学習ストラテジーを見いだし，それらが分類された。情報処理の認知理論に基づき大きく分けると，学習ストラテジーは，メタ認知ストラテジー（metacognitive strategy），認知ストラテジー（cognitive strategy），社会情意的ストラテジー

（socioaffective strategy）の三つに大別される。メタ認知ストラテジーとは，学習のプランニングをしたり，学習のプロセスを管理するストラテジーである。たとえば，先行オーガナイザーを使う（新しい学習に関連がある予備知識を思い起こしておく），ある学習課題に注意を向け不必要な要素は無視しようとあらかじめ決めておく，インプットの内容を覚えておくための手がかりとして，言語のどの側面に注意を向けるかを決める，というように学習全体の流れを把握し，コントロールするストラテジーである。認知ストラテジーとは，特定の学習課題に直結しているもので，学習題材を操作するストラテジーである。たとえば，メモをとる，情報のグループ分けをする，言語のモデルをリピートする，新しい情報を他の概念と結びつける，単語やフレーズをコンテクストの中でとらえる，というように，学習時に課題達成のために使うストラテジーである。社会情意的ストラテジーは，グループで協力し合う，教師に質問するなどの，学習活動を円滑にする対人的なストラテジーのことである。

　そして，このようなストラテジーを身につけるためのトレーニングが試みられた。ストラテジーの研究は，O'Malley & Chamot（1990）や Oxford（1990）等が有名だが，Chamot 等は，アメリカの移民の子弟の英語教育，年少者のイマージョン教育で，ストラテジーの研究を多く行っている。英語が母語でないという言語のハンディがあるマイノリティの子ども達の，英語学習をサポートしようという経緯があったと思われる。よって，非常に教育的ではあるが，SLA へのインパクトははっきりしていない。よい学習者は教えられなくてもストラテジーが使えているが，言語学習が苦手な学習者にストラテジーを教えて SLA が促進したというような実証はされていない[4]。よって，前述の Sawyer & Ranta（2001）は，学習ストラテジーを教える効果に関して期待されていた結果は得られていないことから，学習者を根本的に変えるのは難しいとしている。そして，むしろ学習者の認知能力のプロフィールに合わせて，指導方法を変える方が効果的だという見方をしている。特に認知ストラテジーは，根本的には，言語適性などの認知能力が関わっているので，学習者を変えるのは難しいように思われる。しかし，メタ認知的ストラテジーは学習のやり方やコツに関わるものなので，学習者を変えることができるかもしれない。

学習ストラテジーに関して，研究における大きな進展はしばらく見られなかったが，最近では，自己調整ストラテジー（self-regulation strategy）が新たな学習ストラテジーとして注目されている（Griffiths, 2018, 2020）。知性においても「非認知的能力」という性格的な側面が重視されるようになっているが，自己調整ストラテジーも，言語学習においてどれほど自分を律することができるかということと関連がある。Tseng, Dörnyei & Schmitt（2006）は，教育心理学の自己調整理論（Zeidner, Boekaerts & Pintrich, 2000）を取り入れ，語彙学習に限定したものではあるが，自己調整ストラテジーの質問紙を開発している。この中には，目標を維持するために注ぐ努力，集中度のコントロールとモニタリング，感情や気分のコントロール，ネガティブな環境要因の排除というような項目が含まれる。自己調整ストラテジーは，次章で扱う動機づけにも関連があり，動機づけ研究でも，学習者自身が動機づけを高め維持する自己調整ストラテジーが重要だとされている。今後の研究成果が待たれる。

9.6　ビリーフ

　ビリーフ（信念）とは，言語学習における行動に影響を及ぼす学習に対する考え方のことである。学習者はビリーフに基づき言語コースへの期待を形成していることが多い。たとえば，言語学習とは文法を習うことだというビリーフがあるとすると，そのような期待に沿わないコースでは動機づけが下がったり，不満に思ったりすることがあると考えられる。また，自分が過去によい成績をとったコースの教え方が絶対的で，次のコースで自分が評価されないと苛立ちを感じることもあり得る。ビリーフ研究の第一人者のHorwitz（1988）は，BALLI（Beliefs About Language Learning Inventory）という質問紙を開発している。その中には，言語学習の難しさをどう認識しているか，自らの言語学習の適性をどうとらえているか，言語学習とはどのようなものだと考えているか，どんな学習ストラテジーやコミュニケーション・ストラテジーを使うか，といった質問項目が含まれている。

　ビリーフは学習者だけでなく，教師にもあるとされる。教師は，過去の自らの学習経験から，また教師養成のトレーニングを受ける中で，言語教育はこうあるべきという自分なりのビリーフを形成しているとされる。学習者の

ビリーフと教師のビリーフが一致しない場合は，衝突が生まれる可能性がある。また，ビリーフの中には SLA から見て正しいものもあれば，そうでないものも含まれる。今の SLA 研究の流れでは，文法説明のようなメタ言語的知識の提供そのものが SLA を起こすとはされていないが，言語学習とは文法そのものと考える学習者がいたら，コミュニカティブな授業では反発するかもしれない。ビリーフはメタ認知，つまり，学習者が言語学習の性質について知っていることと関係が深く，学習者が用いる学習ストラテジーにも影響するとされている（Horwitz, 1999）。SLA 研究の役割の一つは，教師や学習者の言語学習の誤ったビリーフに対して，客観的かつ SLA から見て妥当な視点を提示することであろう。

9.7　脳から見た男女差

　SLA 研究では脳について議論することが増えてきているが，脳のメカニズムから言語学習の男女差が説明されている。一般には女性の方が語学好きな人が多いという印象があるが，本当に脳から見た男女の優劣があるのだろうか。脳の中で，宣言的記憶と手続き的記憶に対応する領域は特定されている。宣言的記憶はエピソード記憶（個人的な出来事の記憶）と意味記憶（ことばの概念に関する記憶）に分けられ，言語処理における心的辞書は，宣言的記憶からなる。言語処理を行う際に，言語形式と意味／機能のマッピングという１回のイベントはエピソード記憶に入るが，同様の経験が積み重なると一般性が抽出されて意味記憶になるという。このメカニズムにおいて，女性の方が男性より宣言的記憶に相当する脳の海馬が大きく，言語学習に向いているとされている。また，女性ホルモンのエストロゲンは海馬の学習を促進する働きがあり，それも女性の言語学習を有利にしている。言語処理全体は手続き的記憶に支えられており，手続き的記憶により文構造を計算のようにはじきだすのは男性の方が得意だとされる。しかし，女性は手続き的記憶に頼らずともフレーズや文ごと覚えてしまうのが得意なのだという。(Bowden, Sanz & Stafford, 2005 参照。)

　このようなことから，少なくとも学習初期は，単語やフレーズを覚えることが得意な女性の方が SLA において男性より優れていると言える。しかし，脳のメカニズムだけでなく，ほかにも一般に，女性の方が相手の心を読

む（mind reading）といったコミュニケーション能力が優れていると言われる。これも，女性の方が言語に強いと言われる一つの要因になっているのではないかと考えられている。

註
1．CANAL-FT に関する論文や書籍は出版されているが，残念ながらテスト自体は一般公開されていない。そのため，研究の広がりが見られなかったのだと思われる。
2．音韻処理に関わる能力には，目標言語の音韻体系の音を知覚的に識別する能力，目標言語に特徴的な音韻の規則性を抽出する能力，音素の並びを正しく構音する能力，音素の配列通りに口頭で再生する能力，同一言語内の音韻的変異に対応する能力などが含まれる。本章では，音韻処理全般をさす場合は「音韻処理能力（phonological processing abilities）を用いる。また，原典に "phonetic coding ability"（Carroll & Sapon, 1959）が使われている場合は「音声符号化能力」，また "phonemic coding ability"（Skehan, 1998）が使われている場合は「音韻符号化能力」（Skehan, 1998）と訳して使用している。音声符号化能力は，音を識別する能力のことで，音韻符号化能力は，音素を見つけだし，覚えておく能力だとされている。
3．MLAT は L1 が英語の話者向けに作られた言語適性テストだが，LLAMA は母語に関係なく使うことができる。たとえば，MLAT の文法に対する敏感さを調べるテストは，英語話者が英語の文法について答える問題である。LLAMA は絵や記号，特定の言語とは関係のない音声を用いることにより，L1 に関係なく使えるようになっている。テストはインターネット上で公開されている。
4．Chamot（2005, 2009）は，アメリカの公立小学校において，教科学習の中で L2 としての英語のスキルも伸ばしていけるように，CALLA（Cognitive Academic Language Learning Approach）という指針を作成している。学習ストラテジーのトレーニングの効果を調べるような厳密な実証研究は行われていないが，英語が L1 ではないマイノリティの子ども達の英語や教科学習を助けたという実績がある。

第10章　学習者の情意的要因とSLA

▶本章の概要

　言語適性が大人の SLA の個人差に影響する最も大きな要因だが，学習者の外国語学習に対する動機づけも，それに次ぐ要因である。また，そのほかにも SLA には様々な性格要因が影響する。たとえば，自分自身の能力に対する確信が強いか，防御的な性格か，外向的かどうか，不安を抱きやすいタイプかなどの要素は，教室の言語学習の場面で，さらに教室外の言語使用の場面で少なからず影響を及ぼしている。教室指導では，そのような情意要因を考慮する必要がある。

　キーワード：動機づけ，自信，抑制，不安，リスク・テイキング，感情移入，外向性，内向性

10.1　動機づけ

　Krashen の情意フィルター仮説では，言語学習において不安があると，情意フィルターが上昇して心理的な壁を作るので，習得に必要なインプットも入っていかなくなると考えられていた。このような学習者の感情的な側面，つまり情意的要因も SLA に影響を及ぼす。学習者要因の中で，大人の SLA に最も関与しているとされているのが言語適性であるが，次に影響が大きいのが，動機づけ（motivation）だとされている。語学に限らず，何をやるにもやる気がある人ほど成功しやすいというのは，容易に理解できるだろう。現実社会でも，才能があっても努力しない人より，才能はそこそこでも，やる気があって努力する人の方が成功するということが起きる。心理学や SLA では，もっと厳密に，動機づけとは何か，動機づけを構成する要素とは何か，動機づけはどのように形成されるのか，というようなことが研究されている。また，近年は，Dörnyei という研究者を中心に，動機づけの新たな理論的枠組みがいくつか提案されている。

10.1.1　統合的動機づけ vs. 道具的動機づけ

　カナダの2言語教育の現場でSLAの様々な研究がなされているが，R. Gardner & Lambert 等が言語学習の動機づけについても一連の研究を行っている。R. Gardner（1985）は，社会心理的な立場で動機づけをとらえ，動機づけは，興味を抱き学習したいと思う願望が，その願望を達成したいとする行動と強く結びついたものだとしている。この定義によると，願望のみでは動機とはならず，必ず達成しようという行動をともなわなくてはならない。また，学校で必修だから，親や先生が厳しいから勉強しないと叱られる，試験がある，よい成績をとったら何か買ってもらえる，というような理由で勉強するのは，言語そのものへの興味や勉強を楽しもうという要素がないので，動機づけにはなりにくいと言える。

　R. Gardner & Lambert（1972）は，動機を統合的動機づけ（integrative motivation）と道具的動機づけ（instrumental motivation）に分けている。統合的とは，他の言語を話す人々の集団に社会的文化的に帰属し，その中で自己を確立したいと願い，L2を学習する場合である。道具的とは，社会的地位を得る目的や，入学試験などの教育的な目的でL2を学習しようとする場合である。R. Gardner（1985）は，カナダのモントリオールでフランス語を学習する高校生にフランス語を学ぶ理由を順序づけさせた。質問項目は，(1)仕事を得るのに役立つ（道具的），(2)フランス系カナダ人やその生活様式を理解するのに役立つ（統合的），(3)より多くの，より多様な人々と出会い，会話するのに役立つ（統合的），(4)より教養を備えた人になるのに役立つ（道具的）の四つである。この調査の回答と学習者の行動やコースにおける達成度を観察して，統合的動機づけがある方が，フランス語の習熟度も高かったとしている。また，統合的動機づけと伝達能力には高い相関関係があったという。たとえば，統合的動機づけが高い学習者は，クラス内でも活発に発言する，必修でなくなっても履修を継続するケースが多い，教師からのフィードバックを肯定的に評価するというような行動が観察されたのである。

　しかし，カナダ以外の場所で調査された結果には，必ずしも一貫性のある結果は得られていない。フィリピンの英語学習のように，道具的動機づけが高い方が，言語能力レベルも高くなるという結果もある。つまり，教育上，職業上L2の能力が有利になる国，地域では，道具的動機づけの方が重要だ

と言える。その後の調査（R. Gardner & MacIntyre, 1991）で，心理学専攻の大学生 40 人の語彙学習において，結果がよければ報奨金が出ると言われたグループと何も言われなかったグループを比較している。その結果，報奨金が出ると言われた方，つまり，道具的動機づけをされたグループの成績が上回り，統計上も有意差が出た。しかし，一旦報奨金が出ると，学習者の動機づけは著しく低下したという。このような研究を総合して，一般には，統合的動機づけの方が長期的に見ると学習意欲が持続することが多く，道具的動機づけは短期的に見ると有効だと考えられるようになった。

　日本語学習者に関する調査では，倉八（1992）が，欧米系は統合的動機づけが高く，アジア系やアフリカ系は道具的動機づけが強いという傾向があることを示している。ただし，アジアでも，成田（1998）のタイの大学生の調査では，統合的動機づけが高いほど成績がよいという結果になり，倉八（1992）とは一致しない。また，縫部，狩野＆伊藤（1995）のニュージーランドの大学生の調査では，来日経験があるほど統合的動機づけが高く，また，学習期間が長いほど，統合的，道具的動機づけの双方とも高かったことが報告されている。李（2003）は，韓国人の JFL 環境（韓国）と JSL 環境（日本）を比較しているが，JFL の方が全般的に動機づけが高いという結果が出ている。縫部等の研究結果と異なり，来日経験がない方が動機づけが高く熱心だということである。しかし，JFL では学習の持続性がなく，動機づけの維持には，自分の日本語能力が伸びているという達成感を味わえるような方策が必要なのではないかと述べている。

　このように，動機づけの研究では，学習の環境が異なると，同様の結果は得られないようである。Au（1988）は，L2 学習によって得られる文化的，社会的意義の認識が国により異なるので，結果として客観性を欠くのではないかとしている。たとえば，目標言語（TL）が話されていない外国語学習環境では，社会への帰属願望はもともとないとも言えるし，L2 を習得することによって就職に有利になるといった事情も，国により異なるであろう。L2 社会に帰属したいという統合的動機づけは，L1 社会への帰属感を失うおそれがあると指摘する声（Klein, 1986）もある。Clément, Dörnyei & Noels（1994）は，外国語学習環境では L2 集団との直接の接触は限られるので，カナダのような L2 社会への帰属意識はもともとないが，メディアや旅行を

通じて L2 に触れることは可能で，L2 集団への社会的文化的な関心が動機づけにつながっているとしている。

　Gardner 等は，このような動機づけの研究を進めるために，「態度／動機づけテストバッテリー（Attitude/Motivation Test Battery，以下 AMTB）」という質問紙を開発し，より包括的な「社会教育的モデル（Socio-Educational Model）」を提案している。このモデルの名称は，L2 学習が文化的な影響を受けたり，帰属意識が変化するという意味で「社会的」なものであり，教師や教材が L2 学習の成否を左右するという意味で「教育的」であることに由来する。AMTB を用いた研究は蓄積されており，それらを総括して，R. Gardner（2010）が図式化したモデルを図 21 に示した。動機づけ研究では，統合的動機づけと道具的動機づけという用語が広まったが，Gardner が本来，用いたのは「志向（orientation）」という語であった。「志向」とは言語を学習する理由のことで，「動機づけ」とは言語を学習するために向けられた努力をさすものとして区別している（R. Gardner, 1985; R. Gardner & MacIntyr, 1991）。

　このモデルの中では，動機づけの中心は統合性から来るもので，統合性とは，統合的志向，外国語への興味，TL 話者への肯定的な態度があることが

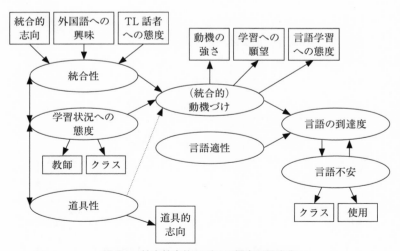

図 21　社会教育的モデルの概念の図式化
（R. Gardner, 2010 に基づく；小柳 2018d 一部加筆＆訳）

前提条件になっている。道具的理由と関連がある道具性は，動機づけの形成においては補助的なもので，動機づけの中心はあくまで統合性の方だとされている。また，動機づけは学習状況，すなわち教師やクラスに対して好意的，肯定的かという要因とも相互作用がある。動機づけの高さは，動機の強さ（言語学習に費やす努力），学習への願望（目標達成への強い望み），および言語学習への態度（言語学習に感じるやりがいや喜び）の総和で示される。動機づけと，それとは独立して言語適性も学習者の L2 到達度に影響を及ぼす。

10.1.2　内発的動機づけ vs. 外発的動機づけ

　動機づけは教育心理的な見方で，内発的動機づけ（intrinsic motivation）と外発的動機づけ（extrinsic motivation）に分ける（Deci, 1975）こともある。内発的とは，動機づけが本来の学習目的と直接結びついている場合である。関心があるから勉強する，面白いからやるというような動機づけがあるのは，学習者自身の内面から出てきた動機づけである。外発的とは，学習本来の目的ではなくて，報酬，賞賛，叱責回避などが目的となっている場合である。この分類は，統合的／道具的動機づけと同義語のように扱われたりして混同されることもあったが，D. Brown（2000）は，統合的／道具的動機づけと内発的／外発的動機づけという二つの異なる立場の分類を統合して，表 16 のように，二次元的に動機づけをとらえるべきだとしている。前述の縫部，狩野＆伊藤（1995）は，統合的，道具的動機づけ共，外発的動機づけに含まれるもので，それらを内発的動機づけと区別している。そして言語学

表 16　動機づけの二次元化（D. Brown, 2000）

	内発的動機づけ	外発的動機づけ
統合的動機づけ	L2 学習者が L2 文化に帰属したいと希望する（例：移民，結婚）	L2 文化への帰属意識を高めるには L2 を学習することが他人から期待される（例：日系人の親の希望で子どもを日本語学校へ行かせる）
道具的動機づけ	L2 学習者が L2 を用いて自己の目標を達成することを希望する（例：キャリアのため）	他者の目標を達成するために L2 を学習することが学習者に期待される（例：日本企業が研修のために社員を海外に派遣する）

習そのものが自己実現，達成感を味わう手段としてとらえられる段階で，学習者を外発的動機づけから内発的動機づけへと導くことが肝要だとしている。

　内発的／外発的動機づけのベースには，実は，自己決定理論（self-determination theory）（Deci & Ryan, 1985, 2000; Noels, 2001; Ryan & Deci, 2000 等）という心理学の理論がある。この理論によると，ヒトには「有能性（competence）」「自律性（autonomy）」「関係性（relatedness）」という三つの心理的欲求があり，これらが満たされた時，内発的に動機づけられたと見なす。有能性とは，目標を達成して自分の能力を見せたいという欲求である。自律性とは，自らの意思で自主的に行動したいという欲求である。関係性とは，他者やコミュニティと関わりたいという欲求である。これらの三つが満たされた時は自己効力感が高く，自己決定感を感じられるため，自己決定理論と呼ばれている。L2 学習を始める時は，学校の必修というだけで学習者には何の動機づけもない，つまり，「無動機（amotivation）」の場合もある。そのうち，教師に強制されたり，親に言われて宿題を提出するなど，外発的に動機づけられて行動する段階に入る。最初は無動機や外発的動機づけの段階にあっても，次第に L2 学習に自分なりの価値や意義，楽しみを見つけ，行動できるようになると，自己効力感，自己決定感が高くなり，内発的に動機づけられるのである。すなわち，自己決定理論では，無動機，外発的動機づけ，内発的動機づけへと続く変化のプロセスとして動機づけをとらえているのである。

　McEown, Noels & Saumure（2014）は，カナダの大学の日本語学習者を対象に，自己決定理論に基づいた動機づけの研究を行っている。調査参加者にとって継承語ではなく，外国語として日本語を学んでいたが，無動機の学習者はほとんどおらず，多くが内発的動機づけかそれに近い段階にいたという。また，日本語学習について教師からの有効なサポートがあると，学習者はクラスメートとの関係性を深め，自らの日本語能力にも自信ができ，動機づけが高まることも明らかになっている。よって，McEown, Noels & Saumure は，L2 との接触がほとんどない外国語学習環境でも，自己決定感が高まると，さらに目標言語やその文化が個人的に意味のあるものになるという好循環が生まれると論じている。適切な教室環境を作りだすことができれば，外国語学習環境であっても，学習者を内発的に動機づけることができると言え

るだろう。

10.1.3　タスクに対する動機づけ

　Crookes & Schmidt（1991）は，動機づけと教室の学習場面とを結びつけて研究する必要性を早くから指摘していた。学習タスクによる動機のバリエーションに着目し，動機づけを安定した動機づけである習性的動機づけ（trait motivation）と，一時的な状況的動機づけ（state motivation）に区別する見方もある（Trembly, Goldberg & R. Gardner, 1995）。また，Dörnyei（1994）は，図 22 のように，動機づけに三つのレベルがあると見ていた。一つ目の言語レベルは，統合的／道具的動機づけに関連があり，コミュニティにおける L2 の価値など社会的な動機づけをさす。二つ目の学習者レベルの動機づけは，内発的／外発的動機づけに関連する個人レベルの動機づけで，L2 学習の価値をどれほど個人の中に内在化できるかに左右される。そして，三つ目のレベルは学習状況によるもので，コース固有の動機づけと，教師との関係により築かれる教師固有の動機づけと，教室の仲間との間で作られる集団固有の動機づけが含まれている。

　SLA 研究では，タスク・ベースの教授法（TBLT）が提案され，教室で及び研究においてもタスクを用いることが増えている。Dörnyei & Kormos（2000）は，タスクへの動機づけは習性的なものと状況的なものの両方がミックスしたものだと見ている。タスクの言語運用に影響するのは，一般的な動機づけ，コース特有の動機づけ，タスク特有の動機づけが考えられるが，それまでは，後者の二つが区別されていなかったと批判している（Dörnyei, 2001a）。コースに対しては学習意欲を持ってのぞんでいても，コースの中で行うある学習タスクにはやる気が起きないということはあり得るだろう。実際，Dörnyei & Kormos（2000）は，ハンガリーで英語を学ぶ高校生に調査を行い，状況固有のタスクへの動機づけが高い方が，タスク遂行時に話す量が多く，話順交替が頻繁に起き，コミュニケーションの意欲（willingness to communicate）につながっていたことを明らかにしている。動機づけの変化を質的に分析した研究（Shoaib & Dörnyei, 2005）によると，学習者は時には意欲がわかないコースやクラス活動にあたり，一時的に動機づけが停滞することもあるが，根底に L2 学習そのものへの意欲を持ち

続けていれば，長く L2 学習を続けられるようである。

言語レベル	統合的動機づけサブシステム
	道具的動機づけサブシステム
学習者レベル	達成のニーズ
	自信
	・言語使用不安
	・L2 能力の自己認識
	・原因の帰属
	・自己効力感
学習状況レベル	
コース固有の動機づけ	興味
コンポーネント	適切さ
	期待感
	満足感
教師固有の動機づけ	連帯願望（affiliative drive）
コンポーネント	権威のタイプ
	動機づけの直接的社会化
	・モデリング
	・タスクの提示
	・フィードバック
集団固有の動機づけ	目標志向性
コンポーネント	規範及び報酬システム
	集団の結束性
	教室の目標構造

図 22　外国語学習の動機づけのコンポーネント（Dörnyei, 1994; 小柳 2018d 訳）

10.1.4　動機づけを高める教師のストラテジー

　動機づけが直接，L2 熟達度にインパクトを与えるかどうかは曖昧だが，少なくとも学習を継続する意思には影響するとされている。長く続けられれば，必然的に上級レベルのコースにたどり着くことも多いが，言語適性の方が L2 熟達度を予測できると言われている。しかし，長い年月を要する L2 学習において，動機づけが重要であることは間違いない。動機づけは学習状況によって変化する可能性があるので，学習者が動機づけを維持するためには，教師からのサポートが不可欠である。

　Dörnyei 等（Dörnyei, 2000; Dörnyei & Ottó, 1998）は，心理学の行動制御理論（Action Control Theory）（Heckhausen & Kuhl, 1985 など）を応用

し，意思決定前の「選択的動機づけ（choice motivation）」と意思決定後の「実行的動機づけ（executive motivation）」でとらえる動機づけのプロセスモデルを提案している。そして，それらの段階に合わせて，学習者の動機づけを高めるために教師が使える動機づけストラテジーも提示している。より具体的には，Dörnyei（2002）は，L2学習における3段階のプロセスを示している。第1段階は行動の前段階で，選択的動機づけが関わるところである。まずは目標を設定することが重要で，それが，その後の個人の目標につながっていく。第2段階は行動の段階で，実行的動機づけが関わっている。この段階では，行動前に生成された動機づけを維持し保護していく必要がある。そして第3段階も実行的動機づけに関わるが，行動を振り返り評価し，次に追求すべき行動を決定する段階である。これらの三つの段階は明確な区分けがあるわけではなく，オーバーラップすることもあると考えられている。

　その段階に合わせて教師は何ができるかを示したのが，図23である。この中で，上の枠と右の枠に示されたものが，行動の前段階において，学習者のために教師ができることである。たとえば，コース開始時には，教師が快く学習者をサポートするという態度を示し，学習者同士がすぐに打ち解けるような雰囲気づくりをすることが必要である。また，授業が楽しいものになりそうだという高揚感や，このコースを取ればL2が上手くなりそうだという期待を抱けるように，初日または始まって最初の1週間程度で学習者にコースの面白さを印象づける工夫が必要であろう。下の枠にあるのが授業を継続中の教師のストラテジーである。授業の中では，少しがんばれば達成可能なタスクを提示し，楽しくやりがいのある教室活動を行い，学習者の自律を促すような教師の行動が，学習者の動機づけの維持や保護につながると考えられる。左の枠にあるのは行動後の段階である。学習がうまくいかなかった学習者に対しては，その原因についてフィードバックを与えることも重要である。学習者の能力のせいではなく，学習ストラテジーの使い方がまずかったというようなフィードバックをして，今後の方向性を示すと学習者を動機づけられると言われている。

　このように見てくると，よい授業をする教師は，自ずと学習者の動機づけを高めているように見える。教師の動機づけストラテジーと学習者の動機づけの因果関係を，実験により直接示した研究もある。Moskovsky et al.

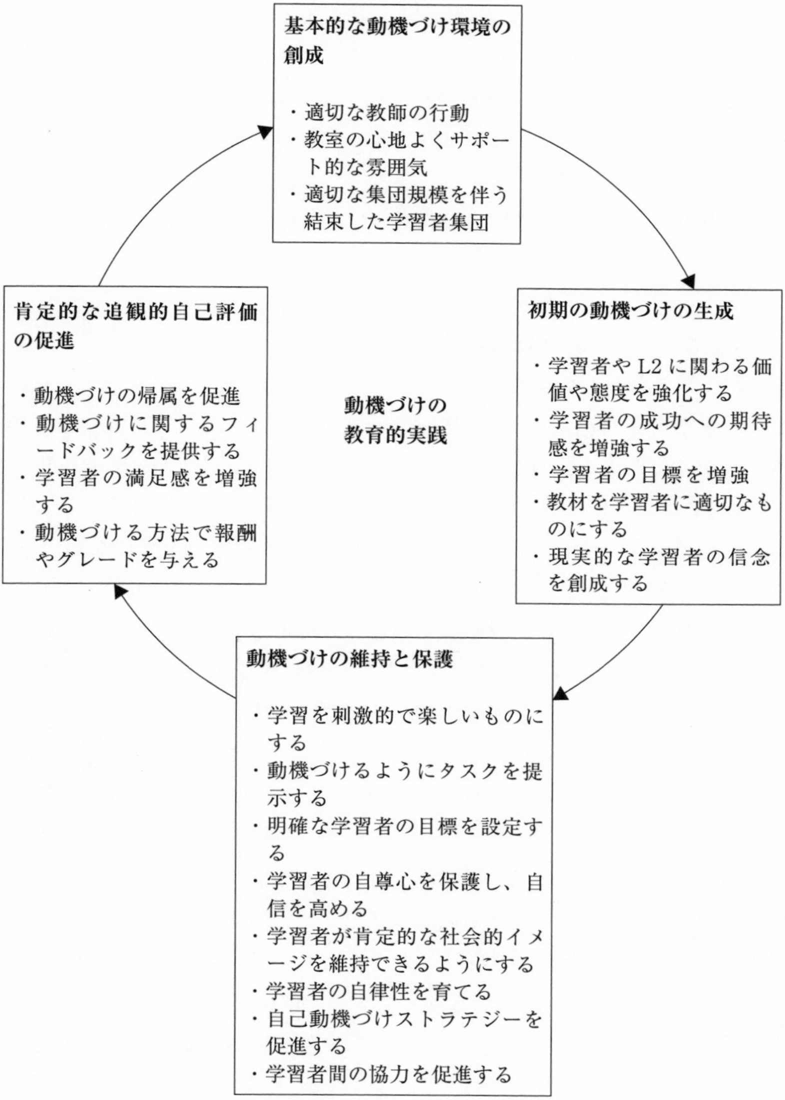

基本的な動機づけ環境の創成

・適切な教師の行動
・教室の心地よくサポート的な雰囲気
・適切な集団規模を伴う結束した学習者集団

肯定的な追観的自己評価の促進

・動機づけの帰属を促進
・動機づけに関するフィードバックを提供する
・学習者の満足感を増強する
・動機づける方法で報酬やグレードを与える

動機づけの教育的実践

初期の動機づけの生成

・学習者や L2 に関わる価値や態度を強化する
・学習者の成功への期待感を増強する
・学習者の目標を増強
・教材を学習者に適切なものにする
・現実的な学習者の信念を創成する

動機づけの維持と保護

・学習を刺激的で楽しいものにする
・動機づけるようにタスクを提示する
・明確な学習者の目標を設定する
・学習者の自尊心を保護し、自信を高める
・学習者が肯定的な社会的イメージを維持できるようにする
・学習者の自律性を育てる
・自己動機づけストラテジーを促進する
・学習者間の協力を促進する

図 23　L2 教室における動機づけの教育実践のコンポーネント

(Dörnyei, 2001b; 小柳 2018d 訳)

(2013) は，サウジアラビアの教師 14 人と英語の学習者 300 人を対象に，動機づけストラテジーを用いる実験群と，そのようなストラテジーを使わず伝統的な教授法の授業を行う統制群を比較する実験を行っている。そして，8 週間にわたり授業を行った結果，実験群の方が内発的動機づけや統合的動機づけが増したことを報告している。よって，教師が動機づけを高めるストラテジーを用いることは，学習者の動機づけを高めるのに実際に効果があるということがわかる。

10.1.5　L2 動機づけの自己システム

　最後に，より新しい動機づけのモデルを紹介しておく。Dörnyei（2005）は，心理学の「自己矛盾理論（Self-Discrepancy Theory)」（Higgins, 1987, 1998）などに基づき，「L2 動機づけの自己システム（L2 Motivational Self System)」というモデルを提案している。将来なり得る「可能な自己（possible self)」をイメージすることが動機づけの形成には重要で，可能な自己をさらに「理想的自己（ideal self)」と「義務的自己（ought-to-self)」に分けている。前者は，個人的な希望や願望を含む，将来なりたい自分が有する特性のことである。後者は，他者に対する義務感や責任感を含み，期待に応える，または否定的な結果を回避するために有する特性のことである。それらの自己に L2 の熟達度を身につけることが特性に含まれるなら，現在の自分とのギャップを埋めることが行動の原動力になり，動機づけられると考えられている。また，L2 の動機づけにはもう一つの要素として，「L2 学習の経験」があげられる。これは，教師や学習者集団，カリキュラムなどの学習環境や経験をさし，状況における動機づけの維持に関連するものである。

　すなわち，L2 動機づけの自己システムにおいて，効率的な L2 使用者になりたいという内的な願望，L2 をマスターすべきという学習者の環境から来る社会的なプレッシャー，および L2 学習過程の現実の経験が，動機づけの背後にあると想定しているのである。Csizér & Dörnyei（2005a, b）は，動機づけとは L2 コミュニティに統合されることではなく，もっと内面的な自己の確立のプロセスだと見て，「理想的自己」は Gardner の「統合性」より広い概念だと見ている。また，L2 をマスターした理想的な自分が「理想的自己」だとすると，L2 により職業的な成功を収めるという道具性も，そ

の中に含まれる。

　Kormos & Csizér（2008）と Csizér & Kormos（2009）は，ハンガリーの高校生と大学生の英語学習者を比較している。その結果，高校生の方がL2学習経験が動機づけに影響し，大学生になると理想的自己の方が動機づけへの影響が大きい傾向が見られ，年齢によっても動機づけは変化し得ることが示された。大学生では，国際志向が強く，L2学習の経験を肯定的にとらえられると，動機づけも高くなるようである。理想的自己のイメージが持てると，学習者は自分で動機づけを高め，維持する自己調整ストラテジーを使えるようになるという。前章（9.5）で新しい学習ストラテジーとして自己調整ストラテジーが注目されていることを述べたが，動機づけを維持するために学習者が行う工夫や努力も，L2学習の成功の大きな秘訣と言えそうだ。

10.2　性格要因

　言語学習に向いている性格があるとすれば，どんな性格だろうか。確かに，目標言語の話されている環境に置かれた場合，誤りを恐れずに，覚えたての言語をどんどん使ってみる学習者もいる。このような学習者は，すぐに上手になるだろうと想像がつく。一方，引っ込み思案だったり完璧主義だったりして，なかなか使ってみようとしない学習者もいる。では，本当に外向的でどんどん外に出て行くタイプがよいのだろうか。以下，言語学習における性格の問題を見ていこう。性格に関する研究は，性格的特性が欧米の基準で定義され，欧米以外のコンテクストに合わないのではないかという批判があるが，海外の研究が先行しているので，今までわかっていることをまとめておきたい。

10.2.1　自信と抑制

　うまく日本語に訳せない用語であるが，自信／自尊心（self-esteem）もSLAに関係があるのではないかとされている。これは，自分自身の能力に対する確信のことである。確信と言ってもレベルがあって，グローバル・レベルでは，自分自身の価値をどう評価しているかということに関わり，大人はこれを変えることができない。次に状況レベルでは，特定の状況における自己の賞賛のことをさす。たとえば，スポーツなら自信がある，というよう

な自己評価が含まれる。さらに，もっと限定すると，課題レベルの自己評価もある。ある特定の課題において自信を持っているという場合である。たとえば，言語学習を得意とする学習者でも，文法のテストは苦手だが，リスニングは自信があるというような確信を持っている場合もあるだろう。一般には，自分の能力について自信を持っている場合の方が，進んでコミュニケーションをとるだろうと考えられ，言語学習に有効なのではないかとされている。

　自信は，強い確信，信念を持ち，言語学習においてはよい方向に働く性格要因だと考えられるが，反対に，自己を守ろうとするあまり防御的になる性格もある。これは抑制（inhibition）である。抑制が働く学習者は，あまり自信を持っていないとも考えられる。子どもは，まだ自我がないので，抑制は働かない。したがって，ことばを使うのが恥ずかしいというような気持ちも生まれない。しかし，大人になるにつれて自我がめばえてくると，抑制は心理的な壁を作ってしまう。大人でも，言語学習でいきなり政治問題や社会問題を話題に扱えるわけではなく，文字や数の数え方から習わなくてはいけない。そこに，大人としての自分との葛藤が生まれるのである。

　Guiora, Brannon & Dull（1972）は，『言語自我（language ego）』という概念を導入している。母語の習得を考えれば，母語の発達と共に自我も発達しているので，ことばと自我は表裏一体をなしている。しかし，そこにL2が入ってくると，新たなアイデンティティの確立という葛藤がつきまとう。そこで，新たな自我を受け入れたくない場合には抑制が働いて，SLAにもよい影響を与えないことになる。Guiora等の実験では，適量のアルコールを飲んだタイ人の被験者（＝抑制がない状態）は，アルコールを与えられなかったグループより発音テストでよい成績を収めたことから，抑制がない方がSLAにはよい影響を与えると考えられるようになった。今や古典的な実験例だが，この研究については，アルコールは筋肉運動にも影響を与えるはずだし，発音テストだけでは言語能力のほんの一部しか測っていないというような批判がある。

　実証上は，このような性格がどれほど重要かははっきりしていないが，ある程度自分を肯定的に見つめられる性格，自己を解放して，新しい言語社会に溶け込める性格の方が，SLAにはよい影響がありそうだと考えられる。また，自分のことだけでなくて，他人をよりよく理解するために，相手の立

場を考えて，その人が理解し感じていることを自分も理解し感じようとする
感情移入（empathy）も，コミュニケーションに必要な性格だと考えられて
いる。

10.2.2　不安とリスク・テイキング

不安

　講義形式で受身的であることが多い授業に比べると，いつ指名されるのだ
ろうかとビクビク心配してしまう会話の授業では，学習者の緊張度はかなり
異なる。また，まだ不完全な外国語を使って母語話者とコンタクトをとらな
くてはならない場面では，心配になるだろう。このような心配や恐れから生
じる心理状態を不安（anxiety）と言う。SLA においては，教室の内外で
様々な不安がつきまとう。他人とうまくコミュニケーションがとれるだろう
か（communication apprehension），他人が自分のことをどう見ているだろ
うか（fear of negative social evaluation），よい成績がとれるだろうか（test
anxiety）などの不安を学習者は抱えているはずだ。言語学習特有の不安と
して「言語不安（language anxiety）」（MacIntyre & R. Gardner, 1991）と
いう概念も導入されている。

不安の種類

　生まれながらに心配性な性格というのもあり，これを習性不安（trait
anxiety）と言う。また，なんらかの出来事をきっかけに，ある状況におい
てのみ不安を感じるというのは状況不安（state anxiety）である。言語学習
では，自分の L2 を笑われたり，L2 でうまくコミュニケーションがとれな
かったりするような経験をすると，それを契機に教室で不安になるというこ
ともあるだろう。また，不安の種類を抑制的不安（debilitative anxiety）と
促進的不安（facilitative anxiety）に分ける（Scovel, 1978）こともある。抑
制的不安というのは，課題遂行や言語運用に弊害となる不安のことである。
一方，促進的不安というのは，よい結果を生むような，適度の不安や緊張感
のことである。

日本語学習者の不安

日本語学習者に関する調査では，Samimy & Tabuse（1992）や Saito & Samimy（1996）が質問紙による調査を行い，米国の大学に在籍する日本語学習者において，不安は学習者の言語運用に負の影響があったことや，レベルが上がるほど，不安の影響が大きかったことを報告している。Aida（1994）も米国の大学で，不安が大きい日本語学習者ほど，成績も悪い傾向があることを示している。不安があるから成績が悪いのか，成績が悪いから不安なのか，この種の研究では，因果関係がはっきりしないのだが，不安を抱かせる教室環境は，言語学習の場としてよい影響は決して与えないだろう。Kanagy & Futaba（1994）のダイアリー研究では，米国の教室学習者と日本への短期留学生とを比較しているが，米国（JFL）では，クラスの状況に不安を抱くが，日本（JSL）では，教室外の実際のコミュニケーションに不安を抱いている様子がうかがえた。日本で勉強する学習者にとっては，教室はむしろ不安が少なく，教室の外に出た時にできるだけ不安なく日本語が使えるように，練習できる場所だと言えるだろう。

Fukai（2000）の質問紙とインタビューによる米国大学生の調査では，初級の学習者がテストや人前で話して間違えることに不安を感じていることが報告されている。また，不安を増幅する大きな要因は教師にあり，特に米国という文化上，間違えても威圧的に直すのではなくて学習者の日本語学習を助けてあげようという姿勢が見られる教師像が期待されているようである。また，ペアワークやグループワークも不安の少ない教室活動として好まれている。テストに対する不安は，Machida（2001）でも，ある状況特有の状況不安として調査されているが，オーストラリアの大学の日本語学習者は，口頭試験における不安度が高いほど，テストのパフォーマンスも悪かったことが報告されている。また，パフォーマンスが最もよかった学習者は，動機づけが最も高く不安度が最も低い学習者であり，不安と動機とが複雑に絡んでいる可能性を指摘している。このように，紙と鉛筆のテストではない口頭試験は，言語学習において特に緊張を強いられる場面である。Fukai は，テストの不安は，シラバスのコース目的と教室活動のタイプ，テスト形式に一貫性を持たせることで，かなり解消できるのではないかとしている。

リスク・テイキング

不安と関連して，危険を冒しても何かをやろうという性格の度合いをリスク・テイキング（risk taking）と言う。失敗を恐れずに危険を冒すタイプの学習者は，積極的に新しいことばを使ってみるので，言語の能力を伸ばせるだろうと想像がつく。性格的に心配性の学習者は，あまり危険を冒さないかもしれない。しかし，どんどん危険を冒すことがよいことなのだろうか。実際には，危険を冒すことの弊害もある。たとえば，危険を冒した結果，悪い成績をとってしまったり，教師に叱られたり，クラスメートから笑われたり，といった経験をすると，負の効果が生じる。そして，笑われることを恐れて，その後ますます言語を使えなくなってしまうかもしれない。

Ely（1986）の調査では，危険を冒すタイプの学習者は，確かに，クラスの自発的な発言回数と中程度の相関が認められた。しかしながら，Beebe（1983）は先行研究を概観して言語能力の高い学習者はリスク・テイキングにおいて中庸であるとしている。第9章（9.5）で言及したRubin等の「よい学習者」の条件に，「賢い推測をする」という項目があったが，時と場合によっては，勘を働かせて新しいコンテクストでことばを使ってみるということも必要だということであろう。危険を冒しすぎるタイプの学習者は，誤りも気にせずL2をどんどん使うので，正確さが身につかなくなってしまうことも考えられる。教師は，学習者それぞれの性格をできるだけ把握して，教室の外で危険を冒すことができない学習者でも，少なくとも，教室の中では間違えることが恥ずかしくない雰囲気づくりに心をくだくべきではないかと思う。

10.2.3 外向性と内向性

リスク・テイキングとも関係があるが，外向的（extrovert）な性格も，言語学習に向いていると考えられるだろう。一般には，外向的というと社交的でおしゃべりな性格で，内向的（introvert）というと静か，控えめというイメージがある。心理学的には，外向的とは，他者からの承認を得ることで自我や自己評価を高めようとする性格だと定義される。内向的とは，反対に，他者に照らし合わせることなく自己を確立でき，内面的に強さを持った性格だとされる。外向的な方が，人とのコミュニケーションをどんどん行う

ので，インプットやインターアクションの機会を多く作り，言語習得も早いと考えられるだろう。しかし，Busch（1982）の日本の英語学習者に関する調査では，外向的な学習者の方が言語能力が高いという結果にはならなかったようである。内向的な学習者は，特にオーラル・インタビューで，発音が優れていたことが報告されている。内向性を我慢強さや集中力があるととらえると，じっくり発音にも注意を向けて，英語を勉強していたのだと考えられる。

　外向性，内向性に関しては，ステレオタイプができあがっていて，誤解されやすい面がある。また，文化による価値観の違いがあって，外向性と内向性のどちらが評価されるかも，国や文化によって異なるだろう。アメリカでは外向性に価値を置いている[1]が，日本では内向性は，他者に対する思いやりや尊敬を示す性格とされ，伝統的には必ずしも負の評価ではなかったようである。このように，性格要因を研究する場合に，性格のいろいろな特性を定義する難しさがある。特に，このような研究は欧米が先行しているので，どうしても，欧米の基準で定義されてしまっているという問題がある。また，定義の問題もさることながら，それをどのようなテストや質問紙で調べるのかという問題もある。SLA 研究においては，性格要因は SLA に影響を及ぼす決定的な要因とはなり得ていないが，教室内外の学習者の行動になんらかの影響があるのは事実であろう。理想的には，教師が学習者の性格を把握して，教室活動の進め方を工夫できることが望ましい。インターアクションの研究では，Cameron & Epling（1989）は，問題解決タスクにおいて，消極的な学生同士，積極的な学生同士，および積極的な学生と消極的な学生のペアを比較している。すると，積極的な学生と消極的な学生のペアは，積極的な学生同士のペアと同様の高いパフォーマンスを示したことを報告している。特に消極的な学生が情報を提供する方に回り，積極的な学生に聞き役をさせると，インターアクションの意味交渉を促進するようである。したがって，学習者の性格の違いは，うまく活用することでグループ・ダイナミクスを生む源になると言える。

註

1. 日本よりずっと外向性に価値を認めていると思われるアメリカでも，2012年には Susan Cain の "Quiet: The power of introverts in a world that can't stop talking" (邦題『内向型人間の時代』古草秀子訳) という本が出版されベストセラーになり，内向性の価値が見直されている。

第11章　社会文化的要因とSLA

▶本章の概要

　目標言語が話されている国で言語を習得する場合は，異文化との接触が起き，学習者が目標言語の文化にどのような考え方，価値観を持つかが言語習得に影響する。目標言語の文化に否定的な場合は，動機づけが低くなり言語習得もうまくいかないことが多い。また，個人レベルで心理的な壁を感じてしまう場合もある。日本でも中国帰国者や難民，日系人及びその家族，留学生や技能実習生，国際結婚の配偶者など，在留外国人が増加しており，考えなくてはならない問題である。近年は，外国人が日本語を話し，日本文化になじむことを期待するだけでなく，外国人と接する日本人側の変容も求められている。

　キーワード：ピジン化仮説，文化変容モデル，異文化適応，多言語・多文化共生，複言語・複文化主義

11.1　ピジン化仮説

　目標言語が話されている環境，つまり第二言語環境で言語習得が進む場合は，言語運用と共に異文化との接触が起きる。その際に，学習者が自分の母語や目標言語の文化に対してどのような考えを持っているかといった価値観が，言語習得に大きく影響することがある。それは，前章で扱った動機づけや自我の確立にも関わる問題である。特に，海外から移住してきた社会的にマイノリティの人々が，学校教育でなく社会という自然環境で第二言語（L2）を習得する際には，社会的，文化的な相違が言語習得に及ぼす影響は大きいと考えられる。

　70年代前半のアメリカでは，社会文化的なアプローチでSLA研究がなされていた。その一つがハーバード・プロジェクトで，6人のスペイン語話者の英語習得過程を10か月にわたり観察し，特に否定文，疑問文，助動詞の

発達を調べる研究がなされた。その時に6人の中で，10か月たってもほとんど進歩が見られない Alberto という33歳のコスタリカ人の事例が報告されたのである。彼には，その後7か月にわたり正規の英語学習の機会が与えられたが，それでも英語はほとんど上達しなかったという。Alberto の英語がピジン英語に似ていることから，Schumann（1976）は，ピジン化仮説（Pidginization Hypothesis）を提示している。ピジンとは，母語が異なる人々が，政治やビジネスで接触してできた共通言語のことである。たとえば，ピジン英語では，"This beer is ichiban." のように，日本語と英語がミックスしたような言語を使うことがある。過去にはイギリスの植民地時代に，英語と現地の言語がぶつかって英語がピジン化した例がある。

　Schumann は，Alberto の英語にピジン英語の言語形式的な特徴と同様の特徴を見いだした。たとえば，否定構文で，何でも "no" をつける，疑問文で主語と動詞の倒置がなされていないというようなものである。ほかにも，助動詞や冠詞，be 動詞の不使用，所有格の語形変化や動詞の時制の変化がないこと，三単現の -s の省略，時制を動詞の変化ではなくて，副詞や文脈で表すこと，限られた使用語彙，同義語の欠如などの特徴も見られた。このようなことから，自然習得の初期段階は，ピジン言語と同様の発達過程をたどるのではないかとしたのである。

　言語のピジン化のプロセスにおいては，まず，複数の言語グループがいる地域で，社会的，文化的に優勢な言語を使用する人々との接触が起きると，その言語がL2として使用される。そして，その優勢な言語を使用した人々がいなくなっても，複数の言語グループの中でそのL2の使用は継続され，最低限の意思の疎通が図られる。しかし，L2を話す人々との接触がなくなるので言語習得には限界があり，またL2を正確に使用しようというような動機づけもない。よって，不完全な言語体系がそのまま定着してしまう。一種の化石化である。Alberto の英語は，まさにピジン化の過渡的な段階を反映しているかのようであった。

　Alberto は，ポルトガル人居住区に住み，コスタリカ人夫婦と同居していた。そして，従業員の大半が英語の非母語話者という工場で，単純作業に従事していた。英語が必要なのは，情報伝達のみで，複雑な感情を表現する必要もなかったし，英語の集団に帰属しようという気持ちもなかった。ピジン

言語と同様，限られた言語機能の範囲でしかL2を用いないと，文法も発達しないと言える。また，Albertoは知能検査では正常で，Albertoより年上の学習者でも習得レベルははるかに高かったことから，認知的な要因や年齢では，Albertoの英語の習得を説明できなかった。それで，目標言語集団との社会的，心理的な距離が影響しているのではないかと考えられた。社会的，心理的要因を重視して提案されたのが，以下の文化変容モデル（Acculturation Model）である。

11.2　文化変容モデル

　Schumann（1976, 1978）は，Albertoの研究を発展させて，文化変容モデルを提示している。SLAを，新たな文化との接触により，個人が文化的に変化していく過程の一側面としてとらえ，学習者が自らを目標言語集団の文化に同化させようとする度合いによって，習得するL2のレベルが影響を受けると見なした。つまり，文化変容の度合いが高ければ高いほど，L2も発達すると考えたのである。このモデルでは，目標言語との距離がどのぐらいあるかが文化変容のカギだとして，集団レベルで感じる社会的距離でSLAを説明しようとしている。そして，社会的距離だけで説明ができない場合は，個人レベルで感じる心理的距離を考慮に入れて，文化変容の度合いを見ようとしている。

　社会的距離から見ると，L2として目標言語を学ぶ学習者の集団と目標言語（TL）集団との間に社会的結束（social solidarity）が形成されると，SLAには最も適した環境となる。具体的には以下の条件があげられる。

(1)　優位性（dominance）：　L2集団がTL集団に対して政治的，文化的，技術的，経済的に優位か否か，従属しているか
(2)　融合（integration）：　L2集団の同化，文化変容，L1維持の度合いはどうか，L2集団が他から独立したコミュニティを形成しているか
(3)　団結力（cohesiveness）：L2集団の団結力が強いか，規模が大きいか
(4)　一致（congruence）：　二つの集団の文化に価値観や信念においてどれほど一致が見られるか，双方がお互いの集団に対してどのような態度を持っているか
(5)　永住（permanence）：　L2集団がTL集団の地域にどれぐらい長く居住しようと思っているか

(Schumann, 1976, p.136 に基づく)

このような条件でSLAに好ましい社会的距離を考えると，まず，L2集団とTL集団が政治的，経済的，文化的，技術的に同等レベルにあることが望ましい。そして，L2集団が自分達の価値観や生活様式を放棄してTL集団に溶け込もうとしていて，TL集団もそれを期待している場合が理想的である。集団毎に学校や教会施設があり，別々に社交が行われているのではなくて，少なくとも双方がそれをなくしたいと思っている環境が必要である。また，L2集団の団結力が弱く，規模としても小さい方がTL集団に溶け込みやすい。また，両方の文化が似ていること，近いことはSLAに有利に働く。そして，お互いのイメージが肯定的であり，TL集団の地域に長く滞在しようと考えているほど，言語習得が進むと考えられた。社会的距離とは，集団レベルで考えた場合のTL集団との距離のことである。

　SLAのパターンを社会的距離だけで説明できない場合には，個人レベルの現象として，学習者一人一人が感じるもっと情意的な心理的距離を考える必要がある。学習者のTL集団への心理的距離も，SLAに影響を及ぼす。その中でも，学習者は言語ショック（language shock）というものを，L2によるコミュニケーションにおいて感じている。これは，L2で言いたいことが相手に伝えられたかどうかという不安を感じたり，L1のような微妙なニュアンスがL2で伝えられないというフラストレーション，L1のコミュニケーションと同様の達成感や満足感の欠如，嘲笑の対象になっているのではないかという心配などのことである。言語に関してのみならず，目標言語圏では，カルチャー・ショックを感じることも多い。新しい文化の中で，新しい人間関係を築いたり，問題解決を行ったりする過程で，思い通りに物事が進まないと，恐怖心やストレスを感じたり，ひどい場合には自分の文化を否定してしまうこともある。このように心理的距離ができてしまうと，統合的動機づけを持つのは難しいので，TL集団の中に溶け込もうとしなくなってしまう。前章の情意的要因の中で，SLAの過程で「言語自我（language ego）」が形成されることを述べたが，これが柔軟になって心理的な壁がなくなると，TL集団と接触を持つようになる。

　このように，社会的，心理的距離が小さければ，学習者がTL集団と接触する機会が増加し，学習者が得られるインプットの量も増えるはずである。それが，やがてSLAをも促進すると考えられる。海外の日本語学習におい

ては，このような問題はあまり起きないが，日本にいる外国人にとっては，日本という異文化の中で言語を学ばなければならないので，言語習得は異文化適応の過程でもあることを考慮に入れる必要がある。

11.3　言語習得と異文化適応

第1部（第2章）で扱ったように，FLAにおいて，個人の属する文化や社会の一員としての行動様式を言語と共に学んでいくことを「ことばによる社会化（language socialization）」と呼んでいる。そのような成長期に異なる文化と接触したり，自国の文化と異文化の間を行き来したりすると，社会化のプロセスはもっと複雑になる。また，大人になって異文化で生活するようになった学習者は，異文化に簡単に同化して自分のアイデンティティを変えてしまうことはできないかもしれないが，適応できるか否かが言語発達にも影響を及ぼすであろうと考えられる。

安場，池上＆佐藤（1991）は，「順応」「適合」「同化」などの語が，学習者が周囲の環境に合わせて変わっていくというニュアンスがあるのに対し，学習者自身がもっと能動的に自己の欲求を満たし，自己実現することを含む用語として「適応」という語を用いている。よって，「異文化適応」は，「異文化の環境との相互作用を通して自己実現を目ざそうとする過程（p.8）」と規定している。日本に定住する外国人の場合は，日本社会に合わせるだけでなくて，外国人側が日本社会に働きかけていくことへの期待が，この用語には込められている。

中国帰国者定着促進センターでは，日本語教育の一貫として異文化適応教育が行われ，その事例が報告されている（安場，池上＆佐藤1991）。帰国者と言っても，母語は日本語ではなくて，日本は彼等にとっては異文化である。そのための異文化適応教育は，「異文化の環境において，その環境と調和的な関係を保とうとしつつ自己実現を目ざす個人を，その個人の能力と意欲の拡大過程に介入することによって，援助すること（p.14）」とされている。その方策として，センターでは，体験学習（experiential learning）を行ったことが記されている。予測できない場面に出会っても対処できる文化的能力を養うために，実体験と結びつけ，体験を通して問題解決策を学んでいこうというのである。

たとえば，帰国者のいる学校で，行事に親が弁当を持たせないという苦情があったことに基づく対処例が紹介されている。中国では，食べ物は，熱いものは熱いうちに食べるのが当然だと考えられていたことが一因のようである。そこで，まず，日本の学校行事の弁当の意味や日本式の弁当の知識があるかを話し合い，動機づけをする。そして，子どもに弁当が必要な時，どうするかという問題提起をして，解決法を考えさせる。弁当を日本式にするのか，中国料理の中からお弁当に適当なものを作るのか，というようなことを話し合う。そして，ここでは，日本式のお弁当を作ってみることを目標に設定し，その手段として，日本人に習うことを決め，実行に移すのである。さらに，学校でそのような機会があった際には実践してもらい，評価やフィードバックを行う形で，体験学習が進む。

　また，留学生に関しては，留学生センターを持つ大学では，異文化カウンセラーなどを配置しているところもある。鈴木＆井上（1995）では，東京外国語大学留学生日本語教育センターのカウンセリング活動が報告されている。これは異文化で起きた様々なトラブルや悩みに関してアドバイスを与え，支援するもので，異文化適応のための介入活動とされている。そのためには，カウンセラー側が留学生の文化背景を理解しておく必要があるし，まだまだ成長期にある留学生が異文化体験をプラスにして成長するきっかけにできるような支援が必要だと考えられている。さらに，大学では留学生を対象に「日本事情」のクラスを設けることが多く，日本語を使って現代の日本社会の問題を学んだり，日本や日本人についての疑問を学習者自らが調査することで，日本語の運用能力を伸ばすことと合わせて，日本社会への適応能力も伸ばせるようにサポートしている（山田1996の実践報告を参照されたい）。

　これらは，機関として異文化適応を支援している事例だが，日本にいる外国人の周囲にいる者も，学習者と一緒に体験して解決策を考えたり，アドバイスをしたりすることができるだろう。この場合は，必ずしもすべてを日本語で行う必要はなく，学習者の母語ができれば母語を用いてもかまわない。まずは，異文化に入っていけるように援助できれば，次第にL2である日本語を使おうという意欲がわいてくるであろう。昨今は地方でも外国人を見かけることが多くなっているので，日本人にも日本にいながら異文化接触の機

会が多くなってきている。外国人との人間関係を築く上で問題となるのは，自文化中心主義（ethnocentrism）や偏見（prejudice）である。また，現代のような情報社会では，相手を否定的にとらえる偏見とまではいかなくても，ある国，民族についてステレオタイプが形成されていることが多い。SLA の障害となる学習者の社会的，心理的距離を縮める努力は，外国人を受け入れる日本人側にも必要だと思われる。それは多文化社会における異文化間能力を身につけることである。（異文化適応に関する詳細な議論は，渡辺 1995 等を参照されたい。）

11.4　多言語・多文化共生の時代へ

　ひと昔前と比べると，海外からの旅行者のみならず，生活の場でも外国人の姿を目にする機会が増えている。今後も日本がさらなる人口減少，少子高齢化の時代に入っていくにつれ，働き手を補う外国人の存在がますます重要になってくることが予想される。また，グローバル化の時代において国を越えた人々の行き来も盛んになり，複数の言語や文化の間の多種多様なバランスが求められるだろう。そのような中，日本在住の外国人と日本人の関係はさらに一段階進み，近年は「多言語・多文化共生」ということばがキーワードになっている。今までは，日本に居住する外国人に日本への適応が期待されていたが，多言語・多文化共生社会においては，受け入れ側の日本人の変容が求められる。

　外国人が多く居住する地域社会や集合住宅では，日本人と外国人の間で様々な衝突や対立が起きていることが報告されている。外国人が日本人のやり方に適応するだけでは解決は一方向的であり共生にはならない。よって，受け入れ側の日本人が外国人居住者やその家族，子ども達にどれほど寛容になれるかが重要になる。FLA の第 2 章で扱ったように，日本人は幼少期から「察する」文化の中で育っているが，そのような高文脈の日本の文化は外国人にはわかりにくいと言われる。日本人と外国人居住者双方が互いの文化や習慣を尊重し合い，共存することが求められる。（多文化共生の問題は，加賀美 2013 等を参照されたい。）

　言語に関しては，生活者としての外国人のために「やさしい日本語」が開発され，公共サービスなどで実際に活用されている。（詳細は庵 2016，庵他

2020 等を参照されたい。）これも，外国人に十分な日本語能力を求めるのではなく，日本人側が歩み寄り，相手の母語が話せなくても，コミュニケーションが取れるように考えられたものである。また，国境を越えて複数の国を行き来する子ども達も増えており，バイリンガリズムの研究で指摘されているように，日本語の習得のみならず，母語の保持についても配慮する必要がある。母語が確立しないうちに日本語の学習が始まると，母語を喪失してしまう危険性があるし，日本語を習得する上でも母語の土台は重要だと考えられる。よって，社会として外国人の言語習得を支えていく必要があるだろう。（多文化の子ども達の問題については，宮崎（2014）を参照されたい。）多言語・多文化共生は，言語や文化の社会的な共存という側面を強調して打ちだされてきた考え方である。次節では個人の中の能力としてとらえた複言語・複文化主義を紹介する。

11.5　複言語・複文化主義

　複言語・複文化主義（Plurilingualism ／ Pluriculturalism）は，ヨーロッパ統合の動きに合わせて議論されたヨーロッパ評議会（Council of Europe）の言語政策から生まれた理念である。この考え方が，言語共通のレベル別の基準を定めたヨーロッパ言語共通参照枠（Common European Framework of References for Languages: CEFR）の中にも取り入れられている。バイリンガリズムというと 2 言語を同じレベルで使いこなせるというイメージを与えるが，複言語主義はそれとは異なり，習熟レベルの異なる複数の言語が一人の個人の中に共存していることをさす。複言語能力とは，二つ以上の言語を用いてコミュニケーションを行う能力のことである。複文化能力は，個人の様々な文化体験を通して育まれる統合的な能力だとされている。ヨーロッパでは，自民族中心主義に陥るのを防ぐ役割も担っていた（西山 2010）ものと思われる。複言語・複文化主義は，個人の中の言語能力や異文化体験に重きを置いた概念である。

　日本語教育では，CEFR に基づき，国際交流基金が「JF 日本語教育スタンダード」を開発し，教材作成やカリキュラム策定にも活用されている。特に，ヨーロッパの日本語教育でいち早く CEFR が取り入れられ，櫻井（2010）は，ベルギーの大学で，抽象的な CEFR の基準をより具体的な Can-do の記

述にして各課の目標を示すことにより，カリキュラムを策定したことを報告している。ベルギーというお国柄，もともとフランス語，オランダ語，ドイツ語が併用されており，複言語主義の導入は比較的受け入れやすかったのだと考えられる。日本でも大学の外国語教育で複言語主義が取り入れられるようになっている。CEFR はどの言語にも共通なので，言語を超えた基準が生まれ，学習目標を共有しやすいという利点があるからだろう。しかし，西山 (2010) は，日本国内では，CEFR の基準自体は様々な外国語の教育に活用されるようになったものの，複言語主義や複文化主義といった理念そのものの議論が十分になされていないという問題を指摘している。

　尾関 & 川上 (2010) の研究によると，子どもの時から複言語，複文化に接触する環境にある場合，大人になる過程で複数の言語能力に対する不安や，さらに帰属意識に対する葛藤も生まれるが，それを乗り越える時に複数の言語能力への自己認識が確立されるということである。家庭環境や両親の仕事の関係で，複数の言語圏を行き来して育つ子どもも多くなっているが，移動の度にそれぞれの言語と格闘する本人には複言語能力を身につけているという自覚はあまりない。これまで SLA やバイリンガリズムの研究で扱われてきた年齢と言語，認知能力の発達の問題は，複言語主義の中でも同様に起きていると考えられる。個々人の言語の習得における問題は，SLA やバイリンガリズムの研究成果に照らして丁寧に見ていかなくてはならないだろう。今後，日本でも在留外国人の増加が予想されるので，複言語能力，複文化能力とは何かという議論もさらに必要だと思われる。

第**12**章　言語教育の基礎研究としてのSLA

▶本章の概要

　昨今は脳科学を教育に役立てようという動きが国内外で起きている。「脳の世紀」と言われる 21 世紀には，言語学習の脳内メカニズムも解明されると思うが，そのメカニズムに照らし合わせて密に言語学習のメカニズムを解明するのは SLA の領域である。脳科学や認知心理学の知見も視野に入れながら，SLA の教室習得研究が言語教育において果たす役割は大きい。日本語教育においては，教育に役立つ SLA 研究が必要だという声が高まっている。しかし，特に国内の研究においては，学習者からデータをとって学習者言語の特徴を詳細に記述する研究は多いが，言語学習のメカニズムを解明しようという視点に欠けている。今後，実証研究が増えれば，教授法の基礎科学として日本語教育に貢献できるものと思われる。

　　キーワード：脳科学，認知科学，認知心理学，実証研究，アクション・リ
　　　　　　　サーチ，教育現場

12.1　SLA とはどんな学問か

　何をもって SLA 研究と見なすかという問題は，研究者の間でも様々な見解がある。そして，SLA 研究が言語教育に役立つかという問いにも，研究の立場により，異なる答えが返ってくるだろう。また，理論の拠り所により，SLA をどう定義するかも異なる。生成アプローチをはじめ，言語学的なアプローチをとる SLA は，言語運用的要素を排除した言語知識の習得をSLA とするし，認知的アプローチのように，言語知識が内在化され，アウトプットとして表出するまでを SLA と見なすなら，言語運用も含めた言語

能力の習得をもって SLA とする。さらに，SLA は認知科学の領域であるという主張がある一方で，SLA には談話分析などエスノグラフィー的な社会科学の視点がなければ SLA のすべての現象を説明できないとする見解もある。このように，SLA にはあまりに多くの理論が出されて，すべての現象を説明し得る理論を構築するのが難しい状況にあるとも言える（Jordan, 2004 の詳細な議論を参照）。

　本書は，英語で出版されている SLA の入門書，概説書に網羅されるような領域にはおおよそ言及したが，全般に教室第二言語習得（Classroom SLA/Instructed SLA）研究の立場からまとめてある。それは，筆者の専門でもあるし，言語教育に最も近い SLA の分野だからである。もっと専門的に細分化すると SLA には様々な研究領域があり，世界中の著名な研究者が 1 章ずつを執筆担当した SLA のハンドブック（Doughty & Long, 2003b; Gass & Mackey, 2012; Ritchie & Bhatia, 2009）などの目次を見ていただければ，その領域の広さがわかるだろう。

　本書の最後にまとめとして，教室習得研究が，もっと大きな社会的コンテクストでどのように位置づけられるのか，SLA が言語教育とどのようにつながるのか，さらに今後，日本語教育において SLA 研究をどのように役立てていけばいいのかなどを考えてみたい。

12.2　脳科学から言語教育へ
12.2.1　脳科学と教育
　文部科学省は 2002 年 3 月に「脳科学と教育」に関する検討会を発足させ，脳科学の成果を教育に役立てようという方針を打ちだしている。脳科学の発達を踏まえた学習メカニズムに関する研究や，新たな科学領域の創成を目ざしているのである。このような動きは，昨今の脳科学の進歩により，国内外のトレンドになっているようである。海外では言語教育において，SLA の分野から「心理言語的に妥当性がある教授法（psycholinguistically relevant pedagogy）」「脳のしくみに合った授業（brain-compatible classroom）」が提唱されている。文部科学省の方針が発表された直後，脳のしくみがわかれば，英語教育を始めるのに最適な年齢がわかるというような期待が新聞などで報じられていた。しかし，たとえ年齢による脳の発達，変化がわかったと

しても，それが言語発達にどのような影響があるかをより密に検証するのは
SLA の分野である。また，言語学習時の脳の活動を脳科学で明らかにする
だけでなく，SLA においても脳のしくみと一貫性のある言語学習のモデル
や理論が構築されないと，教育現場で具体的に何をすればいいかは明らかに
ならないだろう。よって，脳科学から言語教育の現場までの距離を埋める橋
渡し的な役割をするのが SLA であると思われる。

　アメリカの大学院では SLA を専攻する学生に，認知心理学や脳科学の授
業を受けられるようにしているところもある。その成果の一つが，論文集
（Schumann et al., 2004）となって刊行されている。だが，Schumann
（2004）は，SLA や認知心理学と脳科学の研究では，アプローチが正反対で
あると述べている（図 24 参照）。SLA や認知心理学は，人間の行動ありき
で，それを観察し記述することから始める。そして，その背後にどんな学習
メカニズムがあるのかを仮定して，実験で証明しようとする。一方，脳科学
は脳の活性化領域や血流などのメカニズムありきで，それが外に現れた人間
の行動とどう結びつくかを見ているという。したがって，SLA とは逆方向
の情報が得られることは有益だが，教育実践に役立てるには SLA において
学習メカニズムを綿密に検証，考察することが肝要である。

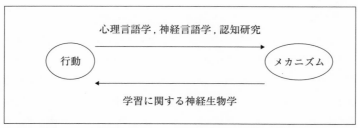

図 24　心理学および SLA と脳科学のアプローチの違い
（Schumann, 2004, p.2 に基づく，小柳 2016e）

　SLA では Krashen の「習得／学習仮説」以来，習得は意識的か，無意識
的かということが論争になったことに言及した（第 7 章 7.1.1 参照）が，実
は意識とは哲学や脳科学の永遠のテーマである。21 世紀は脳の世紀と言わ
れているが，その究極の目標の一つが「意識の解明」である。今世紀は「意
識のルネッサンス」とも言われている。現在の意識研究の流れをさかのぼる

と，17世紀の哲学者デカルトの時代にたどり着く。デカルトは心身二元論を唱え，「我思う，故に我あり」という有名なことばを残している。これは，考えることにより自己認識をするということで，「意識」を高次な知的作業で，主観的なものとしてとらえている。よって，この時代は，心身を分離して考えるようになり，意識は哲学で扱い，科学は心と切り離して身体を研究するものだとされた。こうして，17世紀はニュートン等が登場し，近代科学が花開いたのである。しかし，意識は哲学の領域とされたので，しばらくは意識が科学の対象となることはなかった。

　脳については最近になって急速にいろいろなことがわかってきているが，かといって，昔は興味を持たれていなかったというわけではない。健康な人の頭を割って直接調べることができないので，方法論上の問題もあり，関心の高さの割には研究が手つかずのままになっていたのである。これまでは，脳を調べるには，脳の損傷患者の臨床データや死後の解剖データを頼りにするしか方法がなかった。ところが，近年，fMRI（機能的磁気共鳴映像法）やPET（陽電子放射断層撮影法）などの脳の画像処理技術が進み，知的活動を行っている健常者の脳を観察することが可能になったのである。また，20世紀は心理学においても，外から観察可能な行動のみを研究対象とした行動主義心理学から，人間の内面を研究対象にした認知心理学へという大きなパラダイム・シフトがあって現在に至っている。最近は新聞や雑誌の特集でも「心（mind）はどこにあるか」というような見出しをしばしば目にするが，人間の高次の認知，知の働きは脳の中でどのように起きるのか，意識はどのようにして起きるのか，というような問題が，一般の人々の間でも関心を集めている。このような人間の高次な知的活動，つまり認知に関する研究を認知科学と言う。その中の大きなテーマの一つが意識の解明である。認知的アプローチのSLA研究でも，意識に関わるアウェアネス，注意，記憶などが研究のキーワードになっている。

12.2.2　教室習得研究の位置づけ

　言語学習はインプットからアウトプットに至るプロセスとしてとらえられるが，脳も，ある刺激が知覚器官を通してインプットされ，それを情報処理して運動器官によりなんらかのアウトプットを出すメカニズムでとらえられ

る。聴覚から入ってきたインプットを情報処理して，音声器官によりスピーチにしてアウトプットを出すのが言語運用であり，言語運用における言語処理よりもっと長い時間をかけて継続的に進行する言語学習のメカニズムでもある。脳科学から新たな知見が生まれることが期待できるこの時代に，言語教育に向けて教室習得研究が果たすべき役割はどんなことであろうか。SLA の大きな研究目標は，習得のメカニズム，特に学習者の言語発達における心的表象（mental representation）の構造と，その形成のプロセスを明らかにすることである。心的表象とは，長期記憶にある抽象レベルの知識構造である。生成アプローチの SLA 研究は心的表象のモデルとしては一つの洗練された形だと言えるだろう。ヒトの言語の深層の規則は抽象的なものだが，その規則性を示して学習者の言語がどのように構築されるのかを探っている。一方，認知的アプローチの SLA は，習得のプロセスに関心を寄せている路線の研究である。

　このようなアプローチの教室習得研究が大きく影響を受けているのは，認知心理学の情報処理の理論である。認知心理学でも，意識，注意，記憶の一貫性のある情報処理モデルや理論の構築を目ざしている（苧阪 2002，酒井 1997）。認知心理学では，構築したモデルと認知神経科学の知見に一貫性があるか，常に検証がなされている。また，その中間的な神経心理学という学問領域もある。学問領域の流れを以下の図 25 に示した。

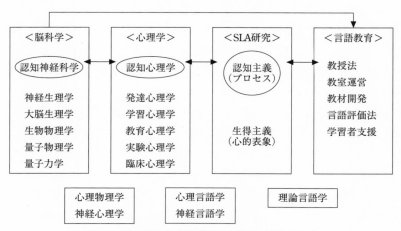

図 25　脳科学から言語教育への流れ（小柳 2003）

心理学ではすでに，脳科学，認知心理学，学習心理学の成果を教育現場に生かそうという提言がなされている（Bransford, A. Brown & Cocking, 2000 参照）。心理学で扱う学習というのは第二言語ではなくて，国語や算数など第一言語で行う一般学習である。たとえば，指導の方法を変えると結果がどのように違うかを比較する研究，歴史の得意な高校生と歴史学者の知識は何が異なるかを調べ，歴史的な物の見方を育てる教育とは何かを考察する研究，そのような学習を支える脳のメカニズムを探る研究などを統合して，教育に役立てようとしているのである。心理学で第二言語以外の教科の学習についてすでになされているいろいろな試みは，まさに教室習得研究が目ざそうとしているものである。

　脳科学が目ざしているのは，人間の高次な認知の脳内メカニズムの解明である。様々な機能がどこにあるか，そして，それらが情報処理の過程でどう統合されるのかを明らかにする必要がある。脳を物質としてとらえる量子物理学，量子分子学的な見方もあるが，認知心理学につながりがあるのが，認知神経科学の神経科学的な見方である。脳には140億個のニューロンという神経細胞があって，ニューロン間はシナプスにより結合されている。外からの刺激を受けるとニューロン間に電気的な興奮が起きて，その結合の強度に変化が起きる。学習が起きた場合には，脳になんらかの変化が起きる。その変化により心的表象，つまり心が生じ，記憶として蓄積されると考えられている。認知心理学は，外から見えない認知活動の脳内モデルを考え，実験によりモデルの妥当性を検証しているが，認知神経科学では，実際に脳の動きを調べることで，脳内メカニズムを明らかにしようとしている。両者が結びついた神経心理学，また言語における神経的な側面を調べる神経言語学という分野もある。

　SLA でも認知神経科学や認知心理学の知見と一貫性のある理論が構築されることが望ましいが，実際に第二言語学習に直結した実験をデザインしたり，他教科の学習とは異なる言語学習の問題を論じるのは，言語教育の知識もある教室習得の研究者達の仕事である。教室習得研究においては，認知心理学との接点が今後ますます重要になってくると思われる（DeKeyser, 2001; Doughty, 2001, 2003; Robinson, 1995, 2001c, 2003; Schmidt, 2001 等）。このような流れの中で，SLA が取り組む課題としては，たとえば以下のよ

うなものが考えられる。

・インプットは認知的にどのように処理されるのか。
・明示的学習と暗示的学習ではどのような記憶の表象が形成されるのか。
・スキルの自動化はどのように進むのか。
・学習者の認知資源（注意や記憶）にはどのような制約があるのか。
　そこに，どんな個人差が生じるのか。
・学習者の認知的メカニズムにどのように介入すれば，習得が効率よく促進
　されるのか。

（小柳 2020）

　教室習得研究は，実験や調査によりこのような課題を一つ一つ検証し，言語学習のメカニズムを明らかにすることを研究目標としている。しかし，このメカニズムを通せば，いつでも，だれにでも同様に習得が起きるわけではない。教室指導のテクニックが習得にインパクトをもたらすには，そこに影響を及ぼす様々な要因を考慮する必要がある（図 26 参照）。たとえば，同じ指導テクニックを用いても，どの言語形式をターゲットにするかでも結果は異なってくる。学習者の発達段階や発達順序，言語形式自体の卓立性（インプット中で目立っているか）など言語形式の特徴により，教室指導の効果は変わってくる。また，学習者の認知的メカニズムは学習者の個人差要因にも

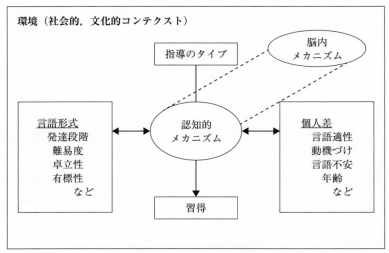

図 26　教室指導の効果と諸要因との相互作用（小柳 2016a）

影響を受ける。よって，このパズルのような相互作用の関係を解き明かして
いくことが教室習得研究だと言える。この路線は教授法そのものの研究では
ないが，学習メカニズムが明らかになった暁には，教育現場への様々な示唆
を導くことができると期待される。

12.3　SLA 研究と日本語教育

12.3.1　SLA 研究の役割

研究のサイクル

　日本語に関する SLA 研究は，海外の動きからは遅れたが，特に 1990 年
以降は論文数が増加している。国内では，少ない数の学習者の長期にわたる
言語発達を記述する縦断的研究にしろ，一度に多くの学習者からデータを集
める横断的研究にしろ，学習者の言語を何かの文法項目に絞って記述したも
のが多い。しかし，これだけでは，学習者の言語がなぜそのような状況にあ
るのかを説明することはできない。よって，それについて普遍文法など何か
の言語理論に基づいて実験を行い，理論で説明がつくかどうかを検証しなく
てはならない。この意味で，記述的な研究は，学習者の言語の特徴がある理
論で説明がつきそうだという仮説を生成するタイプの研究である。一方，あ
る理論で説明がつくかどうかを実験により調べるのは，仮説検証型の研究で
ある。また，教室でこんなことが起こっているらしい，それが習得によい影
響があるようだ，というようなことは，教室談話の研究で言える。つまり，
ある教室活動の特徴が習得を促進しているのではないかという仮説を生成す
ることはできる。しかし，その仮説が本当に正しいかどうかを実験で示すの
は，情報処理モデルなどに基づく仮説検証型の研究である。

　仮説検証型の研究の中でも，人工言語や半人工言語（時には自然言語もあ
る）をコンピュータで指導し，その効果を調べるような実験を，実験室研究
（laboratory studies）と言う。学習者が知っている言語で実験すると，学習
者が実験における学習から学んだのか，実験以前から持っていた知識が喚起
されて学習が進んだのかはわからない。それで，実験の指導の真の効果のみ
を見るために，また厳密に心理的特性をコントロールして調べるために，実
験室研究が行われるのである。知らない言語であれば，既有知識を排除でき
るし，コンピュータを用いれば教師の教え方の違いという要因も排除でき

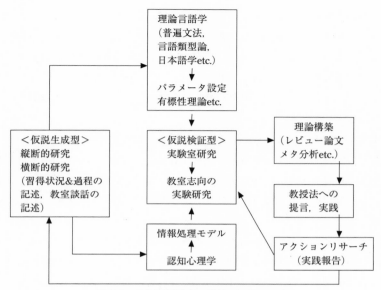

図 27　言語習得研究の流れ（小柳 2001）

る。しかし，実際の教室とはかけ離れているため，生態学的妥当性（ecological validity）がないと批判されてしまう。そこで，もっと教室志向の研究も必要になる。それが，被験者を集めて，クラス外で新たに無作為配分（random assignment）[1]でグループ分けするもので，実験研究（experimental research）と言う。クラス外で実験を行うのが難しい場合，既存のクラスを使って比較実験することがある。これを，準実験研究（quasi-experimental research）と言う。純粋な実験に比べると，被験者の要因をコントロールするのが容易ではないが，授業の中で行えるので実施しやすいという利点がある。

　様々な研究が蓄積されてくると，その成果を統合して理論構築していくことも学問領域として必要なことである。それで，分野全体を概観したレビュー論文や展望論文が必要になる。また，第三者がオリジナルの研究者の記述的なデータを基に新たに統計処理して，ある領域の成果を明らかにするメタ分析が行われることもある。成果がまとまれば，教授法への提言も行っていけると思われる。教師の授業改善，内省を図る方法としてアクション・リサーチ（岡崎＆岡崎 1997；横溝 2000 参照）があるが，これは教師個人が

自分の授業を振り返り，よりよくするために，なんらかの工夫を試みて，その経過や結果を報告するものである。現場の教師が教室習得研究で言われていることを試してみて実践報告がなされれば，教室習得研究へのフィードバックになるだろう。しかし，アクション・リサーチでは結果を一般化できないので，介在する様々な要因をできるだけコントロールした実験研究が必要になる。

　実験やデータ収集というと，一部の教師に学習者を被験者として利用することへの躊躇や抵抗感があることは承知している。しかし，学習者の協力なくしては教育界全体に寄与できる研究は成り立たないので，実験やデータ収集について現場の教員の方からできるだけ多くの理解と協力が得られることを願うばかりである。医学の研究にもいえるが，臨床試験にデータを提供してくれた患者の症例の積み重ねで，将来の特効薬や治療法が生まれるのである。もちろん，実験を行う側は，倫理上のルールを守った上で慎重に行うべきである。また，参加してくれた被験者に，日本語学習に関してなんらかのフィードバックができれば理想的である。以上のように，様々なレベルの研究や現場の実践が有機的に結びつくことで，日本語教育の発展に貢献できると思われる。

SLA 研究と医学

　教室習得研究は，医学研究の進め方に似ていると思う。2020 年は新型コロナウィルスに世界中が振り回されたが，治療法やワクチン開発に関する医者の話を聞いていると，SLA 研究に似ていると感じることが多い。ある医者は，「動物実験では効果が見られたが，人間ではまだ試されていない。」と言っていた。動物実験は，SLA でいう人工言語を用いたコンピュータによる実験室研究のようである。また，ある医者は，「この薬を投与した患者には効果があるように見えるが，投与しなかったグループとの比較が行われていないので，確実なことはまだ言えない。」と言っていた。SLA 研究でも，ベースラインデータとして，教室指導を受けずに事前／事後テストのみを受ける統制群が不可欠と言われているのと同様である。

　医療の現場において臨床実験でよいとされる治療方法を実際に患者に試しても，遺伝的体質や生活習慣などの要素が絡むので，実験通りにならない場

合がある。同様に，習得研究でよいとされる指導テクニックを試しても，動機，年齢，持って生まれた語学の才能，環境など様々な背景の学習者をクラスで扱う場合，実験通りにはいかないかもしれない。医学研究も言語習得研究も，反証があがることもあるし，データのとり方，実験のデザインなどで結果が変わることもあり，そこでさらに原因究明することで，その分野はますます発展していくのである。また，医学が生物学，脳生理学などの周辺分野と関わり合いながら，基礎医学，臨床医学が発展しているように，SLA研究は，理論言語学，認知心理学，脳神経学などの関連する基礎分野と共に発展している。ただし，医学の実験では命に関わる問題であればあるほど，実験結果にほとんど誤差が出ないというレベルが求められるのであろうが，SLA研究では誤差が5％くらいの範囲でしか起こらないと言えれば十分だとされている。こうして，10年，20年の長い時間単位で見れば，医学が確実に進歩しているのと同様に，SLA研究もこの50年でかなりの進歩を遂げている。

SLA研究とスポーツ科学

　最近スポーツ界ではスポーツ科学の研究が盛んで，科学的なトレーニングを積む選手が増えている。ある運動に必要な筋肉の動きや生理系統などのメカニズムがわかり，どのようなトレーニングを行えば効率よく強くなれるかも解明されるようになった。日本でもナショナルトレーニングセンターが設置され，トップレベルの選手は科学的なトレーニングをしたり，栄養面のサポートなども受けられるようになっている。同様に，SLA研究の中でも，認知的アプローチによる教室研究は，習得過程の認知のメカニズム，つまり脳の中で何が起こっているかを解明しようとしており，認知のメカニズムがわかれば，必然的に認知過程のどこに働きかけるべきか，つまり，どう教えるのが効果的かがわかってくるはずである。つまり，教室SLAの研究は，言語教育における基礎医学やスポーツ科学のような役割を果たしている。現場の教師は，SLAの知識を学習デザインや教室における意思決定のプロセスの判断基準の拠り所として活用すべきである。

12.3.2　SLA 研究と言語教育の現場

教育現場と SLA 研究とのギャップ

　教育現場では，様々な方法で言語の指導がなされていると思う。たとえば，文法の規則を説明する，間違いは厳しく直す，学生同士で自由に発話させる，文型がなめらかに口をついて出るまでドリルを繰り返す，学習者に勉強のやり方を教える，文法の練習問題を多くやらせる，実生活に役立つタスクをやらせる，文章を多く読ませるなどである。この中で正しいことはどれなのであろうか。どんな方法をとるにせよ，教師は自分なりの言語教育観や信念を持って教室指導にあたっていると思う。それは時に自らの外国語学習の経験から来る直観であったり，最初に受けた教師養成トレーニングから来る知識であったり，その後の教師経験などから形成されたものであろう。今では教室第二言語習得の研究が盛んになり，経験だけでなくて，理論に基づいて実験をデザインし，実証を基に理論が構築されている。よって，R. Ellis（1997b）も，言語教育と言語習得論では議論の土俵が異なるとしながらも，認知的アプローチによる SLA 研究は言語教育に大いに貢献し得ると述べている。Markee（1997）は，SLA 研究の成果に基づいたタスク・ベースの教授法（TBLT）を推進することにより，教師の誤った信念や教育現場の体質を変えるべきだと説いている。

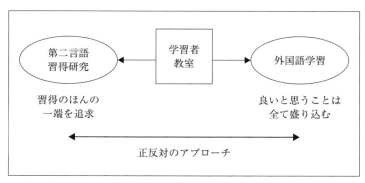

図 28　第二言語習得と外国語学習の関係（小柳 2020）

　さて，実際の教室では，教師は冒頭にあげた指導テクニックのうちよいと思うことはすべて駆使して授業を行っていると思われる。その一方で，その

日の学習者の体調や気分を気にしたり勉強の遅れがちな学習者に目を配ったりしながらクラス運営を円滑に進め，決められたカリキュラムの中でその日のノルマをこなさなくてはならない。このように教室で教師のやるべきこと，考えることはたくさんある。ところが，習得研究の実験では，因果関係を明らかにするために，調べたい一つの要素（独立変数）のみを操作する。たとえば，規則を説明したグループとしなかったグループで指導後のテストの平均点（従属変数）にどのような違いが出るか，ということを調査する。そして，因果関係を調べるのに邪魔な要素（介在変数），たとえば学習歴，学習者の動機，熟達度の差などをできるだけコントロールして，比較するグループ同士が実験開始時に均一になるように操作する。そして，無作為配分（random assignment）してグループ分けした被験者の人口サンプルが全体人口の代表であり，実験結果を全体人口に一般化して解釈できると考える。しかし，一般化の範囲は，同じ母語の学習者にだけいえることかもしれないし，日本国内の学習者にしかあてはまらないかもしれない。また，結果が一般化できるといっても，一つの研究が調べていることは言語習得過程全体，教室活動全体から見れば，ほんの一部の断片にすぎない。このように，教室という同じものを見ていても，教育現場と SLA 研究では正反対のアプローチをとっていると言ってもよい（小柳 2020）（図 28 参照）。しかし，そのような研究の積み重ねにより，学習者言語のメカニズムを解明しようとしているのである。

基礎科学としての SLA

　日本語や教授法全般に関する知識は勉強できるとしても，実際にどう教えるかという部分が，経験を積まなければわからないこと，徒弟制度のように先輩教師に教えられながら，あるいはテクニックを盗みながらでなければ身につけられないものであってはならないと思う。日本語教育の学習者は多様化し，ニーズも様々である。大学の教育課程や民間の養成講座の知識では対応しきれない事態が将来起きる可能性がある。長い教師生活において，教室活動や教授テクニックそれぞれの意義を理解し，自分なりの判断力，意思決定力を持つためには，SLA，特に教室習得の知識は不可欠であると思われる。SLA は外国語教育の基礎科学になり得る分野である。このような研究

は科学の進歩と同様日々進んでおり，日本語教師全員が研究者である必要はないが，新たな研究動向に関心を持つ姿勢も必要であろう。もし，養成講座受講時の古い習得論や教授法の知識を引きずって，最近の理論に疎かったら，言語教育について誤った信念に固執してしまうことにもなりかねない。教師は現場に入ってからも新しい研究動向に関する情報を得る必要があるし，研究者側からの新しい情報発信の働きかけも必要であろう。

12.3.3　SLA 研究から教授法へ

最後に，現段階の SLA の教室習得研究から教育現場に言えることをまとめておきたい。第 7 章のコラムで扱ったように，これまでの SLA の知見を集約し，心理言語面のプロセスに合致した教授法として，タスク・ベースの教授法（TBLT）が提唱されている。この教授法の方法論上の 10 の原則を改めて振り返り，SLA の実証から推奨されていることをまとめておきたい。10 の原則とは以下の通りである。これらを一つ一つ見ていきたい。

1. 分析単位としてテキストではなくタスクを用いる
2. 何かをやることにより学習を促進する
3. インプットを精緻化する
4. 豊富なインプットを提供する
5. 帰納的なチャンク学習を促す
6. 言語形式に注意を向ける（Focus on Form）
7. 否定的フィードバックを提供する
8. 学習者シラバスや発達過程を尊重する
9. 協力的，協働的な学習を促進する
10. インストラクションを個別化する　　　　（Long, 2015）

原則 1：分析単位としてのタスク

タスク・ベースという名が示す通り，TBLT ではタスクでシラバスが構成される。具体的に行動として何ができるようになるかということが課の目標タスクとなる。課の始まりには，学習者に新出の文法や文型を示すのではなく，タスク遂行により達成すべき行動目標を意識させることが重要になる。実際の教室でいきなり目標タスクを行うのはハードルが高いが，そのために下位タスクとして教育タスクがデザインされる。文法や文型はそれに付随してついてくるものである。すなわち，習得は，動詞の過去形とか格助詞

のような言語の単位ではなく，タスク単位で起きることが前提になっている。たとえば，初めて会った相手に自分を印象づけるような自己紹介ができるようになり，次にお店の人と会話をしながらほしい物を買うことができるようになる，というように，学習者が日常生活で言語を使ってできるようになることはタスク単位である。レッスンを重ねていくにつれ，行動としてできることが増えていき，それにともない文法項目や文型もついてくると考えるのである。

　従来の教授法ではまず文法や文型ありきで，教科書の中のモデル会話や読み教材は，その課で新しく導入される語彙や文法を意図的に散りばめて作られたものが多い。コミュニカティブ・アプローチの時代になってからは，学習者のニーズをアンケートやインタビューで調べたり，コース終了後に学習者を受け入れる職場などにも調査がなされるようになった。TBLT ではさらにもう一歩踏み込んで，ニーズ分析の中には，会話のサンプルを収集することも含まれる。母語話者同士の会話と母語話者と非母語話者との会話を比較すると，母語話者同士の会話が必ずしも学習者にとってのモデルにならないこともあり得る。たとえば，道順を教えるタスクで，相手が母語話者なら一気に道順を言うような易しい道順であっても，非母語話者に対しては，母語話者が道順を細かく区切って教えたり，相手が理解したかを確認しながら会話を進めることも明らかになっている。よって，教師が文法と語彙を教えるために人工的に作った会話，あるいは母語話者の会話をお手本にした会話は，学習者にとってのモデルにならないこともある（Chaudron et al., 2005 参照）。

　タスクはニーズ分析や教科書のシラバスを構成するものであるだけでなく，評価もタスク単位になる。言語テストの役割は，「目標言語使用領域で受験者がどれだけのパフォーマンスができるかを予測するもの」（Bachman, 1990）なので，タスクで構成されたレッスンで学び，タスクで言語運用を測定すれば，授業で学んだことが教室の外の実生活に生かされることになる。

原則2：何かをやることによる学習

　TBLT では言語そのものが学習の対象ではなく，言語以外の何かほかのことをしながら，付随的に言語も学ぶことが推奨されている。教科学習を目

標言語で行うイマージョン教育はそのようなやり方の典型であるが，ほかにも大学や大学院で勉強するためのアカデミック・スキルのコースや特定の職業訓練を想定した言語コースも，以前からタスク的な教え方がなされていた。それは，コース終了後に必要になるスキルや課題が明確であったからであろう。何かをやることを通して言語も学ぶということは，実生活や学業，仕事上，行動として何ができるようになるべきかということを，学習者に明確に意識づけることができる。学習者が教室の外でも使えそうだと思わせるような授業は，学習者の動機づけを高め，教室活動が学習者にとって意味のあるものになると考えられる。

　暗示的な学習メカニズムの特徴の一つに，コンテクストに依存することがあげられる。暗示的学習を通して得られた暗示的知識（手続き的記憶）は，再び同様のコンテクストに置かれると，学習したことを思いだしやすく，しかも一つの事例となって関連する語彙や言語形式がまとまって記憶から検索されるので，正確で流暢な言語運用につながるとされている。単語帳で母語との対訳で覚えた単語の知識は，単語の意味を書くようなペーパーテストでは思いだしやすいが，いざ実生活で使おうと思っても，すぐには思いだせないことが多い。しかし，暗示的な学習メカニズムを通して学んだ語彙や文型は，学習時と同様のコンテクストに置かれると思いだしやすく，コンテクストの中で使えるのである。その意味でも，何かをやることによって言語を学ぶことは理にかなっていると言える。

原則3：インプットの精緻化

　SLAの理論ではインプットが重視され，インターアクションによりお互いの意思疎通ができるまでやりとりを繰り返す意味交渉が，習得を促進するとされてきた。あらかじめ簡略化したインプットではなく，対話相手とのインターアクションにより理解可能になったインプットの方が習得にインパクトがあることが明らかになっている。よって，音声インプットを与える場合は，意味交渉の機会を通して会話的調整がなされるようなインプットを与えることが重要になる。つまり，意味交渉により理解可能なインプットにしていくことが，音声インプットによる精緻化と言える。また，学習者が何を発話するかわからない言語産出と違って，インプットは教師があらかじめ操作

することが可能である。よって，意図的にある言語形式の出現頻度を増やしたインプットを提供することもできる。

また，文字テキストによるインプットに関しても，簡略化したインプットではなく精緻化するべきだと言われている。Yano, Long & Ross（1994）は，読解テキストを簡略化すると，理解はたやすくなるかもしれないが，難しい語彙が易しい語彙に置き換えられてしまったり，論理構成を理解するヒントになる接続詞やつなぎの文が省略されるなどして，せっかくの習得のチャンスを奪ってしまうことを指摘している。また，生のテキストも学習者によっては難易度が不適切な場合もある。そこで，難しい語彙にはパラフレーズした表現などを並べて余剰的な情報を盛り込み，精緻化すべきだとしている。精緻化したテキストは，生のものより語数が多くなり，テキストの長さが長くなることもあるが，語彙や表現などの習得の機会につながると考えられる。よって，音声にしろ文字にしろ，質の高いインプットを与える必要がある。

原則4：豊富なインプット

学習者には量的にも十分なインプットを与える必要がある。従来の教授法は，それまでに習ったことを使って新しい文型を導入し，習ったことだけが含まれているモデル会話や読解テキストを提示されることが多かった。しかし，学習者が自分で自らの言語で表現できること，理解できることと，母語話者が話していること，書かれたものとの間にギャップがあることに気づき，新しいことを取り込んで記憶に内在化していくことが重要である。そのためにも，そのような気づきを可能にする豊富なインプットが必要なのである。

国内の日本語教育においては媒介語を用いずに日本語だけで授業をする，いわゆる直接法で授業が行われることが多いので，教師は常に日本語を話している。よって，学習者には十分日本語は聞かせていると思いがちである。しかし，習得はインプットから始まると考えられているのに対し，実際の教室では習得に適切なインプットを与えているとは言い難いように思われる。文型を導入したり文法を説明したりすると，その後すぐに文型練習やコミュニカティブなアクティビティをやることが多いのではないだろうか。VanPatten（1990）が指摘するように，習得の第一歩として，学習者がイン

プットから何かの言語形式に気づき，それを記憶に内在化していくインテイクのプロセスが重要である。インプットがないということは，アウトプットを出す以前のインプットからインテイクに至るプロセスがないということになる。インテイクになっていないところで，いくら産出練習をやっても，習得にはつながらないということになる。

　TBLT では，インターアクションやアウトプットの活動に入る前に，タスク・ベースのインプット活動による豊富なインプットを提供する必要がある。すでに学習者が知っていることについては言語産出することも意味があるが，特に新出のタスクを行う場合には，インプット活動が重要になる。タスクが遂行されている場面を聞かせたり，あるいは見せたりする活動を，1種類ではなくバリエーションのあるものを複数提示する必要があるだろう。TBLT は分析的な学習アプローチをとるので，分析を可能にするだけの，質的にも量的にも十分なインプットが与えられるべきである。

原則 5：帰納的なチャンク学習

　帰納的なチャンク学習，つまり暗示的学習を促進するような学習デザインが求められる。原則 2 の何かをやることにより学ぶことや，原則 3，4 の質的にも量的にも十分なインプットを与えるということも，暗示的学習のメカニズムに合致している。用法基盤的アプローチによる言語習得観によると，学習者は豊富なインプットの中から用例を蓄積していき，自らの認知能力で分析的に学習し，ある時点でなんらかの規則性を抽出するとされる。言語表現のまとまった固まりをチャンク（＝定型表現，形式発話，コロケーションなど）というが，チャンクは記憶の単位でもある。FLA のプロセスを思いだすと理解しやすいが，乳幼児は母音や子音が認識できるようになると，イントネーションやアクセントなどを頼りに単語を切りだすことができるようになる。そうすると，その内部の音韻構造の分析はさらに進む。単語レベルの処理が自動化されると，次は句の単位をチャンクにして切りだせる。そして，句の内部構造の形態素の分析はさらに進む。句レベルの処理が自動化されると，今度は文のレベルで切りだせるようになる。すると，文の内部構造の統語（語順）の分析が進んでいくのである。

　記憶の単位としてチャンクを見ると，処理が自動化されるたびに，より大

きな単位のチャンクが処理できるようになる。より大きな単位に統合されていくチャンキングのプロセスが言語処理を支えている。より大きなチャンクが使えるようになると，固まりで覚えると効率がよいコロケーション（母語話者らしい言い回し）の習得は促進されると考えられる。暗示的な学習により手続き的記憶に内在化されたチャンクは，コミュニカティブなタスクにおける事例として検索される。すなわち，あるタスクに必要な語彙や言語形式や表現などが一度に検索され，活性化されるので，必要な時にすぐ運用され，流暢さの源になると考えられている。明示的学習によって得られた宣言的記憶には，個々の知識が独立して収められているので，言語運用の流暢さにはつながらないのである。よって，TBLT で帰納的なチャンク学習を促進することは，正確で流暢な言語運用につながると言える。

原則6：言語形式への注意（Focus on Form）

　TBLT は言語そのものを目的とせず，言語以外のことをやりながら付随的に言語も学ぶことを目的としているので，基本的には Focus on Meaning の処理モードで学習が進んでいる。意味／機能が重視されているわけだが，そこで言語形式とのマッピングが起きるかどうかは，学習者のパターン発見能力に委ねられることになる。しかし，Focus on Meaning の言語処理モードで学習が進むイマージョンでは，言語形式へ注意が向かず，文法の習得に問題があったことが明らかになっている。そこで，TBLT では，基本的には実生活のニーズに合ったタスクの遂行を行動目標としながらも，付随的に言語を学ぶには，教師が適宜，Focus on Form の言語処理モードにスイッチすることをサポートする必要があると考えている。

　タスクを遂行する際の言語処理モードは，Focus on Meaning に設定されているが，コミュニケーション上の問題により必要性が生じた場合には語彙や言語形式が不足していたら，そのタイミングで教えればよい。インプット・ベースのタスクの中に，そのタスクの中で必要な言語形式を事前に含ませておき，学習者に気づきを促すこともできる。また，タスクの認知的な複雑さを操作したり，タスク実施の手順（プランニングの時間，タスクの繰り返しなど）を考慮することで，言語運用の異なる側面にインパクトを与えることもできる。従来の教授法と異なるのは，教師が先回りして何でも説明し

てしまったり，意味を考えずに形だけを変えて言わせるような機械的なドリルや文型練習をしたりするようなやり方ではないということである。言語形式に注意が向くように教師はサポートをするが，その前提には，コミュニケーションの中で意味／機能を重視した活動に学習者が従事しているということがある。

原則7：否定的フィードバック

原則6にある Focus on Form の一つの指導テクニックとも言えるが，否定的フィードバックを与えることは教師に期待される大きな役割である。これまでも，文型練習をしたり文法の練習問題を解いたりする中で，教師は誤りの訂正を行ってきた。誤りの訂正は学習者が期待していることでもある。しかし，TBLT の中では，意味のあるやりとりをしているので，その中でどのようなフィードバックを与えるかということを考える必要がある。コミュニケーションの流れを止めず，また，学習者の言語処理のシステムも止めないで，自然にフィードバックを与えるとすると，暗示的なリキャストや明確化要求が好ましいと言える。

明示的にはっきり訂正されると，その時は学習者はわかったような気になるのだが，忘れるのも早い。しかし，リキャストのような暗示的なフィードバックは，与えた直後には学習者の反応がなく，学習者が気づいていないように見えても，実は効果の持続性が明示的なフィードバックより高いことが SLA 研究では示されている。また，教室観察研究では，教師は実際にはリキャストを多く与える傾向があることも明らかになっている。学習者とやりとりをしていると，無意識にそれとなく誤りを直しているのだと思われる。しかし，暗示的な否定的フィードバックはすべての誤りに反応していてもあまり効果はなく，一定期間集中的にターゲットを絞ってフィードバックするのが効果的だと言われている。教師は自分のフィードバック行動を見直してみるといいかもしれない。

原則8：学習者の内的シラバス

Krashen が，「i＋1」の理解可能なインプットを与えれば習得が進むとしたインプット仮説が日本語教育に紹介された時，「そんなこと，私達はずっ

と前からやっています。」と言った日本語教師が多かったと聞いたことがある。日本の日本語教育は直接法が主流だったので，確かに直接法は文法積み上げ式と言われ，習ったことを基に上手に場面を提示して，そこで新しい文型を導入するという方法がとられていた。しかし，教師が教える順番と学習者が習得する順番は一致していないことが多いので，本当に「i + 1」になっている保証はない。Krashen が提示したのも英語の九つの形態素の習得順序のみで，しかも SLA では FLA ほどきれいな順序は見いだされなかった。

今や言語習得の研究では，L1 にも L2 にも，また L2 の自然習得にも教室習得にも共通で，どんな教室指導をもってしても変えることができない強固な言語の発達段階があることが知られている。よって，教師は学習者の内的シラバスを尊重して教える必要がある。発達段階は，自発的な会話に表出した段階により決定するので，同じコースを取っている学習者が同じ発達段階にいるとはかぎらない。また，文構造を考えると，発達段階が上にある言語形式でも早く教えなくてはならないものもある。よって，クラス全員の発達段階に合わせて教えるというのは難しいかもしれない。しかし，教師は学習者には発達段階があることは頭に入れておくべきだろう。日本語の発達段階も明らかになっており，なぜある言語形式は教えても学習者の発話になかなか現れないのか，なぜ言語形式 A は B より難しいのか，といった問題も，言語処理上の難しさを考えると理解できるはずだ。

原則 9：協力的，協働的な学習

TBLT において，教師は何を行動目標とすべきかタスク・ベースのシラバスを考え，タスク・ベースの活動を設計し，それぞれのタスクに必要になるであろう言語形式を予測し，Focus on Form の対応ができるように準備しておく必要がある。TBLT は従来の教授法以上に教師の力量が問われるし，教師の役割は大きい。しかし，TBLT はあくまで学習者中心の教授法である。教室習得研究の知見によると，習得が起きる場所はインターアクションを行うところだとされている。また，インプットを受けて学習者の頭の中にある認知メカニズムと相互作用することも必要で，作動記憶ももう一つの習得の認知的な作業場だと言われている。このようなことを起こすには，学習者は能動的に言語学習に関わる必要がある。

1980 年代以降の SLA 研究ですでにペアワークやグループワークの重要性は認識されるようになっており，グループワークの参加者間にインフォメーションギャップを作り意味交渉を促す試みがなされてきた。TBLT では，学習者間で協力してタスクの問題解決にあたるような協働学習がますます重要になる。帰納的な暗示的学習は，学習者の能動的な学習への関わりがあってこそ可能になると考えられ，協働学習はその手段だと言える。そして，原則 7 にも関連するが，個別にグループを回りながら，教師がフィードバックを与えることも重要である。

原則 10：インストラクションの個別化

　SLA の教室習得研究において，自然習得環境にはない教室習得環境の強みが見いだされている。それは，学習者の注意を言語形式に向けさせることにより，習得のプロセスを加速化し，より高い熟達度に導くことである。しかし，教室指導の効果を調べた実験では，効果の現れ方に個人差があることもわかっている。特に指導の効果に影響するのは，言語適性だと思われる。たとえば，いくら暗示的な Focus on Form が TBLT のやり方だとしても，言語適性の一つである言語分析能力が弱ければ，インプットから分析して言語形式と意味／機能のマッピングをすることが難しい学習者がいることは想像がつく。

　教室指導のタイプと学習者の言語適性のプロフィールが合致した時に，教室指導の効果が最大限になるとされる。しかし，言語分析能力が弱いからといって文法重視の授業をしてしまったら，TBLT が本来目ざしている伝達能力や言語運用能力は習得されないだろう。また，国内の日本語教育では一つの教育機関に様々なレベルは用意しているが，一つのレベルに教え方の異なる複数のクラスを置くというのも現実的ではないように思われる。よって，教室では TBLT の授業を行い，教室外で学習者をサポートするのが解決策ではないだろうか。現在は，ネットの活用など学習者の個別学習をサポートする手段はいろいろあるように思われる。

　また，原則 9 と関連するが，TBLT ではペアワークやグループワークが多用される。そのようなペアやグループを回る際に，教師がどのようなフィードバックやサポートをするかを考えることも，インストラクションの

個別化の方法の一つである。言語適性のほかにも教室指導の効果に影響を与えそうな要因には，動機づけや性格なども含まれる。よって，教師は学習者それぞれの認知的な能力の強みや弱み，学習者の積極性などの性格的な要因もできるだけ把握して，学習者をペアやグループに振り分ける際には考慮すべきである。

　以上，TBLT の方法論上の原則から教育現場に言えることをまとめてみた。言語習得論の知識が日本語教育の基礎科学として寄与することを願ってやまない。

註
1. 無作為配分（random assignment）とは，複数の実験条件がある場合，被験者を無作為（ランダム）にそれらの条件に割り当てることである。アンケート調査で行われる無作為抽出（random sampling）は，調査対象の標本人口が全人口の代表になるように，無作為に対象者を選定するもので，無作為配分とは異なる。いずれにしても，無作為化は，統計処理を行い結果の一般化を目ざす研究には重要である。（佐伯＆松原 2000 等参照）

引用文献

庵功雄（2016）『やさしい日本語－多文化共生社会へ』岩波書店

庵功雄，高梨信乃，中西久実子＆山田敏広（2000）『初級を教える人のための日本語文法ハンドブック』スリーエーネットワーク

庵功雄，日高水穂，前田直子，山田敏弘＆大和シゲミ（2020）『やさしい日本語のしくみ　日本語学の基本　改訂版』くろしお出版

生駒知子＆志村明彦（1993）英語から日本語へのプラグマティック・トランスファー：「断り」という発話行為について『日本語教育』79, 41-52.

石田敏子（1991）フランス語話者の日本語習得過程『日本語教育』75, 64-77.

伊藤克敏（1990）『こどものことば　習得と創造』勁草書房

稲葉みどり（1991）日本語条件文の意味領域と中間言語構造－英語話者の第2言語習得過程を中心に『日本語教育』75, 87-99.

乾敏郎（2013）『脳科学からみる子どもの心の育ち』ミネルヴァ書房

岩立志津夫（1997）文法の獲得〈1〉－動詞を中心に－（第5章）小林春美＆佐々木正人編『子どもたちの言語獲得』大修館書店

岩立志津夫＆小椋たみ子（2005）『よくわかる言語発達』ミネルヴァ書房

大石敬子（2001）学習障害（第9章）西村辨作編『ことばの障害入門』大修館書店

大石衡聴（2008）脳科学から言語へのアプローチ－言語の機能局在（第2章）入來篤史編『言語と思考を生む脳』東京大学出版会

大久保愛（1981）『子育ての言語学』三省堂選書

岡崎敏雄＆岡崎眸（1997）『日本語教育の実習：理論と実践』アルク

奥村三菜子，櫻井直子＆鈴木裕子（2016）『日本語教師のためのCEFR』くろしお出版

小椋たみ子（2012）赤ちゃんのことば（第9章）　小西行郎＆遠藤利彦編『赤ちゃん学を学ぶ人のために』世界思想社

苧阪直行（1994）注意と意識の心理学（第1章）安西祐一郎，苧阪直行，前田敏博＆彦坂興秀『注意と意識』（岩波講座　認知科学9）岩波書店

苧阪直行（2000）（編集）『脳とワーキングメモリ』京都大学学術出版会

苧阪直行（2002）（編集）『意識の科学は可能か』新曜社

苧阪満里子＆苧阪直行（1994）読みとワーキングメモリ容量－日本語版リーディングスパンテストによる測定『心理学研究』65, 339-345.

苧阪満里子，苧阪直行＆Groner, R.（2000）ワーキングメモリと第二言語処理－バイリンガルを対象としたリーディングスパンテストの結果（第12章）苧阪直行編『脳とワーキングメモリ』京都大学学術出版会

尾関史＆川上郁雄（2010）『移動する子ども』として成長した大学生の複数言
　　語能力に関する語り−自らの言語能力をどう意識し，自己形成するのか
　　（第2部第1章）細川英雄＆西山教行編『複言語・複文化主義とは何か−
　　ヨーロッパの理念・状況から日本における受容・文脈化へ』くろしお出版
加賀美常美代（2013）（編集）『多文化共生論−多様性理解のためのヒントと
　　レッスン』明石書店
勝浦クック範子（1991）『日本の子育て・アメリカの子育て−子育ての原点を
　　もとめて』（藤永保　監修）サイエンス社
鎌田修，川口義一＆鈴木睦（2000）（編集）『日本語教授法ワークショップ（増
　　補版）』凡人社
菅野和江（2000）第2言語獲得から見た言語生得性（第1章）今井むつみ編
　　『心の生得性−言語・概念獲得に生得的制約は必要か』共立出版
鯨岡峻（2001）乳児期におけるコミュニケーションの発達（第2章）秦野悦子
　　編『ことばの発達入門』大修館書店
倉八順子（1992）日本語学習者の動機に関する調査−動機と文化的背景の関連−
　　『日本語教育』77, 129-141.
小西行郎（2003）『赤ちゃんと脳科学』集英社
小林春美（1997）語彙の獲得−ことばの意味をいかに知るのか（第4章）小林
　　春美＆佐々木正人編『子どもたちの言語獲得』大修館書店
小林春美（2001）語意味の発達（第3章）秦野悦子編『ことばの発達入門』大
　　修館書店
小柳かおる（1998a）米国における第二言語習得研究動向：日本語教育へ示唆
　　するもの『日本語教育』97, 37-47.
小柳かおる（1998b）条件文習得におけるインストラクションの効果『第二言
　　語としての日本語の習得研究』2, 1-26.
小柳かおる（2001）第二言語習得過程における認知の役割『日本語教育』109,
　　10-19.
小柳かおる（2002）展望論文：Focus on Form と日本語習得研究『第二言語
　　としての日本語の習得研究』5, 62-96.
小柳かおる（2003）日本語教育と SLA（第二言語習得）研究『Sophia Linguistica』
　　50, 15-24.
小柳かおる（2006）第二言語習得と日本語教育（第7章）遠藤織枝編『日本語
　　教育を学ぶ−その歴史から現場まで』三修社
小柳かおる（2008）第二言語習得研究から見た日本語教授法・教材−研究の知
　　見を教育現場に生かす『第二言語としての日本語の習得研究』11, 23-41.
小柳かおる（2012）言語発達を支える基本的認知能力−第二言語習得における
　　言語適性研究との関わり『第二言語としての日本語の習得研究』15, 59-91.
小柳かおる（2013）タスクによる言語学習が第二言語習得にもたらすインパク
　　ト−インターアクションおよび認知的な観点から見たタスク−『第二言語
　　としての日本語の習得研究』16, 16-37.

小柳かおる（2016a）第二言語習得における暗示的学習のメカニズム－用法基盤的アプローチと記憶のプロセス－『第二言語としての日本語の習得研究』19, 42-60.

小柳かおる（2016b）教室指導の効果に関するSLA研究（第4章）小柳かおる＆峯布由紀著『認知的アプローチから見た第二言語習得－日本語の文法習得と教室指導の効果』くろしお出版

小柳かおる（2016c）日本語に関する教室習得研究（第5章）小柳かおる＆峯布由紀著『認知的アプローチから見た第二言語習得－日本語の文法習得と教室指導の効果』くろしお出版

小柳かおる（2016d）SLAの認知過程（第2章）小柳かおる＆峯布由紀著『認知的アプローチから見た第二言語習得－日本語の文法習得と教室指導の効果』くろしお出版

小柳かおる（2016e）SLA研究における理論構築の流れ（第1章）小柳かおる＆峯布由紀著『認知的アプローチから見た第二言語習得－日本語の文法習得と教室指導の効果』くろしお出版

小柳かおる（2018a）第二言語習得（SLA）の普遍性（第1章）小柳かおる＆向山陽子著『第二言語習得の普遍性と個別性－学習メカニズム・個人差から教授法へ』くろしお出版

小柳かおる（2018b）SLA研究とタスク・ベースの教授法（TBLT）（第5章）小柳かおる＆向山陽子著『第二言語習得の普遍性と個別性－学習メカニズム・個人差から教授法へ』くろしお出版

小柳かおる（2018c）個人差要因：言語適性（第2章）小柳かおる＆向山陽子著『第二言語習得の普遍性と個別性－学習メカニズム・個人差から教授法へ』くろしお出版

小柳かおる（2018d）個人差要因：動機づけ（第4章）小柳かおる＆向山陽子著『第二言語習得の普遍性と個別性－学習メカニズム・個人差から教授法へ』くろしお出版

小柳かおる（2020）『第二言語習得について日本語教師が知っておくべきこと』くろしお出版

佐伯胖＆松原望（2000）（編集）『実践としての統計学』東京大学出版会

酒井邦嘉（1997）『心にいどむ認知脳科学：記憶と意識の統一論』岩波科学ライブラリー

酒井邦嘉（2002）『言語の脳科学　脳はどのようにことばを生みだすか』中公新書

櫻井彰人＆酒井邦嘉（2000）言語獲得のモデル『数理科学』444, 45-51.

櫻井直子（2010）言語教育期間におけるCEFR文脈化の意義－ベルギー成人教育機関での実践例からの報告（第1部第5章）細川英雄＆西山教行編『複言語・複文化主義とは何か－ヨーロッパの理念・状況から日本における受容・文脈化へ』くろしお出版

佐々木香織（2018）外国につながる子どもの学習支援の現状と課題－外国人散在地域・新潟の事例より『日本語教育』170, 1-16.

柴田治呂（1990）『赤ちゃんのことば－覚える・話す・考える－』刀水書房

清水崇文（2009）『中間言語語用論概論－第二言語学習者の語用論的能力の使用・習得・教育』スリーエーネットワーク

志村明彦（1989）日本語の Foreigner Talk と日本語教育『日本語教育』68, 204-215.

朱桂栄（2003）教科学習における母語の役割－来日まもない中国人児童の「国語」学習の場合『日本語教育』119, 75-84.

白畑知彦（1993）幼児の第2言語としての日本語獲得と「ノ」の過剰生成－韓国人幼児の縦断研究『日本語教育』81, 104-115.

鈴木康明＆井上孝代（1995）異文化間カウンセリング（第7章）渡辺文夫編『異文化接触の心理学』川島書店

田窪行則（1997）（編集）『視点と言語行動』くろしお出版

田中望（1988）『日本語教育の方法－コース・デザインの実際－』大修館書店

田中真理（1996）視点・ヴォイスの習得－文生成テストにおける横断的及び縦断的研究－『日本語教育』88, 104-116.

田中真理（1997）視点・ヴォイス・複文の習得要因『日本語教育』92, 107-118.

田丸淑子，吉岡薫＆木村静子（1993）学習者の発話に見られる文構造の長期的観察『日本語教育』81, 43-54.

角田太作（2009）『世界の言語と日本語　改訂版－言語類型論から見た日本語』くろしお出版

できる日本語教材開発プロジェクト（2013）『できる日本語　中級　本冊』（嶋田和子　監修）アルク

土居健郎（1980）『「甘え」の構造』弘文堂

土井利幸＆吉岡薫（1990）助詞の習得における言語運用上の制約－ピーネマン・ジョンストンモデルの日本語習得研究への応用　In T. Hayes & K. Yoshioka（Eds.）『Proceedings of the 1st conference on second language acquisition and teaching』23-33, 国際大学

富田英夫（1997）L2 日本語学習者における「は」と「が」の習得：キューの対立が引き起こす難しさ『世界の日本語教育』7, 157-174.

友永雅己，田中正之＆松沢哲郎（2003）（編集）『チンパンジーの認知と行動の発達』京都大学学術出版会

友永雅己＆松沢哲郎（2001）認知システムの進化（第1章）乾敏郎＆安西祐一郎編『認知科学の新展開1　認知発達と進化』岩波書店

長沢房枝（1995）L1, L2, バイリンガルの日本語文法能力『日本語教育』86, 173-189.

中島和子（2001）『バイリンガル教育の方法　増補改訂版』アルク

中島和子（2005）バイリンガル育成と2言語相互依存性『第二言語としての日本語の習得研究』8, 135-166.

中島和子（2016）『バイリンガル教育の方法　完全改訂版』アルク

中島和子 & 佐野愛子（2016）多言語環境で育つ年少者のバイリンガル作文力の分析－プレライティングと文章の構成を中心に－『日本語教育』164, 17-33.

中島和子 & ロザナ・ヌネス（2011）日本語獲得と継承語喪失のダイナミックス－日本の小・中学生ポルトガル語話者の実態を踏まえて　石井理恵子編『年少者日本語教育における学習環境と言語習得の研究（2000 ～ 2003 年度科学研究補助金基盤研究報告書）』5-30.

長友和彦（1993）日本語の中間言語研究－概観『日本語教育』81, 1-18.

成田高宏（1998）日本語学習動機と成績との関係：タイの大学生の場合『世界の日本語教育』8, 1-11

西川朋美，青木由香，細野尚子 & 樋口万喜子（2015）日本生まれ・育ちのJSL の子どもの日本語力－和語動詞の産出におけるモノリンガルとの差異－『日本語教育』160, 64-78.

西村辨作（2001）言語発達障害総論（第 1 章）西村辨作編『ことばの障害入門』大修館書店

西山教行（2010）複言語・複文化主義の形成と展開（第 1 部第 2 章）細川英雄・西山教行編『複言語・複文化主義とは何か－ヨーロッパの理念・状況から日本における受容・文脈化へ』くろしお出版

日本語教育学会（1991）（編集）『日本語テストハンドブック』大修館書店

縫部義憲，狩野不二夫 & 伊藤克浩（1995）大学生の日本語学習動機に関する国際調査－ニュージーランドの場合－『日本語教育』86, 162-172.

秦野悦子（2001）社会的文脈における語用論的知識の発達（第 5 章）秦野悦子編『ことばの発達入門』大修館書店

藤永保（1997）養育放棄事例とことばの発達（第 7 章）小林春美 & 佐々木正人編『子どもたちの言語獲得』大修館書店

藤永保（2001）『ことばはどこで育つか』大修館書店

古屋晋一（2012）『ピアニストの脳を科学する－超絶技巧のメカニズム－』春秋社

別府哲（2001）自閉症と広汎性発達障害（第 2 章）西村辨作編『ことばの障害入門』大修館書店

正高信男（1993）『0 歳児がことばを獲得するとき－行動学からのアプローチ』中公新書

真嶋潤子（2019）（編集）『母語をなくさない日本語教育は可能か　定住二世児の二言語能力』大阪大学出版会

松沢哲郎（2002）『進化の隣人　ヒトとチンパンジー』岩波書店

光元聰江（2014）取り出し授業と在籍学級の授業とを結ぶ『教科書と共に使えるリライト教材』『日本語教育』158, 19-35.

峯布由紀（2015）『第二言語としての日本語の発達過程：言語と思考のProcessability』ココ出版

峯布由紀（2016）日本語に関する第二言語習得研究（第 3 章）小柳かおる & 峯布由紀『認知的アプローチから見た第二言語習得－日本語の文法習得と教室指導の効果－』くろしお出版

箕浦康子（2003）『子供の異文化体験−人格形成過程の心理人類学的研究（増補改訂版）』新思索社

宮崎幸江（2014）（編集）『日本に住む多文化の子どもと教育−ことばと文化のはざまで生きる』上智大学出版

向山陽子（2013）『第二言語習得における言語適性の役割』ココ出版

村杉恵子（2014）『ことばとこころ−入門　心理言語学』医学評論社

八木公子（1998）中間言語における主題の普遍的卓越−「は」と「が」の習得研究からの考察−『第二言語としての日本語の習得研究』2, 57-67.

矢崎満夫（1998）外国人児童に対する教科学習支援のための日本語教育のあり方−算数文章題におけるストラテジー運用の考察から−『日本語教育』99, 84-95.

安場淳, 池上摩希子＆佐藤恵美子（1991）日本語教育研究会資料シリーズ編集委員会編『異文化適応教育と日本語教育1　体験学習法の試み』凡人社

山口真美（2003）『赤ちゃんは顔を読む−視覚と心の発達学』紀伊国屋書店

山崎由美子＆入來篤史（2008）概念形成と思考（第6章）入來篤史編『言語と思考を生む脳』（甘利俊一　監修）東京大学出版会

山田泉（1996）日本語教育研究会資料シリーズ編集委員会編『異文化適応教育と日本語教育2　社会派日本語教育のすすめ』凡人社

山鳥重（1998）『ヒトはなぜことばを使えるか−脳と心のふしぎ』講談社

山鳥重（2003）『脳のふしぎ　神経心理学の臨床から』そうろん社

横溝紳一郎（2000）『日本語教師のためのアクション・リサーチ』凡人社

李受香（2003）第2言語および外国語としての日本語学習者における動機づけの比較−韓国人日本語学習者を対象として『世界の日本語教育』13, 75-92.

渡辺文夫（1995）（編集）『異文化接触の心理学−その現状と理論』川島書店

Abrahamsson, N., & Hyltenstam, K. (2008). The robustness of aptitude effects in near-native second language acquisition. *Studies in Second Language Acquisition, 30,* 481-509.

Abrahamsson, N., & Hyltenstam, K. (2009). Age of onset and nativelikeness in a second language: Listener perception and linguistic scrutiny. *Language Learning, 59,* 249-306.

Adams, R., Nuevo, A. M., & Egi, T. (2011). Explicit and implicit feedback, modified output and SLA: Does explicit and implicit feedback promote learning and learner-learner interaction? *Modern Language Journal, 95, Supplement, 1,* 42-63.

Aida, Y. (1994). Examination of Horwitz, Horwitz, and Cope's construct of foreign language anxiety: The case of students of Japanese. *Modern Language Journal, 78,* 155-168.

Andersen, R., & Shirai, Y. (1994). Discourse motivations for some cognitive acquisition principles. *Studies in Second Language Acquisition, 16,* 133-156.

Anderson, E. S. (1986). The acquisition of register variation by Anglo-American children. In B. B. Schieffelin & E. Ochs (Eds.) *Language socialization across cultures* (pp. 153-161). Cambridge, UK: Cambridge University Press.

Anderson, J. (1983). *The architecture of cognition.* Cambridge, MA: Harvard University Press.

Anderson, J. (1985). *Cognitive psychology and its implications. 2nd ed.* New York: Freeman.

Aston, G. (1986). Trouble-shooting in interaction with learners: The more the merrier? *Applied Linguistics, 7,* 128-143.

Au, S. Y. (1988). A critical appraisal of Gardner's social-psychological theory of second language learning. *Language Learning, 38,* 75-99.

Bachman, L. F. (1990). *Fundamental considerations in language testing.* Oxford, UK: Oxford University Press.

Baddeley, A. (1986). *Working memory.* Oxford, UK: Oxford University Press.

Baddeley, A. (2000). The episode buffer: A new component of working memory? *Trends in Cognitive Sciences, 4,* 417-423,

Bates, E., & MacWhinney, B. (1982). Functionalist approach to grammar. In E. Wanner & L. Gleitman (Eds.), *Language acquisition: The state of art* (pp. 173-218). New York: Cambridge University Press.

Bates, E., & MacWhinney, B. (1987). Competition, variation, and language learning. In B. MacWhinney (Ed.), *Mechanisms of language acquisition* (pp. 157-193). Hillsdale, NJ: Lawrence Erlbaum.

Beebe, L. (1983). Risk-taking and the language learner. In H. Seliger & M. H. Long (Eds.), *Classroom-oriented research in second language acquisition* (pp. 39-66). Rowley, MA: Newbury House.

Beebe, L. M., Takahashi, T., & Uliss-Weltz, R. (1990). Pragmatic transfer in ESL refusals. In R. C. Scarcella, E. S. Andersen & S. D. Krashen (Eds.), *Developing communicative competence in a second language* (pp. 55-73). New York: Newbury House.

Berry, D. C. (1994). Implicit and explicit learning of complex tasks. In N. Ellis (Ed.), *Implicit and explicit learning of languages* (pp. 147-167). London, UK: Academic Press.

Berry, D. C. (1998). Introduction. In D. C. Berry (Ed.), *How implicit is implicit learning?* (pp. 1-12). Oxford, UK: Oxford University Press.

Berwick, R. (1985). *The acquisition of syntactic knowledge.* Cambridge, MA: MIT Press.

Bialystok, E., & Hakuta, K. (1999). Confounded age: Linguistic and cognitive factors in age differences for second language acquisition. In D. Birdsong (Ed.), *Second language acquisition and the critical period hypothesis* (pp. 161-181). Mahwah, NJ: Lawrence Erlbaum.

Birdsong, D. (1999). Introduction: Whys and why nots of the critical period hypothesis for second language acquisition. In D. Birdsong (Ed.), *Second language acquisition and the critical period hypothesis* (pp. 1-22). Mahwah, NJ: Lawrence Erlbaum.

Bley-Vroman, R. (1989). What is the logical problem of foreign language learning? In S. Gass & Schachter (Eds.) *Linguistic perspectives on second language acquisition* (pp. 41-68). Cambridge UK: Cambridge University Press.

Bloom, L. (1970). *Language development, form and function in emerging grammars.* Cambridge, MA: MIT Press.

Bohannon, J., & Stanowicz, L. (1988). The issue of negative evidence: adult responses to children's language errors. *Developmental Psychology, 34,* 684-689.

Bongaerts, T. (1999). Ultimate attainment in L2 pronunciation: The case of very advanced late L2 learners. In D. Birdsong (Ed.), *Second language acquisition and the critical period hypothesis* (pp. 133-159). Mahwah, NJ: Lawrence Erlbaum.

Bowden, H. W., Sanz, C., & Stafford, C. A. (2005). Individual differences: Age, sex, working memory, and prior knowledge. In C. Sanz (Ed.), *Mind and context in adult second language acquisition: Methods, theory, and practice* (pp. 105-140). Washington DC: Georgetown University Press.

Bowerman, M. (1982). Starting to talk worse: Clues to language acquisition from children's late speech errors. In S. Strauss (Ed.), *U-shaped behavior growth.* New York: Academic Press.

Braine, M.D.S. (1963). The ontogeny of English phrase structure: The first phase. *Language, 39,* 1-13.

Bransford, J. D., Brown, A. L., & Cocking, R. R. (2000). *How people learn: Brain, mind, experience, and school. Expanded edition.* Washington, D.C.: National Academy Press. 森敏昭&秋田喜代美監訳　21世紀の認知心理学を創る会訳『授業を変える－認知心理学のさらなる挑戦』北大路書房

Breen, M. P., & Candlin, C. N. (1980). The essentials of a communicative curriculum in language teaching. *Applied Linguistics, 1,* 89-112.

Brock, C. (1986). The effects of referential questions on ESL classroom discourse. *TESOL Quarterly, 20,* 47-58.

Brooks, F. B., & Donate, R. (1994). Vygotskyan approaches to understanding foreign language learning discourse during communicative tasks. *Hispania, 77,* 262-274.

Brown, D. H. (2000). *Principles of language learning and teaching. 4th edition.* White Plains, NY: Addison Wesley Longman.

Brown, R. (1973). *A first language: The early stages.* Cambridge, MA: Harvard University Press.

Brown, R., & Hanlon, C. (1970). Derivational complexity and the order of acquisition in child speech. In J. Hayes (Ed.), *Cognition and the development of language* (pp. 11-54). New York: Wiley.

Brumfit, C. (1984). *Communicative methodology in language teaching: The role of fluency and accuracy.* Cambridge, UK: Cambridge University Press.

Burton, A., & Samuda, V. (1980). Learner and teacher roles in the treatment of error in group work. *RELC Journal, 11,* 49-63.

Busch, D. (1982). Introversion-extroversion and the EFL proficiency of Japanese students. *Language Learning, 32,* 109-132.

Bybee, J. (2008). Usage-based grammar and second language acquisition. In P. Robinson & N. C. Ellis (Eds.), *Handbook of cognitive linguistics and second language acquisition* (pp. 216-236). New York: Routledge.

Cameron, J., & Epling, W. F. (1989). Successful problem solving as a function of interaction style for non-native students of English. *Applied Linguistics, 11,* 392-406.

Canale, M. (1983). From communicative competence to communicative language pedagogy. In J. C. Richards & R. Schmidt (Eds.), *Language and communication* (pp. 2-27). London, UK: Longman.

Canale, M., & Swain, M. (1980). Theoretical bases of communicative approaches to second language teaching and testing. *Applied Linguistics, 1,* 1-47.

Carpenter, P. A., Miyake, A., & Just, M. A. (1994). Working memory constraints in comprehension: Evidence from individual differences, aphasia, and aging. In M. A. Gernsbaher (Ed.), *Handbook of psycholinguistics* (pp. 1075-1122). San Diego, CA: Academic Press.

Carroll, J. B. (1973). Implications of aptitude test research and psycholinguistic theory for foreign language teaching. *International Journal of Psycholinguistics, 2,* 5-14.

Carroll, J. B. (1990). Cognitive abilities in foreign language aptitude: Then and now. In T. S. Parry & C. W. Stanfield (Eds.), *Language aptitude reconsidered* (pp. 11-29). Englewood Cliffs, NJ: Prentice Hall Regents.

Carroll, J. B., & Sapon. S. M. (1959). *Modern Language Aptitude Test.* New York: Psychological Corporation.

Chamot, A. U. (2005). Language learning strategy instruction: Current issues and research. *Annual Review of Applied Linguistics, 25,* 112-130.

Chamot, A. U. (2009). *The CALLA Handbook: Implementing the cognitive academic language learning approach, 2nd ed.* White Plains, NY: Pearson Education.

Chamot, A. U., Barnhart, S., El-Dinary, P. B., & Robbins, J. (1999). *The learning strategies handbook.* White Plains, NY: Longman.

Chaudron, C. (1983). Foreigner talk in the classroom - An aid to learning. *TESOL Quarterly, 25,* 459-480.

Chaudron, C. (1988). *Second language classroom: Research on teaching and learning.* Cambridge, UK: Cambridge University Press.

Chaudron, C., Doughty, C. J., Kim, Y., Kong, D., Lee, J., Lee, Y., Long, M. H., Rivers, B., & Urano, K. (2005). A task-based needs analysis of a tertiary Korean as a foreign language program. In M. H. Long (Ed.), *Second language needs analysis* (pp.225-261). Cambridge, UK: Cambridge University Press.

Chomsky, N. (1959). On certain properties of grammars. *Information and Control, 2,* 133-167.

Chomsky, N. (1965). *Aspects of the theory of syntax.* Cambridge, MA: MIT Press.

Chomsky, N. (1981). *Lectures on government and binding.* Dordrecht, The Netherlands: Foris.

Chomsky, N. (1995). *The Minimalist Program.* Cambridge, MA: MIT Press.

Clancy, P. (1985). The acquisition of Japanese. In Slobin, D. I. (Ed.), *The cross-linguistic study of language acquisition, Vol.1* (pp. 373-524). Hillsdale, NJ: Lawrence Erlbaum.

Clancy, P. (1986). The acquisition of communicative style in Japan. In B.B. Schieffelin, & E. Ochs (Eds.), *Language socialization across cultures* (pp. 213-250). Cambridge, UK: Cambridge University Press.

Clancy, P. (1990). Acquiring communicative style in Japanese. In R. C. Scarcella, E. S. Andersen & S. D. Krashen (Eds.), *Developing communicative competence in a second language* (pp. 27-34). New York: Newbury House.

Clément, R., Dörnyei, Z., & Noels, K. (1994). Motivation, self-confidence and group cohesion in the foreign language classroom. *Language Learning, 44,* 417-448.

Cook, V. J., & Newson, M. (1996). *Chomsky's Universal Grammar: An introduction. 2nd ed.* Oxford, UK: Blacksell.

Corder, S.P. (1967). The significance of learners' errors. *International Review of Applied Linguistics, 5,* 161-170.

Corder, S. P. (1971). Idiosyncratic dialects and error analysis. *International Review of Applied Linguistics, 9.* 147-159.

Council of Europe (2001). *Common European Framework of Reference for Languages: Learning, teaching, and assessment.* Cambridge, UK: Cambridge University Press.

Cowan, N. (1995). *Attention and memory: An integrated framework.* New York: Oxford University Press.

Cronbach, L. J., & Snow, R. E. (1977). *Aptitude and instructional methods: A handbook for research on interactions.* New York: Irvington.

Crookes, G., & Schmidt, R. W. (1991). Motivation: Reopening the research agenda. *Language Learning, 41,* 469-512

Csizér, K., & Dörnyei, Z. (2005a). The internal structure of language learning motivation and its relationship with a language choice and learning effort. *Modern Language Journal, 89,* 19-36.

Csizér, K., & Dörnyei, Z. (2005b). Language learners' motivational profiles and their motivated language behavior. *Language Learning, 55,* 613-659.

Csizér, K., & Kormos, J. (2009). Learning experiences, selves and motivated learning behavior: A comparative analysis of structural models for Hungarian secondary and university learners of English. In Z. Dörnyei & E. Ushioda (Eds.), *Motivation, identity and the L2 self* (pp. 98-119). Bristol, UK: Multilingual Matters.

Cummins, J. (1976). The influence of bilingualism on cognitive growth: A synthesis of research findings and explanatory hypotheses. *Working Papers on Bilingualism, 9,* 1-43.

Cummins, J. (1980). Cross-linguistic dimensions of language proficiency: Implications for bilingual education and the optimal age issue. *TESOL Quarterly, 14,* 81-103.

Cummins, J. (1981). *Bilingualism and minority language children.* Toronto, Canada: Ontario Institute for Studies in Education.

Daneman, M., & Carpenter, P. A. (1980). Individual differences in working memory and reading. *Journal of Verbal Learning and Verbal Behavior, 19,* 450-466.

de Bot, K. (1992). A bilingual production model: Levelt's 'peaking' model adapted. *Applied Linguistics, 13,* 1-24.

de Bot, K. (1996). The psycholinguistics of the output hypothesis. *Language Learning, 46,* 529-555.

Deci, E. L. (1975). *Intrinsic motivation.* New York: Plenum Press.

Deci, E. L., & Ryan, R. M. (1985). *Intrinsic motivation and self-determination in human behavior.* New York: Plenum Press.

Deci, E. L., & Ryan, R. M. (2000). The "what" and "why" of goal pursuits: Human needs and the self-determination of behavior. *Psychological Inquiry, 11,* 227-268.

de Graaff, R. (1997). Implicit and explicit experiment: Effects of explicit instruction on second language acquisition. *Studies in Second Language Acquisition, 19,* 249-279.

DeKeyser, R. (1994). Implicit and explicit learning of L2 grammar: A pilot study. *TESOL Quarterly, 28,* 189-194.

DeKeyser, R. (1995). Learning second language grammar rules: An experiment with a miniature linguistic system. *Studies in Second Language Acqusition, 17,* 379-410.

DeKeyser, R. (1998). Beyond focus on form: cognitive perspective on learning and practicing second language grammar. In C. Doughty & J. Williams (Eds.), *Focus on form in classroom second language acquisition* (pp. 42-63). New York: Cambridge University Press.

DeKeyser, R. (2000). The robustness of critical period effects in second language acquisition. *Studies in Second Language Acquisition, 22,* 493-533.

DeKeyser, R. (2001). Automaticity and automatization. In P. Robinson (Ed.), *Cognition and second language instruction* (pp. 125-151). Cambridge, UK: Cambridge University Press.

DeKeyser, R., Alfi-Shabtay, I., & Ravid, D. (2010). Cross-linguistic evidence for the nature of age effects in second language acquisition, *Applied Psycholinguistics, 31,* 413-438.

Di Biase, B., & Kawaguchi, S. (2002). Exploring the typological plausibility of Processability Theory: Language development in Italian second language and Japanese second language. *Second Language Research, 18,* 274-302.

Dörnyei, Z. (1994). Motivation and motivating in the foreign language classroom. *Modern Language Journal, 78,* 273-284.

Dörnyei, Z. (2000). Motivation in action: Toward a process-oriented conceptualization of student motivation. *British Journal of Educational Psychology, 70,* 519-538.

Dörnyei, Z. (2001a). New themes and approaches in second language motivation research. *Annual Review of Applied Linguistics, 21,* 43-59.

Dörnyei, Z. (2001b). *Motivational strategies in the language classroom.* Cambridge, UK: Cambridge University Press.

Dörnyei, Z. (2002). The motivational basis of language learning tasks. In P. Robinson (Ed.), *Individual differences and instructed language learning* (pp.137-157). Amsterdam: John Benjamins.

Dörnyei, Z. (2005). *The psychology of the language learner: Individual differences in second language acquisition.* Mahwah, NJ: Lawrence Erlbaum.

Dörnyei, Z., & Kormos, J. (2000). The role of individual and social variables in oral task performance. *Language Teaching Research, 4,* 275-300.

Dörnyei, Z., & Ottó, I. (1998). Motivation in action: A process model of L2 motivation. *Working Papers in Applied Linguistics, (Thames Valley University, London), 4,* 43-69.

Dörnyei, Z., & Skehan, P. (2003). Individual differences in second language learning. In C. J. Doughty & M. H. Long (Eds.), *The handbook of second language acquisition* (pp. 589-630). Malden, MA: Blackwell.

Doughty, C. (1991). Second language instruction does make a difference: Evidence from an empirical study of SL relativization. *Studies in Second Language Acquisition, 13,* 431-469.

Doughty, C. (1996). *SLA through conversational discourse.* Paper presented at the Annual Conference of the American Association for Applied Linguistics. Chicago, IL.

Doughty, C. (1998). Acquiring competence in a second language: Form and function. In H. Byrnes (Ed.), *Learning foreign and second languages* (pp. 128-156). New York: Modern Language Association.

Doughty, C. (2001). Cognitive underpinnings of focus on form. In P. Robinson (Ed.), *Cognition and second language instruction* (pp. 206-257). Cambridge, UK: Cambridge University Press.

Doughty, C. J. (2003). Instructed SLA: Constraints, compensation, and enhancement. In C. J. Doughty & M. H. Long (Eds.), *The handbook of second language acquisition* (pp. 256-310). Malden, MA: Blackwell.

Doughty, C. J. (2019). Cognitive language aptitude. *Language Learning, 69,* Supplement 1, 101-126.

Doughty, C. J., & Long, M. H. (2003a). Optimal psycholinguistic environments for distance foreign language learning. *Language, Learning & Technology. 7,* 55-80.

Doughty, C. J., & Long, M. H. (2003b). *The handbook of second language acquisition.* Malden, MA: Blackwell.

Doughty, C., & Pica, T. (1986). "Information gap" tasks: Do they facilitate second language acquisition? *TESOL Quarterly, 20,* 305-325.

Doughty, C., & Williams, J. (1998). Pedagogical choices in focus on form. In C. Doughty & J. Williams (Eds.), *Focus on form in classroom second language acquisition* (pp. 197-261). New York: Cambridge University Press.

Duff, P. A. (1986). Another look at interlanguage talk: Talking to task to task. In R. Day (Ed.), *Talking to learn: Conversations in second language acquisition* (pp. 147-181). Rowley, MA: Newbury House.

Dulay, H., Burt, M., & Krashen, S. (1982). *Language two.* New York: Oxford University Press.

Edelsky, C. (1977). Acquisition of an aspect of communicative competence: Learning what it means to talk like a lady. In S. Ervin-Tripp & C. Mitchell-Kernan (Eds.), *Child discourse* (pp. 225-243). New York: Academic Press.

Ehrlich, S., Avery, P., & Yorio, C. (1989). Discourse structure and the negotiation of comprehensible input. *Studies in Second Language Acquisition, 11,* 397-414.

Ellis, N. (2001). Memory for language. In P. Robinson (Ed.), *Cognition and second language instruction* (pp. 33-68). Cambridge, UK: Cambridge University Press.

Ellis, N. (2003). Constructions, chunking, and connectionism: The emergence of second language structure. In C. J. Doughty & M. H. Long (Eds.), *The handbook of second language acquisition* (pp. 63-103). Malden, MA: Blackwell.

Ellis, N. C. (2006). Selective attention and transfer phenomena in SLA: Contingency, cue competition, salience, interference, overshadowing, blocking, and perceptual learning. *Applied Linguistics, 27,* 1-31.

Ellis, N. C. (2008). Usage-based and form-focused language acquisition: The associative learning of construction, learned attention, and the limited L2 endstate. In P. Robinson & N. C. Ellis (Eds.), *Handbook of cognitive linguistics and second language aquisition* (pp.372-405). New York: Roultledge.

Ellis, N. C., & Sagarra, N. (2010a). The bound of adult learning acquisition: Blocking and learned attention. *Studies in Second Language Acquisition, 32,* 553-580.

Ellis, N. C., & Sagarra, N. (2010b). Learned attention effects in L2 temporal reference: The first hour and the next eight semesters. *Language Learning, 60, Suppl.2,* 85-108.

Ellis, N. C., & Sagarra, N. (2011). Leanred attention in adult language acquisition: A replication and generalization study and meta-analysis. *Studies in Second Language Acquisition, 33,* 589-624.

Ellis, N. C., & Wulff, S. (2015). Usage-based approaches to SLA. In B. VanPatten & J. Wiiliams (Eds.), *Theories in second language acquisition: Introduction, 2nd edition* (pp. 75-98). New York: Routledge.

Ellis, R. (1985). *Understanding second language acquisition.* Oxford, UK: Oxford University Press.

Ellis, R. (1997a). *SLA research and language teaching.* Oxford, UK: Oxford University Press.

Ellis, R. (1997b). SLA and language pedagogy: An educational perspective. *Studies in Second Language Acquisition, 19,* 93-116.

Ellis, R. (2003). *Task-based language learning and teaching.* Oxford, UK: Oxford University Press.

Ellis, R., & Barkhuizen, G. (2005). Analysing accuracy, complexity, and fluency. In R. Ellis & B.Barkhuizen (Eds.), *Analysing learner language* (pp. 139-164). Oxford, UK: Oxford University Press.

Ely, C. M. (1986). An analysis of discomfort, risktaking, sociability and motivation in the L2 classroom. *Language Learning, 36,* 1-25.

Ervin-Tripp, S. (1977). Wait for me, roller skate! In S. Ervin-Tripp & C. Mitchell-Kernan (Eds.), *Child discourse* (pp. 165-188). New York: Academic Press.

Faerch, C. (1985). Meta talk in FL classroom discourse. *Studies in Second Language Acquisition, 7,* 184-199.

Faerch, C., & Kasper, G. (1986). The role of comprehension in second-language learning. *Applied Linguistics, 7,* 257-274.

Farrar, J. (1992). Negative evidence and grammatical morpheme acquisition. *Developmental Psychology, 28,* 90-98.

Felix, S. (1981). The effect of formal instruction on second language acquisition. *Language Learning, 31,* 87-112.

Ferguson, C. A. (1977). Baby talk as a simplified register. In C. E. Snow & C. A. Ferguson (Eds.), *Talking to children: Language input and acquisition* (pp. 209-235). Cambridge, UK: Cambridge University Press.

Fernald, A., Taeschner, T., Dunn, J., Papousek, M., de Boysson-Bardies, B., & Fukui, S. (1989). A cross-language study of prosodic modifications in mothers' and fathers' speech to preverbal infants. *Journal of Child Language, 16,* 477-501.

Firth, A., & Wagner, J. (1997). On discourse, communication, and (some) fundamental concepts in SLA research. *Modern Language Journal, 81,* 285-300.

Fischer, J. L. (1970). Linguistic socialization: Japan and the United States. In R. Hill, & R. Konig (Eds.), *Families in East and West* (pp. 107-119). The Hague: Mouton.

Flynn, S. (1986). Production vs. comprehension: Differences in underlying competence. *Studies in Second Language Acquisition, 8*, 135-164.

Foley, J. (1991). A psycholinguistic framework for task-based approaches to language teaching. *Applied Linguistics, 12*, 62-75.

Foster, P. (1998). A classroom perspective on the negotiation of meaning. *Applied Linguistics, 18*, 39-50.

Fotos, S. (1993). Consciousness raising and noticing through focus on form: Grammar task performance versus formal instruction. *Applied Linguistics, 14*, 385-407.

Fotos, S., & Ellis, R. (1991). Communicating about grammar: A task-based approach. *TESOL Quarterly, 28*, 323-351.

Frensch, P. A. (1998). One concept, multiple meanings: On how to define the concept of implicit learning. In M. A. Stadler & P. A. Frensch (Eds.), *Handbook of implicit learning* (pp. 47-104). Thousand Oaks, CA: Sage Publications.

Fukai, M. (2000). Foreign language anxiety and perspectives of college students of Japanese in the United States: An exploratory study. *Japanese-Language Education around the Globe. 10*, 21-41.

Gajar, A. (1987). Foreign language learning disabilities: The identification of predictive and diagnostic variables. *Journal of Learning Disabilities, 20*, 327-330.

Ganschow, L., & Sparks, R. (2001). Learning difficulties and foreign language learning: A review of research and instruction. *Language Teaching, 34*, 79-98.

Gardner, H. (1983). *Frames of mind: The theory of multiple intelligences.* New York: Basic Books.

Gardner, R. C. (1985). *Social psychology and second language learning: The role of attitudes and motivation.* London, UK: Edward Arnold.

Gardner, R. C. (2010). *Motivation and second language acquisition: The socio-educational model.* New York: Peter Lang.

Gardner, R. C., & Lambert, W. E. (1972). *Attitude and motivation in second language learning.* Rowley, MA: Newbury House.

Gardner, R. C., & MacIntyre, P. D. (1991). An instrumental motivation in language study: Who says it isn't effective? *Studies in Second Language Acquisition, 13*, 57-72.

Gass, S. M. (1996). Second language acquisition and linguistic theory: The role of language transfer. In W. Ritchie & T. K. Bhatia (Eds.), *Handbook of second language acquisition* (pp. 317-345). San Diego, CA: Academic Press.

Gass, S. M. (1997). *Input, interaction, and the second language learner.* Mahwah, NJ: Lawrence Erlbaum Associates.

Gass, S. M., & Mackey, A. (2012). *Routledge handbook of second language acquisition.* Oxton, UK: Routledge.

Gass, S. M., Mackey, A., & Ross-Feldman, L. (2005). Task-based interactions in classroom and laboratory settings. *Language Learning, 55,* 575-611.

Gass, S. M., & Selinker, L. (1992). *Language transfer in language learning.* Amsterdam/Philadelphia: John Benjamins.

Gass, S. M., & Selinker, L. (2001). *Second language acquisition: An introductory course. 2nd ed.* Mahwah, NJ: Lawrence Erlbaum Associates.

Gass, S. M., & Varonis, E. M. (1989). Incorporated repairs in nonnative discourse. In M. Eisenstein (Ed.), *The dynamic Interlanguage* (pp. 71-86). New York: Plenum.

Gass, S. M., & Varonis, E. M. (1994). Input, interaction, and second language production. *Studies in Second Language Acquisition, 16,* 183-302.

Genesee, F. (1976). The role of intelligence in second language learning. *Language Learning, 26,* 267-280.

Genesee, F. (1987). *Learning through two languages.* New York: Newbury House.

Geva, E. (2000). Issues in the assessment of reading disabilities in L2 children —Beliefs and research evidence. *Dyxlexia, 6,* 13-28.

Goleman, D. (1995). *Emotional intelligence.* New York: Bantam Books.

Goo, J., Granena, G., Novella, M., & Yilmaz, Y. (2009). Implicit and explicit instruction in L2 learning: Norris & Ortega (2000) revisited and updated. In P. Rebuschat (Ed.), *Implicit and explicit learning of languages* (pp.443-482). Amsterdam/Philadelphia: John Benjamins.

Goo, J., & Mackey, A. (2013). The case against the case against recasts. *Studies in Second Language Acquisition, 35,* 127-165

Granena, G. (2013a). Cognitive aptitudes for second language learning and the LLAMA language aptitude test. In G. Granena & M. Long (Eds.), *Sensitive periods, language aptitude, and ultimate L2 attainment* (pp. 105-129). Amsterdam/Philadelphia: John Benjamins.

Granena, G. (2013b). Individual differences in sequence learning ability and second language acquisition in early childhood and adulthood. *Language Learning, 63,* 665-703.

Gregg, K. (1984). Krashen's monitor and Occam's razor. *Applied Linguistics, 5,* 79-100.

Grice, H. P. (1975). Logic and conversation. In P. Cole & J. P. Morgan (Eds.), *Syntax and semantics 3: Speech Acts* (pp. 41-58). New York: Academic Press.

Griffiths, C. (2018). *The strategy factor in successful language learning: The tornado effect, 2nd edition,* Bristol, UK: Multilingual Matters.

Griffiths, C. (2020). Language learning strategies: Is the baby still in the bathwater? *Applied Linguistics, 41,* 507-611.

Grigorenko, E. L. (2002). Foreign language acquisition and language-based learning disabilities. In P. Robinson (Ed.), *Individual differences and instructed language learning* (pp. 95-112). Amsterdam: John Benjamins.

Grigorenko, E. L., Sternberg, R. J., & Ehrman, M. E. (2000). A theory-based approach to the measurement of foreign language learning ability: The CANAL-FT theory and test. *Modern Language Journal, 84,* 390-405.

Guiora, A., Brannon, R., & Dull, C. (1972). Empathy and second language learning. *Language Learning, 22,* 111-130.

Halliday, M. A. K. (1970). Language structure and language function. In J. Lyons (Ed.), *New horizon in linguistics* (pp. 140-465). Harmondsworth, UK: Penguin.

Harley, B., & Hart, D. (1997). Language aptitude and second language proficiency in classroom learners of different starting ages. *Studies in Second Language Acquisition, 19,* 379-400.

Harley, B., & Wang, W. (1997). The critical period hypothesis: Where are we now? In A. M. B. de Groot, & J. F. Kroll (Eds.), *Tutorials in bilingualism: Psycholinguistic perspectives* (pp. 19-51). London, UK: Lawrence Erlbaum.

Harrington, M., & Sawyer, M. (1992). L2 working memory capacity and L2 reading skill. *Studies in Second Language Acquisition, 14,* 25-38.

Hatch, E. (1983). *Psycholinguistics: A second language perspective.* Rowley, MA: Newbury House.

Hawkins, B. (1985). Is the appropriate response always so appropriate? In S. Gass & C. Madden (Eds.), *Input in second language acquisition* (pp. 162-178). Rowley, MA: Newbury House.

Hawkins, J. (1987). Implicational universals as predictors of language acquisition. *Linguistics, 25,* 453-473.

Heckhausen, H., & Kuhl, J. (1985). From wishes to action: The dead ends and short cuts on the long way to action. In M. Frese & J. Sabini (Eds.), *Goal-directed behaveour: The concept of action in psychology* (pp. 134-160). Hillsdale, NJ: Lawrence Erlbaum.

Higgins, E. T. (1987). Self-discrepancy: A theory relating self and affect. *Psychological Review, 94,* 139-340.

Higgins, E. T. (1998). Promotion and prevention: Regulatory focus as a motivational principle. *Advances in Experimental Social Psychology, 3,* 1-46.

Holloway, S. D. (1988). Concepts of ability and effort in Japan and the United States. *Review of Educational Research, 34,* 327-345.

Horn, J. L. (1982). The aging of human abilities. In B. B. Wolman (Ed.), *Handbook of developmental psychology* (pp. 847-870). Englewood Cliffs, NJ: Prentice-Hall.

Horwitz, E. K. (1988). The beliefs about language learning of beginning university foreign language students. *Modern Language Journal, 72,* 283-294.

Horwitz, E. K. (1999). Cultural and situational influences on foreign language learners' beliefs about language learning: a review of BALLI's studies. *System, 27,* 557-576

Huang, B. H. (2017). Bilingualism, cognition adn the brain. In C. Baker & W. E. Wright (Eds.), *Foundations of bilingual education and bilingualism, 6th edition* (pp. 131-155). Bristol, UK: Multilingual Matters.

Hulstijn, J. H. (2002). Toward a unified account of the representation, processing and acquisition of second language knowledge. *Second Language Research, 18,* 193-223.

Huter, K. (1996). Atarashii no kuruma and other old friends: The acquisition of Japanese syntax. *Australian Review of Applied Linguistics, 9,* 39-60.

Hyltenstam, K. (2016). *Advanced proficiency and exceptional ability in second languages.* Berlin/Boston: Mouton de Gruyter.

Hyltenstam, K., & Abrahamsson, N. (2003). Maturational constraints in SLA. In C. J. Doughty, & M. H. Long (Eds.), *The handbook of second language acquisition* (pp. 539-588). Malden, MA: Blackwell.

Hymes, D. (1972). On communicative competence. In J. B. Pride & J. Holmes (Eds.), *Sociolinguistics* (pp. 269-293). Harmondsworth:, UK Penguin.

Inaba, M. (1993). Subset Principle vs. Transfer Hypothesis: Can L2 learners disconfirm superset grammar without evidence? *JACET Bulletin, 23,* 37-56.

Iwashita, N. (1999). Tasks and learners' output in nonnative-nonnative interaction. In K. Kanno (Ed.), *The acquisition of Japanese as a second language* (pp. 31-52). Amsterdam/Philadelphia: John Benjamins.

Johnson, J. S., & Newport, E. L. (1989). Critical period effects in second language learning: The influence of maturational state on the acquisition of English as a second language. *Cognitive Psychology, 21,* 60-99.

Johnson, K. (1996). *Language teaching & skill learning.* Oxford, UK: Blackwell.

Johnson, K., & Morrow, K. (1981). *Communication in the classroom.* London, UK: Longman.

Jordan, G. (2004). *Theory construction in second language acquisition.* Amsterdam/Philadelphia: John Benjamins.

Jorden, E. H. (with the assistance of Chaplin, H. I.) (1962). *Beginning Japanese*. New Haven, CT: Yale University Press.

Jorden, E. H., & Noda, M. (1987). *Japanese: The spoken language*. New Haven, CT: Yale University Press.

Jourdenais, R. (2001). Cognition, instruction and protocol analysis. In P. Robinson (Ed.), *Cognition and second language instruction* (pp. 354-375). Cambridge, UK: Cambridge University Press.

Kanagy, R. (1991). *Developmental sequences in the acquisition of Japanese as a foreign language: The case of negation*. Ph.D. dissertation. University of Pennsylvania, Philadelphia.

Kanagy, R. (1994). Developmental sequences in acquiring Japanese negation in L1 and L2. In F. Fujimura, Y. Kato, M. Leong & R. Uehara (Eds.), *Proceedings of the 5th conference on second language research in Japan* (pp. 109-126). International University of Japan.

Kanagy, R., & Futaba, T. (1994). Affective variables in learners of Japanese in different settings. *Journal of Asian Pacific Communication, 5,* 131-145.

Kanno, K. (1997). The acquisition of null and overt pronominals in Japanese by English speakers. *Second Language Research, 13,* 265-287.

Kanno, K. (1998a). Consistency and variation in second language acquisition. *Second Language Research, 14,* 317-335.

Kanno, K. (1998b). The stability of UG principles in second language acquisition: Evidence from Japanese. *Linguistics, 36,* 1125-1146.

Karmiloff-Smith, A. (1984). Children's problem solving. In M. Lamb, A. Brown & B. Rogoff (Eds.), *Advances in developmental psychology Vol. III*. Hillsdale, NJ: Earlbaum.

Kasper, G., & Rose, K. R. (1999). Pragmatics and SLA. *Annual Review of Applied Linguistics, 19,* 81-104.

Kasper, G., & Rose, K. R. (2002). Pragmatic development in a second language. *Language Learning, 52, Supplement 1.*

Kawaguchi, S. (1999). The acquisition of syntax and nominal ellipsis in JSL discourse. In P. Robinson (Ed.), *Representation and processes: Proceedings of the 3rd Pacific second language research forum, Vol. 1* (pp. 85-94). Tokyo: Aoyama Gakuin University.

Keck, C. M., Iberri-Shea, G., Tracy-Ventura, N., & Wa-Mbaleka, S. (2006). Investigating the empirical link between task-based interaction and acquisition: A meta-analysis. In J. M. Norris & L. Ortega (Eds.), *Synthesizing research on language learning and teaching* (pp. 91-131). Amsterdam/Philadelphia: John Benjamins.

Kellerman, E. (1985). If at first you do succeed. In S. Gass & C. Madden (Eds.), *Input in second language acquisition* (pp. 345-353). Rowley, MA: Newbury House.

Klein, W. (1986). *Second language acquisition*. Cambridge, UK: Cambridge University Press.

Kormos, J. (2013). New conceptualizations of language aptitude in second language attainment. In G. Granena & M. Long (Eds.), *Sensitive periods, language aptitude, and ultimate L2 attainment* (pp. 131-152). Amsterdam/Philadelphia: John Benjamins.

Kormos, J., & Csizér, K. (2008). Age-related differences in the motivation of learning English as a foreign language: Attitudes, Selves, and Motivated learning behavior. *Language Learning, 58*, 327-355.

Kowal, M., & Swain, M. (1994). From semantic to syntactic processing: How can we promote it in the immersion classroom? In R. K. Johnson & M. Swain (Eds.), *1994: Immersion Education: International Perspectives.* (manuscripts) OISE, Toronto.

Koyanagi, K. (1999). Differential effects of focus on form vs. focus on forms. In T. Fujimura, Y. Kato & R. Smith (Eds.), *Proceedings of the 10th conference on second language research in Japan* (pp. 1-31). International University of Japan.

Koyanagi, K. (2016). The role of instruction in acquiring Japanese as a second language. In M. Minami (Ed.), *Handbook of Japanese applied linguistics* (pp.199-222). Berlin/Boston: Mouton De Gruyter.

Krashen, S. (1977). Some issues relating to the monitor model. In H. D. Brown, C. A. Yorio & R. L. Crymes (Eds.), *On TESOL '77* (pp. 144-158). Washington, DC: TESOL.

Krashen, S. (1980). The input hypothesis. In J. Alatis (Ed.), *Current issues in bilingual education* (pp. 168-180). Washington, DC: Georgetown University Press.

Krashen, S. (1981). Aptitude and attitude in relation to second language acquisition and learning. In K. C. Diller (Ed.), *Individual differences and universals in language learning aptitude* (pp. 155-175). Rowley, MA: Newbury House.

Krashen, S. (1985). *The input hypothesis: Issues and implications.* New York: Longman.

Krashen, S., Long, M. H., & Scarcella, R. (1979). Age, rate, and eventual attainment in second language acquisition. *TESOL Quarterly, 13*, 573-582.

Krashen, S., & Terrell, T. D. (1983). *The Natural Approach: Language acquisition in the classroom.* Oxford, UK: Pergamon Press.

Kuno, S. (1973). *The structure of the Japanese language*. Cambridge, MA: MIT Press.

Kuno, S., & Kaburaki, E. (1977). Empathy and syntax. *Linguistic Inquiry, 8,* 627-672.

Labov, W. (1970). The study of language in its social context. *Studium Generale, 23,* 30-87.

Lado, R. (1957). *Linguistics across culture*. Ann Arbor, MI: University of Michigan Press.

Lantolf, J. P. (2000a). *Sociocultural theory and second language learning*. Oxford, UK: Oxford University Press.

Lantolf, J. P. (2000b). Second language learning as a mediated process. *Language Teaching, 33,* 79-96.

Lazaruk, W. A. (2007). Linguistic, academic, and cognitive benefits of French immersion. *Canadian Modern Language Review, 63,* 605-627.

Leech, G. M. (1983). *Principles of pragmatics*. London UK: Longman.

Lenneberg, E. (1967). *Biological foundations of language*. New York: Wiley.

Lenneberg, E. H. (1985). Developmental milestones in motor and language development. In V. P. Clark, P. A. Eschhols, & A. F. Rosa (Eds.), *Language: Introductory readings. Fourth Edition* (pp. 74-77). New York: St. Martin's Press.

Levelt, W. J. M. (1989). *Speaking: From intention to articulation*. Cambridge, MA: MIT Press.

Levelt, W. J. M. (1993). The architecture of normal spoken language use. In G. Blanken, J. Dittman, H. Grimm, J. Marshall & C. Wallesch (Eds.), *Linguistic disorders and pathologies: An international handbook* (pp. 1-15). Berlin: De Gruyter.

Li, S. (2010). The effectiveness of corrective feedback in SLA: A meta-analysis. *Language Learning, 60,* 309-365.

Lieven, E., & Tomasello, M. (2008). Children's first language acquisition from a usage-based perspective. In P. Robinson & N. C. Ellis (Eds.), *Handbook of cognitive linguistics and second language acquisition* (pp. 168-196). New York: Routledge.

Lightbown, P. M. (1983). Exploring relationships between developmental and instructional sequences in L2 acquisition. In H. Seliger & M. H. Long (Eds.), *Classroom-oriented research in second language acquisition* (pp. 217-243). Rowley, MA: Newbury House.

Lightbown, P. M. (1985). Can language acquisition be altered by instruction? In K. Hyltenstam & M. Pienemann (Eds.), *Modeling and assessing second language acquisition* (pp. 191-112). Clevedon, UK: Multilingual Matters.

Lightbown, P. M., & Spada, N. (1999). *How languages are learned. Revised Edition*. Oxford, UK: Oxford University Press.

Lightbown, P. M., & Spada, N. (2006). *How languages are learned. 3rd Edition*. Oxford, UK: Oxford University Press.

Linck, J. A., Hughes, M. M., Campbell, S. G., Slbert, N. H., Tare, M., Jackson, S. R., Smith, B. K., Bunting, M. F., & Doughty, C. J. (2013). Hi-LAB: A new measure of aptitude for high-level language proficiency. *Language Learning, 63,* 530-366.

Long, M. H. (1980). Input, interaction and second language acquisition. Ph.D. dissertation. University of California, Los Angeles.

Long, M. H. (1981). Input, interaction and second language acquisition. In H. Winitz (Ed.), Native language and foreign language acquisition: *Annual of the New York Academy of Science, 379,* 259-278.

Long, M. H. (1983a). Native speaker/non-native speaker conversation and the negotiation of comprehensible input. *Applied Linguistics, 4,* 126-141.

Long, M. H. (1983b). Does second language instruction make a difference? A review of research. *TESOL Quarterly, 17,* 359-382.

Long, M. H. (1985a). Input and second language acquisition theory. In S. Gass & C. Madden (Eds.), *Input in second language acquisition* (pp. 379-393). Rowley, MA: Newbury House.

Long, M. H. (1985b). A role for instruction in second language acquisition: Task-based language teaching. In K. Hyltenstam & M. Pienemann (Eds.), *Modeling and assessing second language acquisition* (pp. 77-99). Clevedon, UK: Multilingual Matters.

Long, M. H. (1988). Instructed interlanguage development. In L. Beebe (Ed.), *Issues in second language acquisition: Multiple perspectives* (pp. 115-141). Cambridge, MA: Newbury House.

Long, M. H. (1990). Maturational constraints on language development. *Studies in Second Language Acquisition, 12,* 151-285.

Long, M. H. (1991). Focus on form: A design feature in language teaching methodology. In K. de Bot, D. Coste, C. Kramsch & R. Ginsberg (Eds.), *Foreign language research in crosscultural perspective* (pp. 39-52). Amsterdam/Philadelphia: John Benjamins.

Long, M. H. (1996). The role of the linguistic environment in second language acquisition. In W. C. Ritchie & T. K. Bhatia (Eds.), *Handbook of second language acquisition* (pp. 413-468). San Diego, CA: Academic Press.

Long, M. H. (1997a). Construct validity in SLA research: A response to Firth and Wagner. *Modern Language Journal, 81,* 318-323.

Long, M. H. (1997b). Focus on form in task-based language teaching. Paper presented at the McGraw-Hill Teleconference on approaches to grammar instruction in communicative language teaching. California State University, Long Beach. [URL: http://www.mhhe.com/socscience/foreignlang/top.htm]

Long, M. H. (2000). Focus on form in task-based language teaching. In R. L. Lambert & E. Shohamy (Eds.), *Language policy and pedagogy* (pp. 179-192). Amsterdam/Philadelphia: John Benjamins.

Long, M. H. (2003). Stabilization and fossilization in interlanguage development. In C. J. Doughty & M. H. Long (Eds.), *The handbook of second language acquisition* (pp. 487-535). Malden, MA: Blackwell.

Long, M. H. (2015). *Task-based language teaching*. Malden, MA: John Wiley and Sons.

Long, M. H., Adams, L., McLean, M., & Castaños, F. (1976). Doing things with words - verbal interaction in lockstep and small group classroom situations. In J. Fanselow & R. Crymes (Eds.), *On TESOL '76* (pp. 137-153). Washington, DC: TESOL.

Long, M. H., & Crookes, G. (1992). Three approaches to task-based syllabus design. *TESOL Quarterly, 26*, 27-56.

Long, M. H., & Crookes, G. (1993). Units of analysis in syllabus design - The case for task. In G. Crookes & S. M. Gass (Eds.), *Tasks in a pedagogical context: Integrating theory & practice* (pp. 9-54). Clevedon, UK: Multilingual Matters.

Long, M. H., Granena, G., & Montero, F. (2018). What does critical period research reveal about advanced L2 proficiency? In P. A. Malovrh & A. G. Benati (Eds.), *The handbook of advanced proficiency in second language acquisition* (pp. 51-71). Hoboken, NJ: John Wiley & Sons.

Long, M. H., & Porter, P. (1985). Group work, interlanguage talk, and second language acquisition. *TESOL Quarterly, 19*, 207-228.

Long, M. H., & Robinson, P. (1998). Focus on form: Theory, research, and practice. In C. Doughty & J. Williams (Eds.), *Focus on form in classroom second language acquisition* (pp. 15-41). New York: Cambridge University Press.

Long, M. H., & Sato, C. (1983). Classroom foreigner talk discourse: Forms and functions of teachers' questions. In H. Seliger & M. H. Long (Eds.), *Classroom-oriented research in second language acquisition* (pp. 268-285). Rowley, MA: Newbury House.

Loschky, L. (1994). Comprehensible input and second language acquisition: What is the relationship? *Studies in Second Language Acquisition, 16*, 303-323.

Loschky, L., & Bley-Vroman, R. (1993). Grammar and task-based methodology. In S. M. Gass & G. Crookes (Eds.), *Tasks and language learning: Integrating theory and practice* (pp. 123-167). Clevedon, UK: Multilingual Matters.

Lyster, R., & Ranta, L. (1997). Corrective feedback and learner uptake: Negotiation of form in communicative classroom. *Studies in Second Language Acquisition, 19*, 37-66.

Machida, S. (2001). Test anxiety in Japanese-language class oral examinations. *Japanese-Language Education around the Globe, 11*, 115-138.

MacIntyre, P. D., & Gardner, R. C. (1991). Language anxiety: Its relationship to other anxieties and to processing in native and second languages. *Language Learning, 41*, 513-534.

Mackey, A. (1999). Input, interaction, and second language development: An empirical study of question formation in ESL. *Studies in Second Language Acquisition, 21*, 557-587.

Mackey, A., Adams, R., Stafford, C., & Winke, P. (2010). Exploring the relationship between modifiec output and working memory capacity. *Language Learning, 60*, 501-533.

Mackey, A., & Goo, J. (2007). Interaction research in SLA: A meta-analysis and research synthesis. In A. Mackey (Ed.), *Conversational interaction in second language acquisition* (pp.407-452). Oxford, UK: Oxford University Press.

Mackey, A., Philp,J., Egi, T., Fujii, A., & Tatsumi, T. (2002). Individual differences in working memory, noticing of interactional feedback and L2 development. In P. Robinson (Ed.), *Individual differences and instructed language learning* (pp. 181-209). Amsterdam/ Philadelphia: John Benjamins.

MacWhinney, B. (2005). A unified model of language acquisition. In J. F. Kroll & A. M. B. de Groot (Eds.), *Handbook of bilingualism: Psycholinguistic approaches* (pp. 49-67). Oxford, UK: Oxford University Press.

MacWhinney, B. (2008). A unified model. In P. Robinson & N. C. Ellis (Eds.), *Handbook of cognitive linguistics and second language aquisition* (pp.341-371). New York: Roultledge.

Maera, P. (2005). *LLAMA language aptitude tests*. Swansea, UK: Lognostics.

Makino, S., & Tsutsui, M. (1986). *A dictionary of basic Japanese grammar*. Tokyo: Japan Times.

Malovrh, P. A., & Benati, A. G. (2018). *The handbook of advanced proficiency in second language acquisition*. Hoboken, NJ: John Wiley & Sons.

Markee, L. (1997). Second language acquisition research: A resource for changing teachers' professional cultures? *Modern Language Journal, 81,* 80-93.

Maynard, S. K. (1990). *An introduction to Japanese grammar and communication strategies.* Tokyo: Japan Times.

McDonough, K., & Mackey, A. (2006). Responses to recasts: Repetitions, primed production, and linguistic development. *Language Learning, 56,* 693-720.

McDonough, K., & Mackey, A. (2008). Syntactic priming and ESL question development. *Studies in Second Language Acquisition, 30,* 31-47.

McEown, M. S., Noels, K.A., & Saumure, K. D. (2014). Students' self-determined and integrative orientation and teachers' motivational support in a Japanese as a foreign language context. *System, 45,* 227-241.

McLaughlin, B. (1978). The monitor model: Some methodological considerations. *Language Learning, 28,* 309-332.

McLaughlin, B. (1987). *Theories of second language learning.* London, UK: Edward Arnold.

McLaughlin, B. (1990). Restructuring. *Applied Linguistics, 11,* 113-128.

McLaughlin, B., & Heredia, R. (1996). Information-processing approaches to research on second language acquisition and use. In W. C. Ritchie & T. K. Bhatia (Eds.), *Handbook of second language acquisition* (pp. 213-228). San Diego, CA: Academic Press.

McNeil, D. (1966). Developmental psycholinguistics. In F. Smith & G. A. Miller (Eds.), *The genesis of language: A psycholinguistic approach* (pp. 15-84). Cambridge, MA: MIT Press.

Meisel, J., Clahsen, H., & Pienemann, M. (1981). On determining stages in natural second language acquisition. *Studies in Second Language Acquisition, 3,* 109-135.

Meisel, J. M. (1995). Parameters in acquisition. In P. Fletcher & B. MacWhinney (Eds.), *Handbook of child language* (pp. 10-35). Oxford, UK: Blackwell.

Mitchell, R., & Myles, F. (1998). *Second language learning theories.* London, UK: Arnold.

Mitchell, R., Myles, F., & Marsden, E. (2013). *Second language learning theories. 3rd edition.* New York: Routledge.

Miyake, A., & Friedman, N. F. (1998). Individual differences in second language proficiency: Working memory as language aptitude. In A. F. Healy & L. E. Bourne (Eds.), *Foreign language learning: Psycholinguistic studies on training and retention* (pp. 339-364). Mahwah, NJ: Lawrence Erlbaum.

Morikawa, H., Shand, N., & Kosawa, Y. (1988). Maternal speech to prelingual infants in Japan and the United States: relationships among functions, forms and referents. *Journal of Child Language, 15,* 237-256.

Moroishi, M. (1999). Explicit vs. implicit learning: Acquisition of the Japanese conjectural auxiliaries under explicit and implicit conditions. In N. O. Jungheim & P. Robinson (Eds.), *Pragmatics and pedagogy: Proceedings of the 3rd Pacific second language research forum Vol. 2* (pp. 217-230). Tokyo: Aoyama Gakuin University.

Morris, C. D., Bransford, J. D., & Franks, J. J. (1977). Levels of processing versus transfer appropriate processing. *Journal of Verbal Leaning and Verbal Behavior, 53,* 321-268.

Moskovsky, C., Alrabai, F., Paolini, S., & Ratcheva. S. (2013). The effect of teachers' motivational strategies on learners' motivation: A controlled investigation of second language acquisition. *Language Learning, 63,* 34-62.

Nation, I. S. P. (2001). *Learning vocabulary in another language.* Cambridge, UK: Cambridge University Press.

Nemser, W. (1971). Approximative systems of foreign learners. *International Review of Applied Linguistics, 9,* 115-124.

Noels, K. A. (2001). New orientations in language learning motivation: Towards a model of intrinsic, extrinsic, and integrative orientations and motivation. In Z. Dörnyei & R. Schmidt (Eds.), *Motivation and second language acquisition* (pp. 43-68). Honolulu, HI: University of Hawaii, Second Language Teaching and Curriculum Center.

Norris, J. M., Brown, J. D., Hudson, T., & Yoshioka, J. (1998). *Designing second language performance assessments.* Honolulu, HI: University of Hawaii, Second Language Teaching Curriculum Center.

Norris, J. M., & Ortega, L. (2000). Effectiveness of L2 instruction: A research synthesis and quantitative meta-analysis. *Language Learning, 50,* 417-528.

Noyama, H. (1995). Attitudes toward bilingual and multicultural aspects of Japanese-language policy and teaching to non-native children in Japan. *Japanese-Language Education around the Globe, 5,* 1-27.

Nunan, D. (1989). *Designing tasks for the communicative classroom.* Cambridge, UK: Cambridge University Press.

Odlin, T. (1989). *Language transfer: Cross-linguistic influence in language learning.* Cambridge, UK: Cambridge University Press.

Odlin, T. (2003). Cross-linguistic influence. In C. J. Doughty & M. H. Long (Eds.), *The handbook of second language acquisition* (pp. 436-486). Malden, MA: Blackwell.

Ohta, A.S. (2000a). Rethinking interaction in SLA: Developmentally appropriate assistance in the zone of proximal development and the acquisition of L2 grammar. In J. P. Lantolf (Ed.), *Sociocultural theory and second language learning.* (pp.51-78). Oxford, UK: Oxford University Press.

Ohta, A. S. (2000b). Re-thinking recasts: A learner-centered examination of corrective feedback in the Japanese language classroom. In J. K .Hall & L. Verplaeste (Eds.), *The construction of foreign and second language Learning through classroom interaction* (pp. 47-71). Mahwah, NJ: Lawrence Erlbaum.

Ohta, A. S. (2001). *Second language acquisition processes in the classroom learning Japanese.* Mahwah NJ: Lawrence Erlbaum.

O'Malley, M., & Chamot, A. U. (1990). *Learning strategies in second language acquisition.* Cambridge, UK: Cambridge University Press.

Ortega, L. (2009). *Understanding second language acquisition.* London, UK: Hodder Education.

Ortega, L., & Byrnes, H. (2008). *The longitudinal study of advanced L2 capacities.* New York, NY: Routledge.

Oxford, R. (1990). *Language learning strategies: What every teacher should know.* Rowley, MA: Newbury House.

Paolillo, J. C. (2000). Asymmetries in Universal Grammar: The role of method and statistics. *Studies in Second Language Acquisition, 22,* 209-228.

Pavesi, M. (1986). Markedness, discoursal modes, and relative clause formation in a formal and informal context. *Studies in Second Language Acquisition, 8,* 38-55.

Piaget, J. (1968). The stage of the intellectual development of the child. In P. C. Wason & P. N. Johnson-Laird (Eds.), *Thinking and reasoning* (pp. 355-363). Harmondsworth, UK: Penguin.

Piaget, J. (1972). *The principles of genetic epistemology.* New York: Basic Books.

Pica, T. (1983). Adult acquisition of English as a second language under different conditions of exposure. *Language Learning, 33,* 465-497.

Pica, T. (1984). Methods of morpheme quantification: Their effect on the interpretation of second language data. *Studies in Second Language Acquisition, 6,* 69-78.

Pica, T. (1987). Second-language acquisition, social interaction and the classroom. *Applied Linguistics, 8,* 1-25.

Pica, T. (1991). Classroom interaction, participation and comprehension: Redefining relationships. *Systems, 19,* 437-452.

Pica T., & Doughty, C. (1985). Input and interaction in the communicative classroom: Teacher-fronted vs. group activities In S. Gass & C. Madden (Eds.), *Input in second language acquisition* (pp. 115-132). Rowley, MA: Newbury House.

Pica, T., Holliday, L., Lewis, N., & Morgenthaler, L. (1989). Comprehensible output as an outcome of linguistic demands of the learners. *Studies in Second Language Acquisition, 11,* 63-90.

Pica, T., Kanagy, R., & Falodun, J. (1993). Choosing and using communication tasks for second language instruction and research. In G. Crookes & S. M. Gass (Eds.), *Tasks and language learning: Integrating theory & practice* (pp. 9-34). Clevedon, UK: Multilingual Matters.

Pica, T., & Long, M. H. (1986). The linguistic and conversational performance of experienced and inexperienced teachers. In R. Day (Ed.), *Talking to learn: Conversation in second language acquisition* (pp. 85-98). Rowley, MA: Newbury House.

Pica, T., Young, R., & Doughty, C. (1987). The impact of interaction on comprehension. *TESOL Quarterly, 21,* 737-758.

Pienemann, M. (1984). Psychological constraints on the teachability of language. *Studies in Second Language Acquisition, 6,* 186-214

Pienemann, M. (1989). Is language teachable? Psycholinguistic experiment and hypotheses. *Applied Linguistics, 10,* 52-79.

Pienemann, M. (1998). *Language processing and second language development: Processability theory.* Amsterdam: John Benjamins.

Pienemann, M., & Johnston, M. (1987). Factors influencing the development of language proficiency. In D. Nunan (Ed.), *Applying second language acquisition research* (pp. 45-141). Adelaide, Australia: National Curriculum Resource Center, Adult Migrant Education Program.

Pienemann, M., Johnston, M., & Brindley, G. (1988). Constructing an acquisition-based procedure for second language assessment. *Studies in Second Language Acquisition, 10,* 217-243.

Pimsleur, P. (1966). *Pimleur language aptitude battery (PLAB).* New York: Harcourt Brace, Jovanovich.

Pinker, S. (1994). *The language instinct.* New York: W. Morrow. 椋田直子訳 (1995)『言語を生みだす本能』上・下, 日本放送出版協会

Platt, E., & Brooks, F. (1994). The "acquisition-rich environment" revisited. *Modern Language Journal, 78,* 497-511.

Polio, C., & Gass, S. M. (1998). The role of interaction in native speaker comprehension of non-native speaker speech. *Modern Language Journal, 82,* 308-319.

Porter, P. A. (1986). How learners talk to each other: Conversation in second language acquisition. In R. Day (Ed.), *Talking to learn: Conversation in second language acquisition* (pp. 200-222). Rowley, MA: Newbury House.

Reber, A. S. (1967). Implicit learning of artificial grammars. *Journal of Verbal Learning and Verbal Behavior, 5,* 855-63.

Richards, J. C., & Rodgers, T. S. (2001). *Approaches and methods in language teaching. 2nd edition.* Cambridge, UK: Cambridge University Press.

Ritchie, W. C., & Bhatia, T. K. (2009). *The new handbook of second language acquisition.* Binley, UK: Emerald Group Publishing.

Robinson, P. (1995). Attention, memory and 'noticing' hypothesis. *Language Learning, 45,* 283-331.

Robinson, P. (1997). Individual differences and the fundamental similarity of implicit and explicit adult second language learning. *Language Learning, 47,* 45-99.

Robinson, P. (2001a). Task complexity, task difficulty, and task production: Exploring interactions in a componential framework. *Applied Linguistics, 22,* 27-57.

Robinson, P. (2001b). Task complexity, cognitive resources and syllabus design: A triadic theory of task influences on SLA. In P. Robinson (Ed.), *Cognition and second language instruction.* Cambridge, UK: Cambridge University Press.

Robinson, P. (2001c). Individual differences cognitive abilities, aptitude complexes and learning conditions in second language acquisition. *Second Language Research, 17,* 368-392.

Robinson, P. (2002a). Learning conditions, aptitude complexes and SLA: A framework for research and pedagogy. In P. Robinson (Ed.), *Individual differences and instructed language learning* (pp. 112-131). Amsterdam/Philadelphia: John Benjamins.

Robinson, P. (2002b). Effects of individual differences in working memory, intelligence and aptitude on incidental second language learning: A replication and extension of Reber, Walkenfield and Hernstadt (1991). In P. Robinson (Ed.), *Individual differences and instructed language learning* (pp. 211-266). Amsterdam/Philadelphia: John Benjamins.

Robinson, P. (2003). Attention and memory during SLA. In C. J. Doughty & M. H. Long (Eds.), *The handbook of second language acquisition* (pp. 631- 678). Malden, MA: Blackwell.

Rollmann, M. (1994). The communicative language teaching "revolution" tested: A comparison of two classroom studies: 1976 and 1993. *Foreign Language Annals, 27,* 221-233.

Rounds, P. L., & Kanagy, R. (1998). Acquiring linguistic cues to identify AGENT: Evidence from children learning Japanese as a second language. *Studies in Second Language Acquisition, 20,* 509-542.

Rubin, J. (1975). What the 'good language learners' can teach us. *TESOL Quarterly, 9,* 41-51.

Rubin, J., & Thompson, I. (1982). *How to be a more successful language learner.* Boston, MA: Heinle & Heinle.

Rulon, K. A., & McCreary, J. (1986). Negotiation of content: Teacher-fronted and small-group interaction. In R. Day (Ed.), *Talking to learn: Conversations in second language acquisition* (pp. 182-199). Rowley, MA: Newbury House.

Rumelhart, D., & McClelland, J. (1986). On learning the past tense of English verbs. In J. McClelland & D. Rumelhart (eds.), *Parallel Distributed Processing: explorations in the microstructure of cognition. Vol.2: Psychological and biological models* (pp. 216-271). Cambridge, MA: MIT Press.

Rutherford, W. (1987). *Second language grammar: Learning and teaching.* London, UK: Longman.

Rutherford W., & Sharwood Smith, M. (1985). Consciousness raising and universal grammar. *Applied Linguistics, 6,* 274-282.

Ryan, R. M., & Deci, E. L. (2000). Self-determination theory and the facilitation of intrinsic motivation, social development, and well-being. *American Psychologist, 55,* 68-78.

Saito, Y., & Samimy, K. K. (1996). Foreign language anxiety and language performance: A study of learner anxiety in beginning, intermediate, and advanced-level college students of Japanese. *Foreign Language Annals, 29,* 239-251.

Sakata, N. (1991). The acquisition of Japanese 'gender' particles. *Language and Communication, 11,* 117-125.

Salthouse, T. A. (1993). Speed mediation of adult age differences in cognition. *Developmental Psychology, 29,* 722-738.

Salthouse, T. A. (1994). The nature of the influence of speed on adult age differences in cognition. *Developmental Psychology, 30,* 240-259.

Salthouse, T. A. (1996). The processing speed theory of adult age differences in cognition. *Psychological Review, 103,* 403-428.

Samimy, K. K., & Tabuse, M. (1992). Affective variables and a less commonly taught language: A study in beginning Japanese classes. *Language Learning, 42,* 377-398.

Sasaki, Y. (1994). Paths of processing strategy transfer in learning Japanese and English as a foreign language: A competition model approach. *Studies in Second Language Acquisition, 16,* 43-72.

Saville-Troike, M. (1989). *The ethnography of communication.* New York: Basil Blackwell.

Sawyer, M., & Ranta, L. (2001). Aptitude, individual differences and instructional design. In P. Robinson (Ed.), *Cognition and second language instruction* (pp. 319-353). Cambridge, UK: Cambridge University Press.

Saxton, M. (1997). The contrast theory of negative input. *Journal of Child Language, 24,* 139-161.

Schachter, J. (1974). An error in error analysis. *Language Learning, 24,* 205-214.

Schachter, J. (1992). A new account of language transfer. In S. Gass & L. Selinker (Eds.), *Language transfer in language learning* (pp. 32-46). Amsterdam/Philadelphia: John Benjamins.

Schieffelin, B. B., & Ochs, E. (1986). *Language socialization across cultures.* Cambridge, UK: Cambridge University Press.

Schmidt, R. W. (1990). The role of consciousness in second language learning. *Applied Linguistics, 11,* 129-158.

Schmidt, R. W. (2001). Attention. In P. Robinson (Ed.), *Cognition and second language instruction* (pp. 3-32). Cambridge, UK: Cambridge University Press.

Schmidt, R. W., & Frota, S. N. (1986). Developing basic conversational ability in a second language: A case study of an adult learner of Portuguese. In R. Day (Ed.), *Talking to learn: Conversation in second language acquisition* (pp. 237-326). Rowley, MA: Newbury House.

Schultze, C. T. (1996). *The empirical base of linguistics: Grammaticality judgments and linguistic methodology.* Chicago, IL: University of Chicago Press.

Schumann, J. H. (1976). Second language acquisition: The pidginization hypothesis. *Language Learning, 26,* 391-408.

Schumann, J. H. (1978). *The pidginization process: A model for second language acquisition.* Rowley, MA: Newbury House.

Schumann, J. H. (2004). Introduction. In J. H. Schumann, S. E. Crowedll, N. E. Jones, N. Lee, A. Schuchert & L. A. Wood (Eds.), *The neurobiology of learning: Perspectives from second language acquisition* (pp. 1-7). Mahwah, NJ: Lawrence Erlbaum.

Schumann, J. H., Crowell, S. E., Jones, N. E., Lee, N., Schuchert, A., & Wood, L. A. (2004). *The neurobiology of learning: Perspectives from second language acquisition.* Mahwah, NJ: Lawrence Erlbaum.

Scovel, T. (1969). Foreign accents, language acquisition, and cerebral dominance. *Language Learning. 19,* 245-253.

Scovel, T. (1978). The effect of affect on foreign language learning: A review of the anxiety research. *Language Learning, 28,* 129-142.

Scovel, T. (1988). *A time to speak: A psycholinguistic inquiry into the critical period for human speech.* New York: Newbury House.

Scovel, T. (2000). A critical review of the critical period hypothesis. *Annual Review of Applied Linguistics. 20,* 213-223.

Segalowitz, N. (1997). Individual differences in second language acquisition. In A. M. B. de Groot & J. F. Kroll (Eds.), *Tutorials in bilingualism: Psycholinguistic perspectives* (pp. 85-112). Mahwah, NJ: Erlbaum.

Segalowitz, N. (2003). Automaticity and second languages. In C. J. Doughty & M. H. Long (Eds.), *The handbook of second language acquisition* (pp. 382-408). Malden, MA: Blackwell.

Segalowitz, N., & Frenkiel-Fishman, S. (2005). Attention control and ability level in a complex cognitive skill: Attention shifting and second-language proficiency. *Memory and Cognition, 33,* 644-653.

Seliger, H. W. (1978). Implications of a multiple critical periods hypothesis for second language learning. In W. Ritchie (Ed.), *Second language acquisition research* (pp. 11-19). New York: Academic Press.

Selinker, L. (1972). Interlanguage. *International Review of Applied Linguistics, 10,* 209-231.

Selinker, L., & Lakshmanan, U. (1992). Language transfer and fossilization: The multiple effects principle. In S. M. Gass & L. Selinker (Eds.), *Language transfer in language learning* (pp. 197-216). Amsterdam/ Philadelphia: John Benjamins.

Sharwood Smith, M. (1981). Consciousness raising and second language learner. *Applied Linguistics, 2,* 159-168.

Sharwood Smith, M. (1986). Comprehension vs. acquisition: Two ways of processing input. *Applied Linguistics, 7,* 239-256.

Sharwood Smith, M. (1991). Speaking to many minds: On the relevance of different types of language information for the L2 learner. *Second Language Research, 7,* 119-132.

Sharwood Smith, M. (1993). Input enhancement in instructed SLA: Theoretical bases. *Studies in Second Language Acquisition, 15,* 165-179.

Shiffrin, R. M., & Schneider, W. (1977). Controlled and automatic human information processing II: Perceptual learning, automatic, attending, and a general theory. *Psychological Review, 84,* 127-190.

Shoaib, A., & Dörnyei, Z. (2005). Affect in life-long learning: Exploring L2 motivation as a dynamic process. In P. Benson & D. Nunan (Eds.), *Leaners' stories: Difference and diversisty in language learning* (pp.22-41).Cambridge, UK: Cambridge University Press.

Singleton, D. (2001). Age and second language acquisition. *Annual Review of Applied Linguistics, 21,* 77-89.

Skehan, P. (1989). *Individual differences in second-language learning.* London, UK: Edward Arnold.

Skehan, P. (1991). Individual differences in second-language learning. *Studies in Second Language Acquisition, 13,* 275-298.

Skehan, P. (1996). A framework for the implementation of task-based instruction. *Applied Linguistics, 17,* 38-62.

Skehan, P. (1998). *A cognitive approach to language learning.* Oxford, UK: Oxford University Press.

Skehan, P. (2002). Theorising and updating aptitude. In P. Robinson (Ed.), *Individual differences and instructed language learning* (pp. 69-93). Amsterdam/Philadelphia: John Benjamins.

Skehan, P., & Foster, P. (2001). Cognition and tasks. In P. Robinson (Ed.), *Cognition and second language instruction* (pp. 183-205). Cambridge, UK: Cambridge University Press.

Skinner, B. F. (1957). *Verbal behavior.* New York: Appleto-Century-Crofts.

Slobin, D. I. (1970). Universals of grammatical development in children. In G. B. Flore d'Arcais & W. J. M. Levelt (Eds.), *Advances in psycholinguistics* (pp. 174-186). Amsterdam: North-Holland.

Slobin, D. I. (1973). Cognitive prerequisites for the development of grammar. In C. A. Ferguson & D. I. Slobin (Eds.), *Studies of child language development* (pp. 175-208). New York: Holt, Rinehart & Winston.

Slobin, D. I. (1985). Crosslinguistic evidence for the language-making capacity. In D. I. Slobin (Ed.), *The crosslinguistic evidence study of language acquisition: Vol. 2. Theoretical issues* (pp. 1157-1256). Hillsdale, NJ: Erlbaum.

Snow, C. E. (1977). Mothers' speech research: From input to interaction. In C. E. Snow & C. A. Ferguson (Eds.), *Talking to children: Language input and acquisition* (pp. 31-50). Cambridge, UK: Cambridge University Press.

Snow, R. E. (1987). Aptitude complexes. In R. E. Snow & M. J. Farr (Eds.), *Aptitude, learning, and instruction* (pp. 11-34). Hillsdale, NJ: Lawrence Erlbaum.

Sokolik, M. E., & Smith, M. (1992). Assignment of gender to French nouns in primary and secondary language: A connectionist model. *Second Language Research, 8,* 39-58.

Spada, N. (1997). Form-focused instruction and second language acquisition. A review of classroom research. *Language Teaching, 30,* 73-87.

Sparks, R. L. (1995). Examining the linguistic coding differences hypothesis to explain individual differences in foreign language learning. *Annals of Dyslexia, 45,* 187-219.

Sparks, R.L., & Ganschow, L. (2001). Aptitude for learning a foreign language. *Annual Review of Applied Linguistics, 21,* 90-111.

Sparks, R. L., Patton, J., Ganschow, L., & Humbach, N. (2009). Long-term crosslinguistic transfer of skills from L1 to L2. *Language Learning, 59,* 203-243.

Sparks, R. L., Patton, J., Ganschow, L., & Humbach, N. (2011). Subcomponents of second-language aptitude and second-language proficiency. *Modern Language Journal, 95,* 253-273.

Sparks, R. L., Patton, J., Ganschow, L., Humbach, N., & Javorsky, J. (2006). Native language predictors of foreign language proficiency and foreign language aptitude. *Annals of Dyslexia, 56,* 129-160.

Sparks, R. L., Patton, J., Ganschow, L., Humbach, N., & Javorsky, J. (2008). Early first-language reading and spelling skills predicts later second-language reading and spelling skills. *Journal of Educational Psychology, 100,* 162-174.

Steinberg, D. D. (1993). *An introduction to psycholinguistics.* London, UK: Longman.

Stern, H. H. (1975). What can we learn from the good language learner? *Canadian Modern Language Review, 31,* 304-318.

Sternberg, R. J. (1983). Components of human intelligence. *Cognition. 15,* 1-48.

Sternberg, R. J. (1984). Toward a triarchic theory of human intelligence. *Behavioral and Brain Sciences, 7,* 269-315.

Sternberg, R. J. (1997). What does it mean to be smart? *Educational Leadership, 54,* 6, 20-24.

Sternberg, R. J. (2002). The theory of successful intelligence and its implications for language-aptitude testing. In P. Robinson (Ed.), *Individual differences and instructed language learning* (pp. 13-44). Amsterdam/Philadelphia: John Benjamins.

Sternberg, R. J., & Grigorenko, E. L. (2002). *Dynamic testing: The nature and measurement of learning potential.* Cambridge, UK: Cambridge University Press.

Stevick, E. W. (1976). *Memory, meaning and method*. Rowley, MA: Newbury House.

Stevick, E. W. (1982). *Teaching and learning languages*. Cambridge, UK: Cambridge University Press.

Stockwell, R., Brown, J., & Martin, J. (1965). *The grammatical structures of English and Spanish*. Chicago, IL: University of Chicago Press.

Swain, M. (1984). Large-scale communicative language testing. In S. J. Sandra & M. S. Berns (Eds.), *Initiatives in communicative language teaching: A book of reading* (pp. 185-201). Reading, MA: Addison-Wesley Publishing.

Swain, M. (1985). Communicative competence: some roles of comprehensible input and comprehensible output in its development. In S. Gass & C. Madden (Eds.), *Input in second language acquisition* (pp. 235-253). Rowley, MA: Newbury House.

Swain, M. (1991). French immersion and its offshoots: Getting two for one. In B. Freed (Ed.), *Foreign language acquisition: Research and the classroom* (pp. 91-103). Lexington, MA: Heath.

Swain, M. (1993). The output hypothesis: Just speaking and writing aren't enough. *Canadian Modern Language Review, 50*, 158-164.

Swain, M. (1994). *Three functions of output in second language learning*. Paper presented at the Second Language Research Forum. McGill University, Montreal.

Swain, M. (1995). Three functions of output in second language learning. In G. Cook & B. Seidlhofer (Eds.), *Principles & practice in applied linguistics* (pp. 125-144). Oxford, UK: Oxford University Press.

Swain, M., & Lapkin, S. (1995). Problems in output and the cognitive processes they generate: A step towards second language learning. *Applied Linguistics, 16*, 371-391.

Swain, M., & Lapkin, S. (1998). Interaction and second language learning: Two adolescent French immersion students working together. *Modern Language Journal, 82*, 320-337.

Tarone, E. (1988). *Variation in Interlanguage*. London, UK: Edward Arnold.

Tarone, E., & Bigelow, M. (2004). The role of literacy level in second language acquisition: Doesn't who we study determine what we know? *TESOL Quarterly, 36*, 689-700.

Tarone, E., & Bigelow, M. (2005). Impact of literacy on oral language processing: Implications for second language acquisition research. *Annual Review of Applied Linguistics, 25*, 77-97.

Thompson, A. S. (2013). The interface of language aptitude and multilingualism: Reconsidering the bilingual/multilingual dichotomy. *Modern Language Journal, 97,* 685-701.

Toda, S., Fogel, A., & Kawai, M. (1990). Maternal speech to three-month old infants in the United States and Japan. *Journal of Child Language, 17,* 279-294.

Tomasello, M. (1992). *First verbs: A case study of early grammatical development.* Cambridge, UK: Cambridge University Press.

Tomasello, M. (1995). Language is not an instinct. *Cognitive Development, 10,* 131-156.

Tomasello, M. (1999). *The cultural origins of human cognition.* Cambridge, MA: Harvard University Press.

Tomasello, M. (2003). *Constructing a language: A usage-based theory of language acquisition.* Cambridge, MA: Harvard University Press.

Tomasello, M. (2008). *Origins of human communication.* Cambridge, MA: MIT Press.

Tomlin, R., & Villa, V. (1994). Attention in cognitive science and second language acquisition. *Studies in Second Language Acquisition, 16,* 183-204.

Trembly, P. R., Goldberg, M. P., & Gardner, R. C. (1995). Trait and state motivation and the acquisition of Hebrew vocabulary. *Canadian Journal of Behavioral Science, 27,* 256-270.

Trofimovich, P., Ammar, A., & Gatbonton, E. (2007). How effective are recasts? The role of attention, memory, and analytical ability. In A. Mackey (Ed.), *Conversational Interaction in second language acquisition* (pp. 171-195). Oxford, UK: Oxford University Press.

Trude, A. M., & Tokowicz, N. (2011). Negative transfer from Spanish and English to Portuguese pronunciation: The roles of inhibition and working memory. *Language Learning, 61,* 259-280.

Tseng, W., Dörnyei, Z., & Schmitt, N. (2006). A new approach to assessing strategic learning: The case of self-regulation in vocabulary acquisition. *Applied Linguistics, 27,* 78-102.

Varonis, E. M., & Gass, S. (1985). Non-native/non-native conversations: Model for negotiation of meaning. *Applied Linguistics, 6,* 71-90.

VanPatten, B. (1990). Attending to form and content in the input: An experiment in consciousness. *Studies in Second Language Acquisition, 12,* 287-301.

VanPatten, B., & Oikkenon, S. (1996). Explanation versus structure input in processing instruction. *Studies in Second Language Acquisition, 18,* 495-510.

Wagner, J. (1996). Foreign language acquisition through interaction - A critical review of research on conversational adjustments. *Journal of Pragmatics, 26*, 215-235.

Wagner-Gough, J., & Hatch, E. (1975). The importance of input data in second language acquisition studies. *Language Learning, 25*, 297-307.

Wesche, M. (1981). Language aptitude measures in streaming, matching students with methods, and diagnosis of learning problems. In K. C. Diller (Ed.), *Individual differences and universals in foreign language aptitude* (pp. 119-154). Rowley, MA: Newbury House.

White, J., & Lightbown, P. M. (1984). Asking and answering in ESL classes. *Canadian Modern Language Review, 40*, 228-244.

White, L. (1987). Against comprehensible input: The input hypothesis and the development of second language competence. *Applied Linguistics, 8*, 95-110.

White, L. (1989a). *Universal grammar and second language acquisition.* Amsterdam/Philadelphia: John Benjamins. 千葉修司, ケビン・グレッグ, 平川眞規子共訳 (1992)『普遍文法と第二言語獲得：原理とパラメータのアプローチ』リーベル出版

White, L. (1989b). The adjacency condition on case assignments. Do learners observe the Subset Principle? In S. M. Gass & J. Schachter (Eds.), *Linguistic perspectives on second language acquisition* (pp. 134-158). Cambridge, UK: Cambridge University Press.

White, L. (1989c). Linguistic universals, markedness and learnability: Comparing two different approaches. *Second Language Research, 5*, 127-140.

White, L. (1990). Second language acquisition and universal grammar. *Studies in Second Language Acquisition. 12*, 121-133.

White, L. (1991). Adverb placement in second language acquisition: Some effects of positive and negative evidence in the classroom. *Second Language Research, 7*, 133-161.

Wilkins, D. A. (1976). *Notional syllabus.* Oxford, UK: Oxford University Press.

Willis, J. (1996). *A framework for task-based learning.* Harlow, UK: Longman.

Wode, H. (1981). Language-acquisitional universals: A unified view of language acquisition. In H. Wintz (Ed.), *Native language and foreign language acquisition: Annals of New York Academy of Sciences, 379*, 218-234.

Woltz, D. (2003). Implicit cognitive processes as aptitudes for learning. *Educational Psychologist, 38*, 95-104.

Yano, Y., Long, M. H., & Ross, S. (1994). The effects of simplified and elaborated texts on foreign language reading comprehension. *Language Learning, 44*, 189-219.

Young, J., & Nakajima-Okano, K. (1984). *Learn Japanese:* New college text. Vol.1. Honolulu, HI: University of Hawaii Press.

Yu, L., & Odlin, T. (2015). *New perspectives on transfer in second language learning.* Bristol, UK: Multilingual Matters.

Zeidner, M., Boekaerts, M., & Pintrich, P. R. (2000). Self-regulation: Directions and challenges for future research. In M. Boekaerts, P. R. Pintrich & M. Zeidner (Eds.), *Handbook of self-regulation.* San Diego, CA: Academic Press.

Zobl, H. (1985). Grammars in search of input and intake. In S. M. Gass & C. G. Madden (Eds.), *Input in second language acquisition* (pp. 329-344). Rowley, MA: Newbury House.

英日用語対照リスト

英語	日本語
A	
Acculturation Model	文化変容モデル
Acquisition/Learning Hypothesis	習得／学習仮説
additive bilingualism	加算的バイリンガル
adjacency pairs	隣接対
Affective Filter Hypothesis	情意フィルター仮説
agraphia	失書症
alexia	失読症
amotivation	無動機
anxiety	不安
aphasia	失語症
approximative systems	近似体系
Aptitude-Treatment Interaction	適性処遇交互作用
associative learning	連合学習
Attitude/Motivation Test Battery: AMTB	態度／動機づけテストバッテリー
automatic processing	自動的処理
automatization	自動化
autonomy	自律性
awareness	アウェアネス
B	
babbling	喃語
baby talk	ベビートーク
backsliding	逆行
backsliding period	逆行期

英語	日本語
balance theory	均衡理論
Basic Interpersonal Communicative Skills: BICS	基本的対人伝達能力
behaviorism	行動主義
C	
caretaker speech	養育者言葉
Child-Directed Speech: CDS	子どもに向けられたスピーチ
choice motivation	選択的動機づけ
clarification requests	明確化要求
classical conditioning	古典的条件づけ
classroom acquisition	教室習得環境
Classroom SLA	教室第二言語習得
Cognitive Academic Language Proficiency: CALP	認知学習能力
cognitive comparison	認知比較
cognitive strategy	認知ストラテジー
cognitivist	認知的アプローチ，認知主義
Common European Framework of References for Languages: CEFR	ヨーロッパ言語共通参照枠
Common Underlying Proficiency Model	共有基底言語能力モデル
communicative competence	伝達能力
competence	言語能力
competence	有能性
Competition Model	競合モデル
comprehensible input	理解可能なインプット
comprehension checks	理解チェック

英語	日本語
conceptually driven	概念駆動
confirmation checks	確認チェック
Connectionist Model	コネクショニスト・モデル
consciousness	意識
consciousness raising	意識化
Contrastive Analysis Hypothesis: CAH	対照分析仮説
controlled processing	統制的処理
convergent task	収束タスク
conversational adjustments	会話的調整
corrective feedback	訂正フィードバック
Critical Period Hypothesis	臨界期仮説
cross-sectional study	横断的研究
crystallized intelligence	結晶性知能
D	
data-driven	データ駆動
debilitative anxiety	抑制的不安
declarative knowledge	宣言的知識
declarative memory	宣言的記憶
dependent variable	従属変数
destabilization	脱膠着化
Developmental Independence Hypothesis	発達相互依存仮説
display question	提示質問
divergent task	拡散タスク
dyslexia	読字障害

英語	日本語
E	
ecological validity	生態学的妥当性
elaborative rehearsal	精緻化リハーサル
Emergentism	創発主義
emotional intelligence	こころの IQ
empathy	感情移入
empiricist	経験主義（者）
error	誤り
error analysis	誤用分析
ethnocentrism	自文化中心主義
executive motivation	実行的動機づけ
experiential learning	体験学習
experimental research	実験研究
explicit knowledge	明示的知識
explicit learning	明示的学習
explicit memory	顕在記憶
extrinsic motivation	外発的動機づけ
extrovert	外向的
F	
facilitative anxiety	促進的不安
field dependence	場依存型
field independence	場独立型
First Language Acquisition: FLA	第一言語習得
first words	初語
fluid intelligence	流動性知能
foreigner talk	フォーリナー・トーク
foreign language learning disabilities	外国語学習障害

英語	日本語
formal instruction	言語形式の指導
formulaic speech, formulaic expressions	形式発話
fossilization	化石化
functional linguistics	機能言語学
Fundamental Differences Hypothesis	根本的相違仮説
Fundamental Similarity Hypothesis	根本的類似仮説
G	
generative approach to SLA	生成アプローチの SLA
global error	全体的な誤り
goal emulation	結果模倣
Government and Binding Theory	統率・束縛（GB）理論
grammatical sensitivity	文法に対する敏感さ
H	
hypothesis testing	仮説検証
I	
ideal self	理想的自己
idiosyncratic dialects	個人特有の方言
implicational hierarchy	含意的階層
implicit knowledge	暗示的知識
implicit learning	暗示的学習
implicit memory	潜在記憶
incomprehensible input	理解不可能なインプット
independent variable	独立変数
inductive language learning ability	帰納的学習能力
inductive learning	帰納学習

英語	日本語
information processing	情報処理
inhibition	抑制
innatist	生得主義
input enhancement	インプット強化
Input Hypothesis	インプット仮説
Instructed SLA	教室第二言語習得
instrumental motivation	道具的動機づけ
integrative motivation	統合的動機づけ
intelligence	知性
intention	意図
Interaction Hypothesis	インターアクション仮説
interactionist	相互交流的アプローチ，相互交流論
interlanguage	中間言語
interlanguage pragmatics	中間言語語用論
interlingual error	言語間の誤り
intervening variable	介在変数
intralingual error	言語内の誤り
intrinsic motivation	内発的動機づけ
introvert	内向的
J	
joint attention	共同注意
L	
laboratory studies	実験室研究
Language Acquisition Device: LAD	言語習得装置
language anxiety	言語不安
language aptitude	言語適性
language attrition	言語喪失

英語	日本語
language competence	言語能力
language ego	言語自我
language maintenance	ことばの維持
language processing	言語処理
language shock	言語ショック
language socialization	ことばによる社会化
lateralization	一側化
learned attention	学習された注意
limited bilingualism	制限的バイリンガル
linguistic competence	言語能力，言語知識
local error	局部的な誤り
longitudinal study	縦断的研究
L2 Motivational Self System	L2 動機づけの自己システム
M	
maintenance rehearsal	維持リハーサル
marked	有標
mental grammar	心的文法
mental lexicon	心的辞書
mental representation	心的表象
metacognitive strategy	メタ認知ストラテジー
meta talk	メタ・トーク
mind	心
mistake	間違い
Modern Language Aptitude Test: MLAT	現代言語適性テスト
Monitor Hypothesis	モニター仮説
motherese	母親語
motivation	動機づけ

英語	日本語
Multidimensional Model	多次元モデル
Multiple Critical Period Hypothesis	複数臨界期仮説
Multiple Effects Principle	複合効果の原理
multiple intelligences	多重知性

N

nativist	生得主義
naturalistic acquisition	自然習得環境
Natural Order Hypothesis	自然習得順序仮説
negative evidence	否定証拠
negative feedback	否定的フィードバック
negative transfer	負の転移
negotiation of meaning	意味交渉
Neural Network	神経回路網
non-interface hypothesis	ノン・インターフェース仮説
noticing	気づき
noticing hypothesis	気づき仮説

O

object permanence	事物の永続性
one-way task	一方向タスク
operant conditioning	オペラント条件づけ
Operating Principles	操作原理
operationalization	操作上の定義
orientation	志向
organizational competence	構成能力
ought-to-self	義務的自己
Output Hypothesis	アウトプット仮説
overgeneralization	過剰般化

英語	日本語
P	
Parallel Distribution Processing Model: PDP	並列分散処理モデル
parameters	パラメータ
paraphrases	言い換え
partial bilingualism	部分的バイリンガル
perception	知覚
perceptual speed	知覚速度
performance	言語運用
permeability	浸透性
phonemic coding ability	音韻符号化能力
phonetic coding ability	音声符号化能力
phonological processing abilities	音韻処理能力
Pidginization Hypothesis	ピジン化仮説
Pimsleur Language Aptitude Test	外国語学習適性テスト
pivot grammar	軸文法
Pluriculturalism	複文化主義
Plurilingualism	複言語主義
positive evidence	肯定証拠
positive transfer	正の転移
possible self	可能な自己
poverty of stimulus	刺激の貧困
pragmatic competence	語用的能力
pragmatic transfer	語用的転移
prejudice	偏見
Principle of Transfer Appropriate Processing	転移適切性処理の原理
principles	原理
proceduralization	手続き化

英語	日本語
procedural knowledge	手続き的知識
procedural memory	手続き的記憶
procedural skill	手続き的スキル
Processability Theory	処理可能性理論
processing speed	処理速度
proficiency bilingualism	完全バイリンガル
projection device	投射装置
psychomotor abilities	心理的運動能力
puberty	思春期
pushed output	強要アウトプット
Q	
qualitative research	質的研究
quantitative research	量的研究
quasi-experimental research	準実験研究
R	
random assignment	無作為配分
random sampling	無作為抽出
rationalist	合理主義（者）
recast	リキャスト
referential question	指示質問
reinforcement	強化
relatedness	関係性
repair	修正
repetitions	繰り返し
restructuring	再構築
risk taking	リスク・テイキング
rote learning ability	暗記学習能力

英語	日本語
route	道筋
S	
salience	卓立性
scaffolding	足場かけ
Second Language Acquisition: SLA	第二言語習得
segmentation	分節化
self-determination theory	自己決定理論
self-esteem	自信／自尊心
self-regulation strategy	自己調整ストラテジー
sensitive period	敏感期
sensorimotor period	感覚運動期
Separate Underlying Proficiency Model	分離言語能力モデル
sequential bilingual	継起発達バイリンガル
silent period	沈黙期
simplified register	簡略化した言語使用域
simultaneous bilingual	同時発達バイリンガル
social interactionist	社会的相互交流論
social solidarity	社会的結束
socioaffective strategy	社会情意的ストラテジー
Sociocultural Theory	社会文化理論
Socio-Educational Model	社会教育的モデル
speech act	発話行為
stabilization	膠着化
state anxiety	状況不安
state motivation	状況的動機づけ
Subset Principle	部分集合原理
subtractive bilingualism	減算的バイリンガル

英語	日本語
Suppliance in Obligatory Context: SOC	義務的文脈における使用の分析
T	
target-like use: TLU	目標言語への近さを見る使用の分析
treatment	処遇
Task-based Language Teaching: TBLT	タスク・ベースの教授法
task-essentialness	タスクの言語形式必須性
Teachability Hypothesis	教授可能性仮説
threshold theory	閾値理論
tolerance of ambiguity	曖昧さに対する寛容
Total Physical Response: TPR	全身反応教授法
trait anxiety	習性不安
trait motivation	習性的動機づけ
transfer	転移
trigger	引き金
two-way task	双方向タスク
typological universals	類型的普遍性
U	
Universal Grammar: UG	普遍文法
unmarked	無標
usage-based approach	用法基盤的アプローチ
U-shaped behavior	U字型曲線
V	
variability	可変性
verbal behavior	言語行動

英語	日本語
W	
willingness to communicate	コミュニケーションの意欲
working memory	作動記憶
Z	
zone of proximal development: 　ZPD	最近接発達領域

索引

著者

小柳かおる（こやなぎかおる）

上智大学言語教育研究センター／大学院言語科学研究所　教授

福岡県出身。上智大学外国語学部フランス語学科卒業。

米国ジョージタウン大学大学院応用言語学修士，博士課程修了。

言語学博士（Ph.D）。

（社）国際日本語普及協会（AJALT），アメリカ国際経営大学院，

ジョージタウン大学等の日本語講師を経て，1997年10月より上智大学へ。

2018年9月から1年間，フランス国立東洋言語文化大学（INALCO）日本学研究センター特別招聘研究員。

著書に『認知的アプローチから見た第二言語習得』（共著，くろしお出版），『第二言語習得の普遍性と個別性』（共著，くろしお出版），『第二言語習得について日本語教師が知っておくべきこと』（単著，くろしお出版）などがある。

専門は言語習得論，日本語教育。

装丁

山田武

かいていばん
改訂版
にほんごきょうし　　　　　　あたら　　げんごしゅうとくがいろん
日本語教師のための新しい言語習得概論

| | 2004年10月5日　初版第1刷発行 |
| | 2021年4月26日　改訂版第1刷発行 |

著　者	こやなぎ 小柳かおる
発行者	藤嵜政子
発　行	株式会社スリーエーネットワーク
	〒102-0083　東京都千代田区麹町3丁目4番 トラスティ麹町ビル2F
	電話　営業　03（5275）2722 　　　　編集　03（5275）2725
	https://www.3anet.co.jp/
印　刷	萩原印刷株式会社

ISBN978-4-88319-883-2　C0081